Heibonsha Library

［新版］幻想の中世

Le Moyen Age Fantastique

平凡社ライブラリー

Jurgis Baltrušaitis
Le Moyen Age Fantastique :
Antiquités et exotismes dans l'art gothique

Heibonsha Library

［新版］幻想の中世

Le Moyen Age Fantastique

ゴシック美術における
古代と異国趣味

J・バルトルシャイティス著
西野嘉章訳

平凡社

本書は、一九九八年六月・七月に平凡社ライブラリーとして刊行された『幻想の中世——ゴシック美術における古代と異国趣味』（初版、リブロポート、一九八五年五月）のⅠとⅡを合本した新版です。

目次

日本語版に寄せて

本書は一九五五年にアルマン・コラン社からアンリ・フォションの監修になる叢書の一冊として刊行された。元版はすぐに品切れとなったが、イタリアで一九七三年、一九七七年、一九七九年と三度版を重ね、さらにルーマニアでも印行（一九七五年）されている。新しい仏語版の必要とされる頃合いでもあり、一九八一年にそれがフラマリオン社から出版された。その機会に本の装いを一新し、本文と註記を増補した。日本語版はヨーロッパに対する東アジアの寄与の問題を補訂した最新版が底本となる。東方の図像の西方への流入は十七世紀から矢継早に始まるが、その道を拓《ひら》いたのは蒼古たる先例であった。西欧の幻視者を魅了してやまぬ、生動する器物の怪異〔器怪〕など、幻想的主題を描き出した最古の作例は日本に見られるのだ。

一九八四年九月一七日　パリにて

ユルギス・バルトルシャイティス

緒言

本書はもともと『ゴシック美術における覚醒と驚異』と題する浩瀚な研究の一部を成すものであった。そのなかでは古代の諸要素と東方の諸要素が、リアリズム全盛の中世の只中に驚異的なもの、超自然的なものへの傾きを甦らせようとする潮流全体との関わりのなかで論じられていた。その上下二部作——一方は内部での展開を取り上げたもの、他方は外部からの寄与を取り上げたもの——は諸般の事情によって二冊の単行本となり、第一部（『覚醒と驚異——幻想のゴシック』）が一九六〇年に、第二部（『幻想の中世——ゴシック美術における古代と異国趣味』）がそれより一足早い一九五五年にそれぞれ出版されている。

本書は四半世紀ほど前アンリ・フォションの叢書の一冊として刊行され、すぐに品切れとなった。しかし、そうこうするあいだにも、最近ではイタリアで版（一九七三年、軽装版は一九七七年と一九七九年）を重ね、さらにルーマニアでも出版（一九七五年）を見ている。新しい仏語版が必要とされる時期だったのだ。われわれは旧版に資料を補い、装いも新たにして再び本書を世に送る。われわれの知る限り、中身の修訂を迫る研究、内容を凌駕する研究のついぞ見あたらぬ現在、本書は雄《おお》いなる時代の歴史にとって重要性が増しこそすれ減ずることのない、そうした問いの最終局面にあると言ってよい。

序

ゴシック的中世と言えば、一般には自然や生命の再発見といったことが想い浮かぶ。抽象的な飾り、様式化された装飾のなかに、あるいは異形の族《やから》が、あるいは古代や東方の驚異がひしめきあう。そうした重層的な土壌の上にかたちづくられたのがロマネスクであった。ロマネスクのイマジュリが終わりを告げると、今度は植物が青々と開花し、優美な人像が生まれ、現実界に向かっての、有機的秩序に向かっての進化が始まる。西方世界は自らの裡で勝利を収め、すべての制約から解き放たれた。

こうした見方はまさに正鵠を得てはいる。がしかし、雑多な要素や要因が時代とともに続々と流れ込んでくる展開の紆余曲折ぶりを逐一規定するものとはとうてい言いがたい。中世は幻想的なものを切り捨てたりなどしなかった。自らの蒼古たる形体を復活させながら、あるいはそれらを新しいシステムで豊饒なものとしながら、たえず幻想的なものへ立ち戻りつつ進化を遂げたのだった。中世は自らの想像力を永らく育んできた古代や異国の広範な文化的伝統と絶縁したわけでもなかった。

本書ではこうした外部からの寄与を研究の俎上に載せる。十三世紀にそれらの影響がおぼろげに見えるようになっていたが、ゴシック美術の本流はいまだ調和と安寧のなかでまどろんでいた。しかし時が経ち、一方で洗練を求め、錯綜を極めようとするうち、規矩の均衡に破綻を来たし、また他方で悪夢、天変地異、動乱などが、とりわけ物語文学《ロマン》に登場する時代になると、外部からの影響もいちだんと強まってくる。地獄図、怪異な生き物、動物誌や写本欄外や彫刻装飾に跋扈する架空の生き物の再生、現実世界の只中での虚構の大々的な復活は、この過程の初期段階を規定していた諸々の主題や原理の統一性を揺さぶらずにおかなかった。[*1] それらは幻想や伝承の温床としてあった諸源泉、すなわち古典古代と東方世界を一挙に甦らせたのだった。

西洋は忘れて久しいあの世の怪物たちの故地を改めて耕し始めた。しかし、借用がどこでも同じ条件下にあったわけではない。よく知られていたのは古代の源泉の方であった。玉石彫刻や貨幣は、それらのなかに新しい題材がいくつも見出されたため、めざましい伝播の具となった。イスラームにも十一世紀から進展が見られ、厳密に言うと、同じ題材を提供したわけではなかった。最後は東洋。いくつかの大文明の展開に深い足跡を残す中国までもが、突然ふってわいたように西洋へ途を拓くことになった。中世はかかる接触と拡張のなかで成長を遂げた。自ら変節することなく他を同化する、これは西洋中世の持って生まれた力である。質の違う一群の形体をまるごと譲り受け、自らの環境のなかで混淆してみせたという点で、それはいっそう神秘的に、自己完結的に映る。西洋におけるゴシックの開花は外部との断絶を招いたわけでなく、古い源泉の復活をともなっていたのだ。

本書の各章では、こうした外部からの寄与を超自然的な領域にのみ絞って取り上げてみたい。影響はあらゆる方面に及んだ。しかし、それらが共通する基盤や構想を見出した場所は、時間か、さもなくば空間によって遠く隔てられた世界と同一視されがちな幻想的非リアリズム世界のなかであった。諸々の影響は一点に収斂した。われわれが古代の要素と東洋の要素をあえて同一の次元で提示するのは、「非キリスト教的なもの」という見出しで一括されるギリシア＝ローマの遺物とイスラームの文物・形態を、ともに「サラセン趣味」の一語で片づけるのを常とした中世が自らそのような混同を行っていたからにほかならない。[*2] この常套句はいわゆる異国趣味一般を意味し、どのような範疇のものであれ外部からもたらされたものならなんでも包摂することができた。ということで、その重要性も自ずと推し量られよう。われわれは、それらのなかからもっとも顕著な要素を選び取るだけで、全体像を示そうなどという気は毛頭ない。たしかに、要素は限られている。しかし、現実界の探索行の只中にあって、僻遠の幻の国々にまで足を延ばしながらなおかつ終いまで己れの普遍性を失わずにあった中世の、その永きにわたる奮戦ぶりを浮彫りにするのには充分なのだ。

原註

＊1——こうした古い源泉を新しいシステムに組み入れていく段階や過程についてはJ. Baltrušaitis, *Réveils et prodiges, le gothique fantastique*, Paris, 1960を参照。

＊2——ローマ時代のモニュメント（アンティーブのサラセン堡塁［opus saracenum］、サラセン塔［tours sarrazins］、ヴィラール・ド・オヌクールによって再現されている執政官用二連板、サラセン人の墓［li sepouture d'un sarrazin］）についてはH. Hahnloser, *Villard de Honnecourt*, Wien, 1935, p. 27を参照。J・フォン・シュロッサーは、「サラセン風」と形容されるポストゥムスのメダルの十五世紀のコピーについて言及している（J. von Schlosser, *Die ältesten medaillen und die Antike, Jahrbuch der kunsthistorischen Sammlungen des AH. kaiserhauses*, XVIII, 1897, p. 90）。

第一章　ゴシックのグリロス

第一節　頭部を色々に組み合わせて作る怪物

頭脚人。身体各部に増殖する頭や顔。

古代ギリシア＝ローマ世界にはふた通りの貌があった。一方は神と人の世界。そこには強靭で有機的な生命が花開き、なにごとにつけ雄々しく高貴であった。他方は幻想的な生き物の世界。はるか彼方からやって来たそれら生き物の多くは種々の身体、雑多な本性を交配させたものであり、したがって出自もバラバラであった。とはいえ、これはいくつもの要素から成る多様な一叙事詩の同じ見え姿であり、完全にして無欠な一個の宇宙をかたちづくっていた。

ところが、この世界の後裔の話となるとそうもいかない。中世は古代の貯蔵庫との接触を断ったことがなく、これら双つの貌の、あるときは前者と、またあるときは後者と向かい合っていた。[*1]「古典的」な時代を通過しているときには、調和と人像に拠りどころを索めたのだった。

こうした安定が突き崩され、幻想性と想像力が形体と精神の動揺によって軛を解かれる時代になると、怪物や獣が姿を現し、オリュンポスの神々も猛々しい獣のごとき性格を帯びる機会が増えてくる。一般にロマネスクのイマジュリはこうした精神で古代から水を汲み上げたのだ。[※2]同じ現象は十三世紀にも繰り返され、ゴシック的古典主義の衰退と歩を合わせて展開していく。異形なる古代は次第に人文主義的古代にとって代わられる。神話は道徳化され、変質していった。[※3]なんと天球図にすら、獣をかたどった星座がひしめいていた。アラブ人の蘇らせた星座、東方の色に染まったそれが。キリスト教宇宙誌に関する研究[※4]のなかでわれわれは、中世へ紹介され、たえず中身を変えつつある黄道十二宮図や風配図（風の薔薇）やヘレニズム的天球図の主題が、象徴的な像を過剰にまとい、別の新しい領域と重合しながら、十三世紀以降どのように復活してきたのかを明らかにしてみせた。[※5]イスラームがその仲介に大きく貢献しているが、しかし覚醒は自然発生的にも起こった。ゴシックのイマジュリのなかに、十二世紀には黙殺されていたか、あるいはほとんど知られずにあった奇妙な生き物の群が興り、それらが広まることになったのだ。群の先頭に立ったのは頭部を色々に組み合わせて作る怪物であった。

この怪物族のなかでもっともありふれているのは、全身を面貌で置き換えたタイプである。メッスの天井画では早くも一二二〇年頃に姿を現す。[※6]数多ある幻想的な生き物のなかで、人の頭から両脚が直《じか》にはえ出し、腹部もなければ胴体もないものが二つある。そのうちの一つは尻尾をはやし、耳に取って換わった腕で楯を摑み、剣を振りかざしている。もう一つは髯をはやした頭だけのもので、これは二本の脚をはやしている。それらは身体の一部が省略されているにもかかわらず驚くべき躍動感に満ちている【図1】。怪物が見出されるのはグールネの敷石[*7]（十四世紀）。ヘリフォード[*8]やリン[*9]では聖職者席の浮彫りにそれが見られる（一三八〇年と一四一五年頃）。写本の装飾にはかなり広がっている。ケンブリッジのフィッツウィリアム美術館の零葉（一二八〇年頃）では悲壮な顔が見られる[*10]。髭をはやし、髪を風に逆立てている。まるで獅子の鬣《たてがみ》のようであり、下半身は四足獣のそれ。絵柄はランベス宮殿の『詩篇集』（十四世紀初頭）に写し取られた[*11]。これ【図2】はヨークの司教区から出たもので、イースト・アングリア様式を反映している。マイルミートのウォルターの本に登場する異形（一三二六―二七年）もやはり同じ手本から派生している[*12]。

似たような構成は獣の頭部の組み合わせからも作られた。アングロ＝ノルマン系の『黙示録』では「第四の封印」を解く蒼ざめた馬の背に跨る死神の背後に、レビヤタンの顔がヨチヨチ歩きしているのを見ることができる[*13]【図3】。

蒼ざめたる馬あり
之れに乗る者の名を死といひ……

に続く、「陰府《よみ》これに随ふ」（「ヨハネの黙示録」六章八節）の一節が逐語的に描き出されているのだ。

トゥールーズの『黙示録』ではレビヤタンの顔が不気味な笑いをうかべた鉤鼻の悪魔でいっぱいになっている。ドレスデンの写本では火焰を吹き出している【図4】。『冥府降下』の場合などでもレビヤタンの頭に後肢がはえている[*14]【図5】。これはなぜか。その理由を解き明かせるのは死神につき従う、あの「陰府《よみ》」だけなのだ。

獣頭の集合体はもっと複雑なものにもなりえた。第一の頭から長い首がはえ出し、その先に第二の頭を持つものもよくあるからだ【図6】。リヨン大聖堂の基壇のメダイヨン（一三一〇―二〇年）では馬の脚を持った髯面の顔が頸筋の瘤の先に小さな第二の人頭をつけている[*15]。ドゥエの『詩篇集』（一三二二―二五年）にはこのリヨンの作例のヴァリアントが見られる[*16]。下の顔の鼻が伸び出て尻尾になっているものもある。『ラウトレル詩篇集[*17]』（一三四〇年）、カンブレ［ノール県］の写本（十四世紀）では第二の頭が禽獣のそれになっている[*18]。ほかにも犬の頭や猫の頭のものがある[*19]。

初期刊本ではこれら獣頭の取り合わせがイニシャル装飾やヴィネット装飾で盛んに用いられている[*20]【図7】。一五四八年の一枚刷りでは柱の上に獣が立っている。群衆に取り巻かれる青銅の蛇、といった風情である【図8】。胸前の顔は火焔を吐き、その上の捩れた首から三つの頭がはえ出す。なかの一つは三重冠を被っている。これはバビロンのキマイラすなわちサタンであり、宗教改革派が戯画化した教皇にほかならない[*21]。人の顔の上部から長い首をはやした怪物は後代まで生き長らえた。民衆図像では十八世紀に至るまでそれが見出される【図9】。

多くの場合、被造物は足のある双面の姿をとる——片方の顔は胸前、もう片方は背中、というように[*22]。前は人面、後ろは鳥嘴面というのもある[*23]。先の系列と同じくこの複合軀幹に第三の頭が重ね合わされることもあった[*24]。人間の軀幹がまるごと首にすげ替えられることもありえた[*25]。顔は全身を経巡り、どこにでも居坐る【図10】。禽獣にも[*26]、四足獣にも、セイレンにも[*27]、幻想的な生き物ならどんな種類のものにも現れる[*28]。十三世紀末のテルーアンヌの『時禱書』【図11】、ケルンの賦彩梁[*29]（一三七〇年頃）にはこの種の異形が群れ集っている。およそありえなさそうな場所から鼻面が突き出る。とはいえ、嵌め込みの技がみごとで、鼻面は体軀と自然に馴染んでいる。転生しつつ増殖して止むことなき生命体からすべてが湧き出し、予期だにせぬ特徴をまとう。これは恐るべき獣、前と後の両側から眼でもって隙を窺い、歯でもって噛みつこうとする獣なのだ。ヴァンドーム〔ロワール＝エ＝シェル県〕の聖職者席のミゼリコルディア（十五世紀）にはこの種の獣が彫り出されている【図12】。

ケルンの聖アルビヌスの聖遺物箱（一一八六年）、ハルバーシュタットの内陣のスタッコ壁[*30]

（一二〇〇年頃）などいくつかの孤立例を別にすると、怪物の伝播は一二五〇年から後に目立ち始める。十四世紀の前半にはゴシックの大拠点のほとんどで頻繁に見られるようになる。まずイギリスで、ついでフランス、フランドル、ドイツで。とはいえ、それらの形体を最初に使い始めたのは中世の人々ではなかったのだ。

第二節　古代のグリロス

ギリシア＝ローマの玉石彫刻。軀幹に顔を持つ無頭神、多頭霊、ペルシア・スキタイの頭房、サルディスの甲虫、面付き兜、動物のかたちをした頂飾り――の起源。

各種の頭の組み合わせはどれもギリシア＝ローマの玉石彫刻から提供されたものであった。すなわち、足のついた頭[*31]、足のついた頭へ禽獣や四足獣の頭を二重に被せたもの[*32]、双つの面相を持つ軀幹[*33]、そこへさらに第三の頭の付け加わったもの[*34]、さもなくば胸部までが重ね合わさったもの[*35]、というように。顔面や鼻面は、同じ有機体の上で、四つ、五つ、六つ、七つと結び合う。馬の胸先や臀[*36]に、鷲の胸先[*37]に、昆虫[*38]に人の面貌の輪郭が浮かび上がる。なんとなく方法が似て見えるといった話でなく、動物学的に言ってまったく同じグループに属しているのだ【図13】。

これらの小彫像は、アペレスの同時代人エジプトのアンティフィロスに帰せられた、「グリュロス」（草鞋虫）の戯画に関する大プリニウスの記述を基にグリロスと呼ばれていた。この名辞はかたちをデフォルメした風刺画類を指し示すのに使われていたが、結局、躰が複数の頭から成る生き物の彫られた玉石類に専用されるようになった。[*39] これら小像の彫られた玉石は不思議な力を秘めていたという。[*40] 生き物のかたちを正規の場所からずらしてみせたり、いくつも反復してみせたり、異様なほどに部分拡大してみせたり、いくつかを混ぜこぜにしてみせたり。するると超自然的な力が湧き出てくる。ブランシェによると、グリロスにまつわる「成長」という言葉も、雄羊の頭の出現頻度の高さも、これらの呪物が豊饒や富裕と関わりを持っていたことを示すものだという。[*41]

フルトヴェングラーによると、カルタゴやフェニキアの潮流とつながりのある、サルデーニャのタロスの墳墓から発見された紀元前四世紀のスカラベは、グリロスの最古の実例を提供してくれる。[*42] やはり紀元前四世紀に遡るが、しかし美術としてはいちだんと進歩したペルシアの印章[*43]がウルで見つかっていること、またスキタイの装飾板[*44]にも同じ図像の存在することから、アンネ・ルースは起源が東方のイランにあるとしている。[*45]

とはいえ、形成過程はもう少し複雑そうである。グリロスの構成では二つの要素を識別しなくてはならない。すなわち、足のついた頭ないし位置のずれた頭なのか、さもなくば数の殖えた頭なのか、ということを。両者は各々が異なる出所を持ち、しかも別々に発展していったからだ。

ピカールによれば[*46]、クレタ島とエジプトを揺籃とする無頭の神々こそ顔をあちこち動かせる怪物の起源なのではないかという[*47]。主要な器官を保存する必要性と解剖学的な部位の魅力とが顔の転位を決定したのかもしれない。首を切り落とされたオシリス神、頭を持たぬ造物主、火焰を吹き出す口腔を足に持つ無頭の雷電神、ニンフを犯そうとして自らの頭を失ったモロス。これらは、サルディスの彫刻や玉石類に登場するような、頭がなく胸部に眼を持つベス神[*48]、軀幹がなく、しかし腹部が人の顔になっているプリエネ〔クレタ島のイダ山群の裾野にある古代遺跡〕のバウボ神の小像[*49]、ヘロドトスに登場する西リビアのアケファロイ族〔無頭人族〕、プリニウスのブレミアエ族〔エティオピアの一部族、『博物誌』五章四六節より〕などの怪人類を先駆けている。オセローは奇怪な風景のなかでそうしたものと出くわしたらしく、そのときのことをデズデモウナにこう語って聞かせる。

また、さまざまな旅行の途次の体験談――たとえば、莫大な洞穴、不毛の砂漠、そそり立つ絶壁、天にもとどく巨岩の高山、そんなことを話すことになりました——そんな成り行きだったのです。それからまた、お互いに食い合う食人種のアンスロポファジャイのこと、肩の下に首〔頭〕のある人種のことなど。こういう話をデズデモウナはいつも熱心に聞いていました。

(シェイクスピア『オセロー』第一幕第三場)〔菅泰男訳〕

いずれの場合にも、頭は下方にいくにつれて大きくなり、終いには軀幹全体を成すまでになる。

面貌が動くという原理が認められると、仮面は肩の上に頭のついた躰を上から下までさまよい始める。戦士の腹部に現れる[*50]こともあれば、有翼霊の腿に貼り付くこともある。[*51]ベス神の場合は、膝が獅子の頭、足が蛇やジャッカルの頭のかたちをとる。[*52]女神デメテルを喜ばせたバウボ神のダンスは腹芸のようなものだったのかもしれない。すなわち、腹に描かれた顔が躰を捩るたびに泣いたり笑ったりする、といった体《てい》[*53]の。頭の位置をずらし、人像の中心にそれを据える場合、かならずしも頭を省略しておく必要はない。クレタ島(のザクロのミュケナイ時代の家)で見つかった印章には、眼を胸前に持つ正真正銘の無頭族でなく、単なる頭脚族、すなわち大きな仮面が可愛らしい足の上に座っているものがあり、こちらも同じグループに属する。[*54]文字通りのグリロスの初期の粗描の一つもそこに見られる。一対の鳥と牛頭骨で雄牛の頭部をかたどったものがそれで、頭の上のところには両刃斧が見られる。[*55]鳥は背中合わせ。首は角と一つになり、翼と尾は雄牛の鼻面と融け合う。この構成の片半分を覆うと臀部に頭を持つ家禽の姿を浮かび上がらせることができる【図14】。

ということで、われわれは、一方で足を持った頭を、他方で首を断ち落とされた神々と関わりのありそうな、身体各部を移動する頭を見てきたが、まだ各種の仮面でかたちづくられた躰が残っている。こちらの方は無頭の神々でなく多頭の霊から派生したものである。それは昼夜の太陽すなわち双面の顔を持つ太陽神[*56]としてシュメール人の神殿において知られていた。あるいはまた、獅子の鼻面を双つ持つ、テル・ハラフのヒッタイト時代の悪魔[*57]として。これはインド[*58]でも、フェニキアやエジプト[*59]でも見出される。

スキタイの装飾板やペルシアの陰刻宝石ではこれらいくつもの仮面が躰から切り離され、独立したかたちで結び合っている。クーバンの宝石（前五世紀の最初の十年間）では、獅子や雄牛の頭に人面が貼り付き一塊を成している。[*60]これらの集塊は今日知られているもののなかで最古とされており、姿もかたちもともにアジア的伝統と直《じか》に結びついている。ウルで見つかった印章にも有角の仮面と獅子のそれの被せられた人頭がついている。これなども同じ系統に属しているが、構成は複雑である。すなわち、嘴の入り込んでいることがわかるし、人物の鬢もそれ自体が鳥の輪郭をかたどっているから。これらの像にはどれもまだ脚がない。頭の塊は実にいきいきとしている。しかし動くことは叶わない。それはサルディスの印章でようやく後脚を備えるようになる。言ってみれば、オリエント的類型とエーゲ海的類型の融合にそこで立ち会わされるということ【図15】。大拠点から離れていたこともあるが、タロスは両者から同等の影響を被っており、地中海世界の大動脈が交錯し合う交差点にあたる。胸前に頭を持つベス神と、人や獣の頭の集塊が[*61]、これはイラン＝スキタイ的主題とごく近しいのだが、同じ玉石彫刻の上であい見《まみ》える。牛頭骨を背負ったクレタ島の鳥とペルシアの多頭霊を一挙に結びつけたのも、それらのスカラベであった。爾来、鳥は雄牛の鼻面の代わりに面貌をいくつかつけた頭を持つようになる。面貌の束は獣の躰に組み込まれることで足を手に入れ軀幹に化けた[*62]。しかし、獣を歩かせた鳥はあいかわらず鬚を成したままである。それはやがて大きくなり、多くの怪物を支配するようになるだろう。

このように、今日知られている初期のグリロスには分明な二つの系譜が混ざり合っている。それらは、多重化された頭と、脚を持ち場所のずれた頭との混淆の結果として生まれたものだ。たしかに、他所でも同じ融合は起こりえたろう。しかし、今のところ融合過程をもっともよく把握できているのはこの系列においてなのだ。

二つの眷属は各々がそれぞれに展開し豊かさを増し続けていった。わかっているのは、面貌と力能が幾重にも重なるアジア系神格の後裔がギリシア＝ローマの神々のなかに数多く存在するということ。すなわち、冷たく乾いた風の神ボレアス、片方の顔が過去を、もう片方のそれが未来を向いた時の神クロノス、家の出口と入口を同時に見張る門の神ヤヌス、片方の顔で眠り、もう片方のそれで起きていることのできるアルゴス、さらにはヘルメス、メルクリウス、双面三頭のケルベロス犬、月の三神格、さもなくばセレネ、アルテミス、ペルセフォネの三神の象徴としての三面相ヘカテ、あるいは二つから四つの面貌を有する辻の女神や別れ道のヘルメス柱「ヘルマイ」。

　古典的な玉石彫刻では首から上の部分だけを表す小肖像の一美術が編み出されたが、そこではこうした多頭の主題が表現の中心を占めている。多重の顔の可能なる組み合わせのすべてが一つまた一つと実現されていった。ある顔にさらにもう一つの別な顔を継ぎ足したり、ある顔をまた別な顔で包み込んだり、ある顔にもう一つ別な顔を嵌め込んだり、単頭や双頭に単顔の仮面を被せたり、[*63] 単頭に双面を被せたり、[*64] 双面の顎に第三の面相を付け加えたり、[*65] 五つの顔を持つ頭であったり、十の顔を持つ頭であったり、[*66] というように。人頭には獣頭も組み合わされた。頸筋からは鳥の嘴や、猪、馬、雄牛の頭が現れる。[*67] 鬚をはやした仮面の背後からは豚の潰れた鼻が突き出る。[*68] 彫石ではこうした集塊が房のように垂れ下がっている。[*69]

　これら組み合わされた仮面、組み込まれた仮面は個々に考案され制作されたものだが、無頭の霊にも、鼻面のずれた獣にも移植され、それらの形体を一変させた。ギリシア＝ローマのグリロスもサルディス型と同じ融合からもたらされ、技術上の完成を見た。各部の加工は実に巧みである。生体に関する古代の学識が総動員され、その甲斐あって至難の並置も驚くほど適確なものに見える。

タロスのスカラベでは要素と要素が隣り合うだけで融合しきっていなかったのに対し、ギリシア＝ローマではつながりも有機的である。歩く頭塊は四足獣や禽獣の内側で構成し直されている。怪物は部位や断片でできているにもかかわらずいまにも動きだしそうだ。これこそ成功の理由の一つだったのではないか。グリロスは二―三世紀にかけて異常な流行を見、ガリアから[*70]ベグラームまで[*71]広い範囲にわたって流布している。ペルシアではササン朝の印章にそれが見出される。[*72]ただしローカルな残存物としてではあったが。構成法は遍く知られていたのだ。

頭の周りで動物形体を結びつける兜もまた同じ結果に逢着した。古代の神々や戦士はしばしば獣の仮面を被っていた。[*73]ハデスも暗闇をまき散らす狼頭を着けていた。アテナがアレスと闘うさいに借りたのも、キュクロプス族が冥府の主《ぬし》に贈った、あの球帽であった。ユノはときとして自分の頭の上に山羊の頭を着けていた。トラキア人のアロペキスは狐の毛皮であり、両足が顎のところで交差し、鼻面が頭骨に載っていた。ヘラクレスがネメアの獅子の皮を被ると獣の顎が額のところに被さる。[*74]アイギナ島の破風では獅子の皮が正真正銘の兜になっている。プロペルティウスによれば、ロムルスは〈狼の兜〉(galea lupina)を持っていたという。

どの場合にも人の頭に動物の頭が重なる。ペルシアやスキタイのグリロスにおける通り。人の頭は兜それ自体に彫られた人面とも結びついた。戦士がこの武具を被ると、そのなかの一つが本物、すなわち自分自身のものであるところの複数の頭を持つ神に変身した。[*75] 玉石彫刻にはこの種のものが数多く見られる。あるときは、頭の周りに集められた面相がそこへ有機的に組み込まれている。またあるときは、面貌がそれに被さる。がしかし、その面貌が怪物と一体化して見えるほど上手に加工されているか、[*76] さもなくば、いずれにせよ面貌はその怪物の特徴を正確に捉えているように見えるほど上手に処理されている。[*77] これらは人の姿を借りたグリロスである【図16】。

人姿型グリロスの系列に動物のかたちをした頂飾りが導入されると、長い首の先に頭を持つグリロスの変形版となる。ヘロドトスによると、クセルクセス王〔在位前四八六―四六五年〕の軍勢に加わった「アジアのエティオピア人」たちは馬の頭を被り、それの鬣を羽根飾りにしていたという。[*78] アテナ・ポリアスは兜の上に鳥の首を有する。アルダシールの息子ペーローズは鷲の半身を戴いた姿で貨幣に登場する。[*79] 古代の兜にはよく獣が載っていた。人頭もそうだ。[*80] 球帽であれば、ちょうど自分の躰の上に獣を載せているように見せることもできた。鎧兜は正常な被造物を胸のところで、さもなくば肩のところで断ち切ったかたちをとる。それを具備すればグリロスに化けることができた。胸前に人の顔が来るから。支持体が生身の顔であるという違いはあるにせよ、頭の周りにかたちづくられる集塊は玉石彫刻のそれとまったく同じなのだ。[*81]

第三節　中世における古代彫石

前ロマネスクの金銀細工において。十二世紀後半と十三世紀におけるカロリング朝趣味の覚醒。古代印章。金石伝説。グリロスの陰刻されたインタリヨ。マシュー・パリスの描いたカメオ。

中世は古代の貴石を愛好し、それらを蒐集した。あらゆる効能を充て、どこにでも用いたのだ。モンツァにあるランゴバルド王妃テオデリンデの福音書抄本、アガウヌムのマウリキウスの聖遺物箱では、すでに古代貴石が飾りとして象嵌されている。

一般に、彫石がエナメルや金で飾り立てられるようになったのは九―十世紀のことである。[*82]ヘリフォードの聖ヨハネの聖遺物箱には動物、オイディプス、ファウヌス、バッコスの信女を彫った貴石が登場する。ロタールの十字架（八一七―八五五年、アーヒェン）の中央部には、月桂冠を被るアウグストゥスの表された大型カメオが象嵌されている。エッセンの至宝とされる女子大修道院長マティルダの十字架Ⅱ（一〇〇〇年頃）には十二個が集められているし、コンクの聖女フォワ（フィデス）像にも古代貴石がちりばめられている。[*83] 聖人像や遺物は貴金属に宝石類を細工した重い鎧に覆われた。インタリヨは印章としても使われていた。ピピン〔アクイタニア王、八〇三頃―八三八年〕、ルートヴィヒ敬虔王〔七七八―八四〇年〕、ロタールは神話上の人物の彫られた自分の印章を持っていた。カール大帝（シャルルマーニュ）のそれはユピテル・セラピスの像であった。

こうした実践は十一世紀にも持ちこされるが、それが特異な発展を遂げたのは十二世紀後半のことである。[*84] 北方諸域で作られた聖遺物箱は古代の貴石で飾られている。ケルンにある東方三博士の聖遺物箱（一二〇〇年頃）ではなんと二百個もの古代貴石を数えることができる。[*85] カロリング朝趣味の覚醒はライン河、ムーズ河からパリとその先までの広い範囲で少しずつ感じ取れるようになった。手紙や証書には彫石で改めて封印が捺された。[*86] 古い玉石彫刻があちこちで探し求められた。イタリアでも、オリエントでも。シュジェールも自ら語っている、どのようにして紅縞瑪瑙の原石やカメオをシチリアまで買い求めたか。[*87] このブームは沈静するどころか、十三世紀に入りさらにいっそうの弾みがついた。

十字軍による一二〇四年の〔コンスタンティノポリス〕略奪は、こうした金銀宝石愛好のブームを西洋にもたらし、それらの流行の新時代の幕開けとなった。[*88] ブールジュ、リヨン、トロワの大聖堂や教会堂は、戦利品として持ち帰られたカメオやインタリヨを、他の多くのものと一緒に奉献品として受け取った。[*89]コルビー〔ソンム県〕でロベール・ド・クラリがカロルス貨(Numisma Caroli)を奉献し、[*90]また一二〇七年アンリ・ドゥルマンがトリーアに聖十字架断片といくつかの彫石をもたらしたのも第四回十字軍の後であった。[*91]「カメオ」という言葉は彫りものある貴石を指し示すのに使われるが、それはちょうどこの時代に西欧の語彙のなかに現れたのだ。[*92]

玉石彫刻品が宝物庫に堆く積み上げられた。マイエンス大聖堂の十三世紀の財産目録には、巨大な木製十字架のことが言及されている、「ソノ腹ハモツトモ貴重ナル聖遺物トげんまニヨリテ満タサレテイル……カノろーま帝国ニモコレ以上ノモノハナイト言ハレテイタ」[*93](cuius venter plenus erat reliquiis et gemmis preciossims...discebatur autem nec Romanum Imperium meliores habere)。マールブルクの聖遺物箱(一二四九年頃)は三十四個の古代彫石を数える。[*94]「カロリング・ルネサンス」が眼に見えるものとなり、ゴシック時代の真只中で展開していた。印章としての彫石の使用もそうだ。[*95]彫石の使用は十二世紀よりもいちだんと広い範囲に拡大していた。[*96]彫石は主に副封印(contrasigillum secreti)として役立てられており、得られる印影もかなりの数にのぼる。ために、古代を専門とする美術史家はそれらの印影を自分の研究資料として考証に役立てている。彫石の使用は日常的であった。シャルル五世は旅先でも、大筐二個のほかに、宝石、カメオ、インタリヨのぎっしり詰まった大筐二個と小筐一個を身近に置き、それらの埋め込まれた指環で手紙に封印を施していた。[*97] 贅沢品業者はこうした玉石類を専門とし、なりふりかまわず彫石を食器、武器、兜、装丁などに嵌め込んだ。十四世紀と十五世紀の大蒐集家たちの蔵品目録を見ていくと、ヘレニズムの神々や幻獣を図柄とする「カメオ」(camayeux) のついた品物が次から次へと間断なく出てくる。

神話上の英雄が福音書や聖書の登場人物と混同されることもよくあった。すなわち、有翼の勝利の女神は天使と、ゴルゴンの頭をしたペルセウスはサムソンと、トゥール〔ムルト・エ・モゼル県〕の瑪瑙では鷲を連れた男が福音書家ヨハネと。モンフォーコンの語るところによると、サン＝ジェルマン＝デ＝プレでは、カメオに彫られているゲルマニクスとアグリッピナの像が聖母と聖ヨセフの像に間違われ、そのカメオが十六世紀に至るまで群衆を呼び集めていたという――「幾世紀ものあいだ接吻の雨が注がれてきたため、片方のローマ風の短い頭髪と、もう片方の頭飾りの一部とが擦り減ってしまった」。[*98] とはいえ、古代貴石の異常人気は、この種の謬見に因るものばかりではなかった。古代貴石はそれらの有する超自然的な霊力のゆえに探し求められてもいた――「草木にも著しい効能があるが、とくに偉大な効能は玉石に与えられる」[*99] からである。

玉石彫刻の崇拝とともに昔ながらの信心もいくつか再生してきた。アルベルトゥス・マグヌス、ボーヴェのウィンケンティウス〔ヴァンサン・ド・ボーヴェ〕、聖トマス・アクイナスは彫石とそれらの特性を称えていた。『金石誌（石譜）』は数え切れない。[100]それらの本はアリストテレス、プルタルコス、プラトンなど、古代の哲学者の権威にすがっている。プトレマイオスも『げんまニ刻マレタル像ノ書』（*Liber de impressionibus imaginum in gemmis*）なる本を書いたとされていた。これらのテクストはゾロアスターをはじめとする東方の賢者、アダム、エノク、ダビデといった聖書中の英雄、さもなくばすべての時代を通じてもっとも偉大な魔術師ソロモンの手によって書かれたものであるとされることもあった。十二音綴《アレクサンドラン》の『金石誌』はアラブ人、ユダヤ人によって伝えられたものであり、バビロニア人の教説について言及のあるのが普通である。ために、四世紀の医学魔術書『キュラニデス』は、中世の異本もいくつか知られているが、バビロンの塔の頂に建つ黄金造りの礼拝堂で発見された写本を基に著されたものとされていた。

　貴石、すなわち雌雄があり粗野と洗練の格の違いがある、これら生ける被造物についての伝承は中世におけるもっとも美しい伝承の一つとなった。一三〇〇年以降彫石は「イスラエルの石」[101]と呼ばれることが多くなり、アルフォンソ賢王の『金石誌』でも人の手になるものでなしに「自然ノ造化」（obras de natura）であるとされている。[102]アルベルトゥス・マグヌスもケルンにある東方三博士の聖遺物箱のカメオを「天然ニシテ、人造ニ非ズ」（Est a natura non ab arte）と言っている。[103]ローマ人のあいだではアポロンとムーサイの見られるピュロスの指環と樹状瑪瑙だけが天産品と考えられていた。爾来、古代の貴石はどれもこれも神秘的造化の妙のごとく見え始めた。それらは生命ある存在として生まれたばかりか、秘められた力を有してもいたから。

双児宮か天秤宮の彫られた貴石は聖なるものとされ、方角は西である。鬱ぎの虫を癒し、身に着ければ優雅な佳人になることができる……

セイレンのような半女半魚が鏡を手にしている姿のある貴石を金の台につけて指にはめれば、姿を隠すことができる……[*104]

（ジョン・マンデヴィル）

シャルル五世は「王の姿の彫り込まれた、痛風を癒す」貴石を持っていた。[*105] これらの貴石からは限りない能力が授けられる。

龍に跨り、片手に地球を持った男の彫り込まれた貴石を見つけて、それを鉛の台に嵌めて指にすれば、鬱ぎの虫も意の儘となる、宝物が手に入るであろう……

顔が獅子で足が鷲、しかもその足で双頭の龍を踏みつけ、右手に棒を持っている男の彫り込まれている貴石を見つけ、身につけたら、その人に対してはどんな霊でもつき随う[*106]……

（ユーグ・ラゴ）

ときにはマイナスの作用を及ぼすこともあった。ジョン・マンデヴィルによると、ザリガニ、蠍の彫り込まれた貴石は人を嘘つきに変えるという。十三世紀にはこうした考えが占星術の教説へ組み込まれ、教会さえそれを許容するようになった。彫石と、そしてそれに付随する図像は色合いや素材の面で星辰と関係づけられ、その輝きと力を伝達する。しかし、彫り込まれている像も終いにはその素材から独立し、それだけで影響力を持つようになった。封蠟の印影ですら、カミルス・レオナルドゥスによれば、不思議な特性を持つという。*107 彫石を副封印として使用するというのも、こうした迷信に因るところが大きい。

中世に利用された玉石彫刻はかならずしも古いものばかりではなかった。練り硝子を使って、またなんと宝石を使ってそれらの模造品が造られていたからだ。一二九二年のパリの戸籍台帳には十八人の玉石細工師の名前が掲げられている。*108 バブロンはギリシア＝ローマの印章の真贋をいくつも調べ上げている。*109 中世の蒐集品のわずか四分の一程度しか本物の古代印章はないだろうというのだ。天然石を人造石すなわち効能の減じられたものから識別するのに、貴石愛好家も商売人も頭を悩ましていた。

ゴシック世界はギリシア＝ローマの彫石を知っていただけでなく、それらにまつわる神話を創り直し、翻案した。芸術家にとっても画工にとっても無尽蔵の源泉としてあったろうから、この経路を介してグリロス像は中世に持ち込まれたに違いない。グリロス像を再現したものは十三―十四世紀に使われた貴石台帳のなかによく見出されるという。ドゥメの貴石集成はそれだけで十九の記述を数える。[*110]ヴェルダン司教の一二三八年の手紙、トゥルネのサン＝マルタン大修道院長の一二九六年の手紙、モン＝サン＝エロワ大修道院長ベルナールの一三一五年の手紙、同じ修道院の院長ニコラの一三二六年の手紙、これらの副封印はまさしくグリロスである。サンス大聖堂司祭長ドニの副封印（一三一七年）では鶴に双面の軀幹が組み合わされており、[*111]リールの司法官であったラウル・オーブリのもの（一三二〇年）――古代物の模造品――には脚をはやした人頭が表されている。[*112]手稿の余白から頁の下部へは一足跳び。もっとも、ゴシックの縁飾りが他所で作られたファンタジーに霊感を与えることもよくあった。

しかし、ギリシア＝ローマの玉石をそのまま再現してみせた芸術家もなくはない。[*113]マシュー・パリスはなかでもっとも傑出した者の一人であった。修道士にして歴史家の彼はセント・オールバンス写本編纂所の長であり、ここから十三世紀の一大流派と一連の『黙示録』が生まれ出ている。彼が一二五八年に書いた修道院蔵彫石・指環目録、これは一二五八年に作成されたものだが、そのなかに医神アスクレピオスの持物を持つ皇帝の姿の彫られた大型カメオが描き出されている。[*114]これは寓話に彩られたカメオ、出産に効能のある最高価のカメオであると〈完全至極ナル画師〉（pictor peroptimus）が自ら明言している通りである。マシュー・パリスの素描は昔の被造物の特質をよく伝えている。しかもそれの正確さたるや、古いインタリヨやそれらの印影を再現してみせる、ゴシックのグリロスのそれとまったく同じなのだ[*115]【図17】。

第四節　中世における無頭神と多頭神

伝説のなかで。地獄図と寓意図のなかで。アングロ＝ノルマン系黙示録のなかの双顔ゴルゴン。ゴシックの兜。

胸先に顔を持つベス神は複数の面貌の組み合わせでできた獣と隣り合わせにあるが、それと同様に古代のグリロスの親戚とされていた神々も中世にはそうした獣の列に加わり直し、ときにはそれらを先導することもあった。

アルフォンソ賢王の『金石誌』には太陽神と斬首という図像伝統が直截に再現されている。[*116]それは首を斬り落とされ、星を戴いて立っている。腹の部分に顔を持つバウボ神はマーストリヒトの彫刻[*117]（十二世紀末）、聖職者席の浮彫り[*118]、彩飾写本[*119]に再び登場する。ロマネスクの動物誌や『東方の驚異の書』[*120]ですでに見られたブレミアエ族も、十三世紀から改めて頻出し始めた。『ペドロの世界地図』（一二一〇年頃）、ゴーティエ・ド・メッスの『世界の姿』（一二四六年頃）、マルコ・ポーロやジョン・マンデヴィルの物語にそれが見出されるが、後で見る通り、これらのうちの最後の二つはまた別な典拠によっている。アレクサンドロス大王はインドでブレミアエ族と闘った。聖アウグスティヌスが弟子たちの前で提示してみせた、アダムの異形なる後裔のなかにも胸前に顔を持つ無頭の族が見出される。[*121]同じ形像は実生活のなかにも浸透していった。というのも、十五世紀の宗教行列では、地獄の擬人像が、大口を開け煙突のように火煙を噴き出す、頭のない黒衣の修道士によって演じられていたからである。[*122]

年代記も無頭児の誕生のことをしばしば取り上げている。ヴィッテンベルクでは一五〇三年に、レイデンでは一五一四年の一〇月一三日に無頭で胸前に目、鼻、口腔のある奇形児が誕生している。

躰のあちこちに顔を持ち、しかも正常な頭部を有する人像となるとさらに数が多い。それはまずイギリスで、しかも悪魔の姿で広まった。[*123]ユトレヒトの『詩篇集』を模したエアドウィネ写本（十二世紀後半）にはまだ登場しないが、十三世紀初頭にカンタベリーで制作されたと考えられる、カロリング朝写本の最後の作品のなかに腹部に顔を持つ悪魔が見出される。[*124]ヨーク大司教ジェフリー・プランタジネット[*125]（在位一一九一―一二一二年）、さもなくば彼の友人の一人の蔵書であり、後にカスティリャのブランシュ〔フランス国王ルイ八世の后、聖王ルイの母にあたる〕の手に渡った『詩篇集』にもそれが登場する。言い伝えによると、聖王ルイが読み書きを習ったのはその写本からであったという。同じ悪魔はブレイルスのウィリアム[*126]（一二四〇年頃）

によっても、またトリニティ・カレッジの『黙示録』[*127]（一二三〇―五〇年）でも再現されている。ついでフランスでは、シャルトル大聖堂（一二五〇年頃、南側扉口のアーチ）、ブールジュ大聖堂（一二七〇年、《最後の審判》）で彫刻されたものが見られる。中世末期の地獄図には腹に顔を持つ悪魔がよく出てくる。マールによると、腹部に顔が顕れるのは彼らの知性のありどころがずれているということ、もっとも低級な欲望に奉仕させられていることの謂《いい》、すなわち「堕天使が獣のレヴェルまで堕ちていることを理解させるための巧妙な仕掛け」にほかならぬという。[*128] もっとも、顔は臀[*129]や腿[*130]にも配される【図18】。ポール・ド・ランクルは一六一二年になってもまだ『堕天使と悪霊の無節操ぶりの一覧』のなかでこう記している――「それ［悪魔］は臀に立派な尻尾を持ち、その下のところに、言葉はひと言も発しないが顔のかたちをしたものを持っている……」。アンダユに住む十九歳の娘マリ・ダスピルキュエトは、立派な尻尾の下にあるこの臀の顔が雄山羊の鼻面のようであったと審問で述べている。同じ場所に雄羊の頭を持ったグリロスのことを思わざるをえない。

　これらの怪物は十六世紀まで流布し続けた。[*131]〈教皇驢馬〉（Papstesel）とはすなわち、一四九五年にテーヴェレ河から投げ捨てられたとメランヒトンが書き記している汚らわしい生き物のことであるが、それは臀のところに教皇権の終焉を象徴する顔を持っていた。[*132] ときには怪物が天使の姿をしていることもあった。すなわち、ヴェルノンでは聖水盤下部で有翼童子が胸前に月の顔《かんばせ》を持ち、アルトベッロの版画（十五世紀末）ではクピドが胴鎧かなにかのように人面を胴巻にしている[*133]【図19】。

ギリシア＝ローマのグリロス構成法を規定してきた多頭霊も多様な相の下に再び姿を現した。すなわち、二本の喇叭を同時に吹き鳴らす猿であり、異形がそれである[*134]。ケルンテン〔オーストリア南部の州〕のグルクのフレスコ画（十三世紀）には髯と髪が互いに重なり合うようにして回転する三つの人面が見られ[*135]、それはローマの印章とまったく同じである[*136]【図20】。ヴィースバーデンの〔ビンゲンのヒルデガルト作〕『スキヴィアス（道を知れ）』の宇宙形状図のなかでは〈風〉を表している[*137]。聖職者席のミゼリコルディアでは三つ組ないし四つ組の顔[*138]【図21】が、十三世紀と十四世紀に使われていた古代印章[*139]におけるように浮彫りにされている。とはいえ、多頭の異形はまず月暦図のなかで双面の〈ヤヌス＝一月の擬人像〉として広められたのだ。

アオスタでは双面の〈一月の擬人像〉がローマの伝統と直《じか》に結びついているところが舗床モザイクに見られる[*140]。セビリャのイシドルスにはそれについての記述がすでに存在する、「双面スナハチやぬす八年ノ入ト年ノ出ガシメサレルヤフニ描カレテイル」（Bifrons idem Janus pingitur ut introitus anni et existus demonstratur）。神が双塔のあいだに立ち、〈年の擬人像〉がそこを出入りするという構成、これと同じものはサン＝ドニにもミミザンにも[*141]、多くの写本にも見出される[*142]。それらではヤヌスもいまだ門の守護神であった。しかし、アミアンでは〈一月の擬人像〉

が食事の並んだテーブルに腰を降ろしている。すなわち、双面の神が冬の祝宴を統べているのだ。図像はゴシックの月暦にも採用された。[*143] 双の顔のうちの片方は鬚をはやした老人の顔、もう片方は髯のない若者の顔。すなわち〈過去〉と〈未来〉。門の神であるヤヌスが時の神クロノスに化けているのだ。〈過去〉と〈未来〉には第三の顔すなわち〈現在〉が付け加えられた。[*144] フランスのある写本ではこうした像が時を巡る〈人生の輪〉の上に載っている。[*145]

幅広い支持を勝ち取った双面ないし三面の〈一月〉は図像の世俗化を促した月暦と別れを告げ、変化の位相へ突入する。顔をいくつか持つ神はモーセの〈旧き律《おきて》〉と〈訓《おしえ》〉[*146]、〈淫蕩〉と〈死〉の邪な結びつきを再現してみせる――遊女と死神の――二重像、[*147] 第一質料の両極性についての錬金術的秘義である半陰陽のレビスとなった。最後に挙げたレビス像は、双頭四人面の禽獣の上に立つことでもって、文字通りのグリロスへの仲間入りを果たした。[*148]『愉楽の園』の〈哲学〉の兜は三つ組――〈倫理学〉〈論理学〉〈自然学〉――の顔で構成されている。[*149] ルーアンのリジュー司教館の噴水の彫刻ではこの三つ組兜――〈論理学〉〈自然学〉〈形而上学〉――が本来の三つ組頭となっている。[*150]

悪徳と美徳も同じ一つの神に示された。『スーラスの果樹園』[*151] ではその双の口腔で〈貪欲〉を象徴するのに対し、イタリアとその流れを汲むモニュメントにおいては〈予測〉と〈経験〉から成る〈賢明〉か、さもなくば〈記憶〉（Memoria）と〈知性〉（Intelligentia）と〈予知〉

(Praevidentia)――〈過去〉と〈現在〉と〈未来〉――から成る〈賢明〉であることが多い。[*152] 〈正義〉もまた当然のことながらヤヌスの姿をとることがあった。[*153]

　このような同定がなされると、〈叡知〉も〈時〉と同じ姿をとり始める。ティツィアーノはそれらから六つの頭のグリロスを作ることになった。すなわち、〈賢明〉の三つ頭に三頭表象(Signum triciput)を組み合わせることになり、そこではマクロビウスによると、〈過去〉が記憶を曳きずる狼、〈現在〉が唐突にして獰猛なる獅子、〈未来〉が人間に阿《おもね》る犬となる。希望が犬のようにわれわれの心を操ってくれるように。[*154] これは人と獣の顔の重合体にほかならない【図22】。

　三位一体――キリスト教的な三位一体と悪魔的な三位一体――も異教的な霊として示された。この変身は二つの観点において重要である。一方では強迫観念というものの力を明らかにしてくれるし、他方では融合が玉石彫刻で直接起こったように見えるから。ヨーク大司教ロジャーの印章（一一五四年）には「我ラノ頭ハ三ツ組頭ナリ」(Caput nostrum trinitas est) の銘文と一緒に三つ組頭の怪物が、またダービー伯ヘンリー・オヴ・ランカスターの、トーマス・ウェイク宛証書にある印章には三位一体像（Trinitatis imago）として三面神の頭部がそれぞれ彫られている。[*155] 三位一体の三面は十三世紀の写本挿絵（『道徳版聖書《ビーブル・モラリゼ》』、一二二六年頃）にも見出される。十五世紀から十六世紀にかけては穹窿の要石、印刷本、デューラーの下絵によるニュルンベルクの絵硝子などにそれが見られる。[*156] 父なる神も世界創造のさいには三面となることがあった。セジフォードの浮彫りでは聖クリストフォロスの背に乗る幼児イエスがまるで古代神のような姿をしている。これらの図像は一六二八年になってはじめてウルバヌス八世によって禁止されることになる。

もし三位一体を三相霊で表すことが可能なら、敵対する勢力の方がむしろそれを利用しやすかったのではなかろうか。キリスト教の三位一体の象徴に対峙されたサタンは、これの三元性についてはオリゲネスによってすでに指摘されているのだが、それら三つの顔を映し返す。ちょうど、かたちを歪めて見せる鏡に映っているかのように。十四世紀のイギリスの素描では三重に重なり合った頭が悪魔の群の首領ノリジのアイザックの上に浮かび上がっている。[*157] とはいえ、力の優位を示すこの目印も一般にはルキフェルのものとされていた。ディドロンの著作にはいくつかの図版が掲げられているが、それらのなかの一つはエタンプ〔イヴリーヌ県〕のサン＝バジル教会のテュンパヌムに存在していた[*158]【図23と図24】。ピサのカンポ・サントの地獄図は、ダンテの『神曲地獄篇』がそうであるように、この悪霊の支配下にある。

おお、かれの頭上に三つの頭を見たときの私の愕《おどろ》きの、どんなに大きかったことか！
一つの顔は前方にあり、その色は真紅。

ほかの二つは、両肩中央の真上で前方のと接合し、さらにこの三つ、頂上の鶏冠《とさか》のところで相合する。
右なる顔の色は白と黄の中間、左なるは、見たところニーロのみなかみを故郷とする人たちのそれに似ていた。

〔中略〕

どの口にも一罪人を入れ、おのれの歯で嚙み砕くこと、砕麻機を以てするごとく、されば かの呵責を受ける罪者《ざいしゃ》はつねに三人。*159

（『神曲地獄篇』第三四歌三七―四五行、五五―五七行）〔寿岳文章訳〕

朱緋色の顔は〈憎悪〉を、青白色の顔は〈無能〉を、赤銅色の顔は〈無知〉をそれぞれに絵解いてみせている。三つの口腔はどれも裏切者を一人ずつ貪り食っている。すなわち、ユダと、ブルトゥスと、カッシウスを。なんとも食欲旺盛な、がしかし悪魔的な姿のヤヌスと〈貪欲〉

の食事ではある。

一二二六年頃に制作された『道徳版聖書』とそれの後代の模本では三面のサタンが単一の冠を被っているため、しばしば〈反《アンチ》キリスト〉と同一視されている。[*160]グリューネヴァルトの素描（一五二三―二四年頃）に見出されるそれでは皺だらけの下卑た顔立ちの三つの頭が、奇怪なことに一つの同じ躰からはえ出ており、しかも光輪を共有し合っている【図25】。エトガル・ヴィントはここに聖アンナの三人の夫を認めうるとしているが、[*161]シェーンベルガーは十三世紀前半の図像との関連を指摘したうえで、プロテスタントの〈反三位一体〉をそこから読み取っている。[*162]

一方、動物のかたちをした〈地獄〉も似たような多元化現象を見せている。レビヤタンの顔は神に見放された人々の群を飲み込みながら、玉石彫刻におけるのと同様に二重化し、三重化する。

初期アングロ＝ノルマン系の『黙示録』では地獄の深淵が二重化されたゴルゴンである。[*163]すなわち、二つの面貌が一つの口腔を挟んで対称的に向かい合う、というもの。タロスのスカラベで見られたのと同じである。[*164]違いは顔――これは硫黄の燃えたぎる火焔の池――が長く引き伸ばされ、両側の面相により強い生命感が溢れているという点だけ。全体としては、軟体動物にも似た、これまでにない怪物の姿をしている【図26と図27】。セント・オールバンス大修道院の写本編纂所は、すでに見た通り、そこにある古代貴石の財産目録を作成したマシュー・パリスの指揮下にあったが、そことつながりのある写本群のなかでこうした図像が確立されたという事実はそれ自体示唆的である。

ドゥリール＝メイエールの第二グループ（カンタベリー写本群）の『黙示録』では軟体動物に第三の顔が付加されている。[*165]〈地獄〉は悪魔的な三角形となり、それの三つの頂点にある奇怪な顔を一つに結ぶ軟体は巨きな膿瘍の嚢をかたちづくっている【図28】。付加された顔自体にも小さな顔がたくさんついており、それらは前額部の両端で一つに束ねられている。これこそ古代貴石で知られていた結合であり、〈反三位一体〉であることの念押しとしてこの腫瘤に現れているのもやはり三重の顔なのだ。[*166] 木版刷りの『黙示録』は第一グループと結びつくものだが、こちらは双面ゴルゴンへ立ち戻っている。[*167] 一五三七年から一五四七年にかけて、ドイツ、フランス、イギリスのプロテスタントのあいだに流布したブロンズ製メダルでも、同じ方法で枢機卿の頭が痴呆や好色漢の顔と結び合わされている。ただし、この組み合わせは古代貨幣に刻印された、双面化された小像に直接依存している。[*168]

兜というのは、被った人の顔を腹部に顔のある生き物の軀幹に化かすものであり、これまた中世に、とはいえ図像から直接派生するかたちで再興してきた。動物のかたちをした頂飾りとして知られるもののなかで、もっとも古いのは一二二四年の年記のある印章に見られる。[*169] 兜の平らな鉢金の上に固定されているため、孔雀の頭はいまだ取って付けたもののように見える。大兜が獣と一体化するのは十三世紀後半、とくに末葉近くのことであり、時期的にはそうした組み合わせが幻想的な生き物の姿で広く流布してからかなり後のことである。文字通りの兜の意匠ですら、とりあえず怪物の姿かたちを下敷きにしていたという。おそらく古代の主題から着想を得たのだろうが、オーネ〔シャラント＝マリティーム県〕のロマネスク時代の飾迫縁では、アテナ・ポリアスの場合のように、鳥頭をかたどった頂飾りが混成体の上に据えつけられているのを看て取ることができる。ランズベルクのヘラートの『愉楽の園』（十二世紀末―一二〇五年頃）の〈哲学〉も、すでに指摘してきた通りの寓意的な頭部を戴いている。トゥールーズの『黙示録』でも足を持った〈地獄〉とともに怪物もどきの兜が見られる【図3】。すなわち、死神自身、蒼ざめた馬の背に跨り、長い首の先についた顔から火焔を吐き出す、本物の生きた頂飾りを頭に被っているのだ。武具は武具で、これもまた敵を攻撃している。

人間の姿かたちを変えようとする甲冑師は、超自然的なプロポーションやサイズを付与することで人を鋼鉄の獣やロボットに変身させる。その彼らもまた同じ奇形構成法を、ただし生き物において踏襲していた。頂飾りに中世の動物全体が整列する。[*170] 十四世紀から十五世紀にかけ頂飾りの形体は次第に複雑化し、やがて歯止めがきかなくなる。セイレン、双頭鷲、龍、獅子、犬、有翼四足獣、一角獣が鉢金の上に登り、立ち上がる【図29】。そこには顔も、人の上半身も、馬の首も見られる。アジアのエティオピア人におけるのと同じなのだ。どの場合も騎士の顔がそれらの胸前か、さもなくば腹部に来るよう計算されている。

戦士のなかにはいくつもの顔、いくつもの魔力を持った霊を装う者がいた。また動物を頭に飾り黙示録の騎士を気取る者もいた。凱旋式でも、戦場でも、生けるグリロスがあちこちから現れ出た。ケーニヒスベルクのフレスコ画（一三九〇年頃）では雄鶏の首のかたちをした頂飾りの化け物を頭上に戴く騎士のシルエットが見られる。これは欄外装飾の鳥形獣の一つと輪郭がほとんど同じである[*171]【図30と図31】。〈完璧なる人〉（der gute Mensch）を描いたドイツの寓意画では、ろくろっ首（完璧なる人は首が蛇行しているため考えが口をついて出るまでにじっくり思いを巡らす時間がある）の付け根に心を象徴的に表す獅子頭がついている。こちらの例は騎士の武具類と古代の動物誌の両者に等しく依存している[*172]【図32】。しかし、奇態さの点では衣裳部屋にずらりと勢揃いした兜に優るものなし。アンジュー公ルネの『騎馬試合の書』[*173]（一四五〇―六〇年頃）やグリュンベルクの『紋章の書』[*174]（一四八三年）の素描に見られるものがそれだ。これこそ檻のなかでもがき、暴れ回る見世物動物にほかならない【図33】。

蒼古の組み合わせのすべてが一つまた一つと再興されていった。すなわちグリロスが、それの誕生、展開と関わりのあった無頭族や複面神や動物形大兜とともに蘇ってきたからだ。環境が新しく変わったことで循環が再開し、グリロスの諸要素をまるごと取り上げることで豊かさも増していく。しかし、それらグリロスの諸要素は一挙に導入されたわけではなかった。もっとも、プリニウスか、さもなくばまた別な古代文献からそのまま借用されたプレミアエ族と神話に登場する多頭の霊、これらは十三世紀の到来を待たずに流布していた。文字通りのグリロスがそれらに続き、これが後に騎士の変装に霊感を与える。

この進化から一つの特徴が導き出される。こうした驚異が現れるのではないかと見られていた場所は、夢想ならどんなものでも貪り食うロマネスク世界であって、それらを横溢させたゴシック美術ではなかったということ。ならば、なにゆえそれらはゴシックになるまで現れてこなかったのか。源泉を知らなかったわけでは勿論ない。というのも、大修道院や国王の宝物庫にはつねに彫石が溢れ返っていたのだから。第四回十字軍後の彫石の大量流入や、彫りものの ある貴石への信仰の復活や、魔術の復興は、それらの影響の広がりを説明できても年代まで説明できない。どの像も画工の手の届く範囲にあった。彼らがそれらを利用しなかったのは、むしろそれらの形体の方が迎え入れられる状態になりきっていなかったということである。おそらく、細心の注意をもって刻まれたこれらの極小の生き物が中世の図像構成のなかに組み込まれ、まとまって再現されうるようになるには、カロリング朝の覚醒としばしば関連づけられる、雄壮な様式の衰退と典雅な装い《プレシオジテ》の探求とが、とりあえず必要であったということかもしれない。グリロスのもっとも古い形姿は古代帝国風の伝統を鮮やかに蘇らせてみせた聖遺物箱のエナメルやスタッコ壁に見られはしなかったろうか。それらの全盛期はまさしく美術が金銀細工と踵を接する時代だったのである。

第五節　中世末期におけるグリロス

解体現象。新しい生命。グリロスの画家ヒエロニムス・ボス。

ゴシックのグリロスの最終位相を特徴づけているのは、一つは解体現象、もう一つはこれまでになく激しく強烈な生命感である。寄せ集めの生き物は十五世紀から十六世紀にかけイニシャル装飾や額飾りのなかでバラバラに解体されている。頭、顔、頂飾りは次々と分離していく。双面は縦枠線や文字の曲線によって切り離される。動物の頭も人頭の裏側にへばりつくことがなくなり、両者は並置されるだけになる。ときに頭骨から伸び出る鳥首は根元から引き抜かれたかのような様を呈する。どの部分も然るべき場所にありながら、もはや一つの組織体をかたちづくることはない。[*175]獣は本の装飾のなかで解体されてしまったのだ。とはいえ、こうした進化はあくまで二義的なものにすぎない。むしろこの時代を広く特徴づけているのは厳しいリアリズムである。この点でヒエロニムス・ボスの奇形ほど細部が正確でしかも全体が奇怪なものはほかにない。

ボスの絵にはグリロスが群れている。禽獣系グリロス、胸先に人面を持つ昆虫系グリロス(古代彫石に見られた蠅の一種を思わせる)、[176] 双面型グリロス、[177] 背に鼻を持つ人系グリロス、[178] 無頭型グリロス、頭脚型グリロス——これがとくに多い——など、かたちは千差万別である【図34】。それらはギリシア＝ローマの気品に満ちた仮面でもなければ写本欄外の異類のかたちなるドロレリーでもない。まさに肖像なのだ。

無表情な眼をした、顎の張ったむくみ顔、苦悩に表情を歪ませる強《こわ》ばった顔、楽天家や道化の笑い顔が、足をはやし、傍若無人に闊歩している。[179] それらのてらいのなさは、これらが異形の相であったとした場合よりもはるかに人を喰ったもののように見える。《隠遁聖者の祭壇画》の左翼パネルの下部では、長靴をはいた女頭が悲愴な感じさえする厳しい視線を投げかけている。[180] 女頭は当時の流行に倣い白いヴェールを被っているが、頭上に木菟の巣が載っているため鳥形頭飾りのようにも見える。

ボスの絵では兜が生き物として自律しているケースがよくある。オックスフォードの素描では蛙のように飛び跳ねる大兜、頭飾りについた翼を使って空を翔ぶ兜も見られる。まるでグリュンベルクの奇形が道具部屋から抜け出してきたかのようだ。

ウィーンにある《最後の審判》は純然たるレプリカにすぎぬかもしれないし、あるいはまたルーカス・クラーナハがネーデルラント滞在中に模写したものかもしれないが、[*181] そこでもこうした生き物がいたるところに顔を出す。左側に見える建物の屋上では足をはやした髯面頭がビザンティン帽を被っている。建物の手前のところでは兜を被った人頭が架空の鳥に跨っている。また別な、大足をはやした頭は奇形の群の後方を歩いている。両者のあいだでは無頭が武器を振りかざしている。少し離れたところでは脚をはやした頭が卵の殻のなかに入っている。世界史のフィナーレを飾る主役はほかならぬグリロスなのだ。

リスボンにある《聖アントニウスの誘惑》でもグリロスは大きな比重を占めている。[*182] 祭壇画右翼ではバウボが短剣を腹に突き立て大地に腰を降ろしている。中央パネルではグリロスが小舟に乗っている。左翼パネルでは一角獣の顔が驢馬の臀の上で遊びまわっている。だが不可解至極な場面が繰り広げられているのは画面中央部である。脚をはやし、黒いターバンを巻いた頭が気取った格好で聖アントニウスの前に坐っている。隠者はそれに気づき、背を向ける。粗い筆ながらも適確に特徴を捉えたこの横顔ではすべてが然るべき場所にある。ピッタリとした下穿の上に長靴をはいた筋肉質の脚は驚くほどリアルである。ありうべくもないもののなかでのこの尋常さ、それだけが悪魔の攻撃に晒されている聖人を驚愕させているかのようだ。頭は聖人を凝視している。どうやら対話が始まるらしい。グリロスと隠修士のこの無言の会話を中心にしてヴィジョンは全体へ広がっていく。この像にボスの自画像を見ようとする向きもある。[*183]

その態度、肉づき、顔立ちは、一三二〇年頃の、リールの司法官ラウル・オーブリの偽古代印章に彫られた奇形とよく似ている【図35】。

悪魔を主題とする絵画はどれもこうした空想の生き物を取り上げ増殖させている。ヤン・マンディン、ヘリ・メット・デ・ブレス、ペーテル・ホイス、ブリューゲルなどボワ＝ル＝デュク（デュクの森）の画家と多少とも結びつきのある画家たち、またその他大勢の二流画家にもそれらが見出される。ベルリンにある《聖アントニウスの誘惑》の主役もまた足をはやした獣頭であり、大足に載った人頭であり、卵殻から武装した腕を出すグリロスである。ウィーンにある地獄図のレビヤタンは足をはやした獣頭でなく、腹に裂腔のある腹頭である。[*184]しかも両手で自らのそれを引き拡げてみせている【図36】。ブリューゲルは胸のところに天地逆向きの顔を持つ軽業師、四本足を持つ頭、長いナイト・キャップをつけた双腕の双面頭、脚をはやした驢馬頭を、聖ヤコブに戦いを挑んだペテン師ヘルモゲネスの味方につける。グリロスは〈忍耐〉〈憤怒〉〈貪欲〉〈淫欲〉の寓意にも登場する。〈大食〉はその頂飾りが皿と杓子からなる。[*185]ギリシア＝ローマの霊が再び姿を現し、中世の系列を踏襲しながら次第に生命力を増し、やがて荒唐無稽なものと化していく。

十五世紀末葉から十六世紀にかけての古代的主題の開花がかくもめざましいとは。いまやルネサンスと直接的な関わりを失ったということなのだろうか。マルグリット・ドートリシュの綴織監督官ドン・ディエゴの息子にあたるドン・フェリペ・ゲバラは（場合によってはボスのことを知っていたかもしれない、というのもネーデルラント摂政王妃は彼から《聖アントニウスの誘惑》を入手していたから）この問いに思いがけぬ光明を投じてくれる。[*186] 彼曰く、

わたしはつい最近、〈グリロ〉（grillo）と呼ばれるまた別なジャンルの絵を見出した。その名づけ親は、ある男を絵に描き、その人物を冗談でグリロと呼んだアンティフィロスであった。以来この絵画ジャンルはグリロと呼ばれた。エジプトに生まれたアンティフィロスはそれをクテシアスから学んだ。この絵画ジャンルはわれわれの時代でいえばまさにボスことボスコに似ているらしい。よく言われるように彼は変わり種で、描くものときたら奇怪な人物、珍奇な姿勢……などだから。

このように「グリロス」という言葉は、ボスの作品の蒐集家であり、彼とほぼ同時代を生きた人物によって、近代的な受けとめ方で話され、使われていた。当時この言葉はもっと幅広い意味を持っており、プリニウスのテクストとの校合もなるほど博識のなせる偶然にすぎなかったのかもしれない。しかしながら、ギリシア＝ローマの流れを汲む生き物のなかで、頭の数が増え、頭がずれた寄せ集めの生き物が、よりによってボスの絵に群れ集っている。他方、参事

会員マカリウス（一六一四年歿）の『古代彫石論』[*187]では、グリロスの名称が足を有する面相に馬形頂飾りを組み合わせて作られる奇形にもっぱら充てられている。地獄図の画家たちの作品のときと同様、それらは「憎むべき汚らわしい悪魔の群」として魔性のものの範疇に姿を現す。「グリロス」は最初のうちはもっと広義に受けとられ、プリニウスに適うものであったのかもしれないが、やがて特殊な動物誌にのみ用いられる狭義の言葉となった。グリロスという名のかかる導入ほど、それの最終開花の世紀にあって示唆的なことはない。グリロスはその出典について正確な知識を欠いたまま、古代のもの、得体の知れぬ異国のものとして流布され、ある特定の時代に「ヘレニズムの流儀」として蘇ってきた。ある種の主題を別にすると、北方諸派におけるルネサンスはとみに早熟であった。真先に異形を取り上げ、そして中世を一気に離脱したからである。

原註

*1——中世における遺物一般については F. Piper, *Mythologie und Symbolik der christlichen Kunst*, Weimar, 1847-55 ; A. Springer, *Nachleben der Antike im Mittelalter*, Bonn, 1886 ; F. von Bezold, *Das Fortleben der antiken Götter im mittelalterlichen Humanismus*, Bonn, 1922 ; H. Liebeschütz, *Fulgentius metaforalis, ein Beitrag zur Geschichte der antiken Mythologie im Mittelalter, Studien der Bibliothek Warburg*, IV, Leipzig, 1926 ; J. Nordström, *Moyen Age et Renaissance*, Paris, 1933 を見よ。中世のイメージ体系に対する古代の寄与については F. Saxl and E. Panofsky, *Classical Mythology in Medieval Art, Metropolitan Museum Studies*, IV, 2, New York, 1933 ; J. Adhémar, *Influences antiques dans l'art du Moyen Age français*, London, 1937 を見よ。また J. Seznec, *La Survivance des dieux antiques*, The Warburg Institute, London, 1939 / Nouvelle édition, Flammarion, Paris, 1980 も見よ。

*2——ロマネスク彫刻に対する古代の影響については、とくに M. Durand-Lefebvre, *Art gallo-romain et Sculpture romane*, Paris, 1937 および J. Adhémar, *op. cit.* を見よ。

*3——E. Panofsky, *Hercules am Scheidewege*, Leipzig-Berlin, 1930, p. 18 以下。F. Saxl and E. Panofsky, *op. cit.* を見よ。

＊4——J. Baltrušaitis, *Cosmographie chrétienne dans l'art du Moyen Age*, Paris, 1939, Chap. IV, "Cercles astrologiques et cosmographiques à la fin du Moyen Age."

＊5——月暦の造形に対する古代の寄与については J. C. Webster, *The Labors of the Months in Antique and Medieval Art to the End of the XIIth Century*, Princeton, 1938 に研究がある。

＊6——W. Schmitz, *Die bemalten Holzdecken im Museum zu Metz*, *Zeitschrift für christliche Kunst*, 1897.

＊7——L. de Vesly, *La Céramique ornementale en haute Normandie pendant le Moyen Age et la Renaissance*, Rouen, 1913, pl. XV.

＊8——F. Bond, *Woodcarving in English Churches*, I, *Misericordes*, London, 1910, fig. p. 109.

＊9——*Ibid.*, fig. p. 68.

＊10——M. R. James, *A Descriptive Catalogue of the Manuscripts in the Fitzwilliam Museum*, Cambridge, 1893, fragment n° 1, pl. XVIII.

＊11——E. Millar, *Les Principaux Manuscrits à peintures du Lambeth Palace à Londres*, *Bulletin de la S. F. R. M. P.*, 1924, ms. 233, pl. XXXVII.

＊12——E. Millar, *La Miniature anglaise aux XIVe et XVe siècles*, Paris, 1928, pl. 52.

＊13——たとえば Oxford, Douce 180, 1270, E. Millar, *La Miniature anglaise*, II, pl. 93 ; Toulouse, ms. 815, 1286-1314, f° 9^{v}, A. Auriol, *L'Apocalypse du couvent des Augustins à la bibliothèque de Toulouse*, *Les Trésors des bibliothèques de France*, II, Paris, 1929 ; Dresden, ms. 50 と 117

（十四世紀）、R. Bruck, *Die Malereien in den Handschriften des Königreichs Sachsen*, Dresden, 1906, fig. 89 と 91.

*14——A. Haseloff, *Eine thüringisch-sächsische Malerschule des XIII. Jahrh.*, Strassburg, 1897, fig. 109, pl. XLVI. ヴォルフェンビュッテルの写本、一二三五年以後。

*15——L. Bégule, *Monographie de la cathédrale de Lyon*, Lyon, 1880, 3e série, pl. 4.（左扉口左側）

*16——*The New Palaeographical Society*, London, 1903, part. I, pl. 16, Douai, ms. 171 および S. C. Cockerell, *The Gorleston Psalter*, London, 1907, pl. XVIII.

*17——E. Millar, *La Miniature anglaise*, II, pl. 57.

*18——A. Durieux, *Les Miniatures des manuscrits de la bibliothèque de Cambrai*, Cambrai, 1861, pl. 11. また、一五〇八年のスペイン語版 *The British Museum Quarterly*, V, n° 3, 1936, pl. XXXI も見よ。

*19——Abbé V. Leroquais, *Les Pontificaux des bibliothèques de France*, Paris, 1937, pl. CXVII, CXVIII, 十五世紀の『ローマ司教典礼書』、リヨン歴史記念物図書館 ms. 5144.

*20——O. Jennings, *Early Woodcut Initials*, London, 1908, fig. p. 209, 229, 230, 250.

*21——M. Geisberg, *Der deutsch Einblatt-Holzschnitt in der ersten Hälfte des XVI. Jahrh.*, X, München, 1924, pl. 33.

*22——G. Warner, *Queen Mary's Psalter*, London, 1912, pl. 198.

*23——オームズビーの『詩篇集』O. Saunders, *English Illumination*, II, Panthéon, 1928, fig. 109.

＊24——G. Warner, *Illuminated Manuscripts of Dyson Perrins*, Oxford, 1920, pl. CXV, スイスの写本、一三一二年頃。

＊25——G. Warner, *Queen Mary's Psalter*, pl. 175, 176, 178. *The New Palaeographical Society*, 2e série とくに 3e série, pl. 71, パリ写本、十五世紀初頭。H. Martin, *La Miniature française du XIIIe au XVe siècle*, Paris, 1923, pl. 69, シャルル五世の『美しき聖務日課書』、一三八〇年以前。

＊26——『トゥニゾン詩篇集』J. Herbert, *Illuminated Manuscripts*, London, 1911, pl. XXIV. ロベール・ド・リールの『詩篇集』、一三三九年 E. Maude Thmpson, *English Illuminated Manuscripts*, London, 1895, pl. 17. ブルネット・ラティーニ、一三三〇年 H. Yates Thompson, *Illustrations of One Hundred Manuscripts*, VII, London, 1918, pl. LXIX. ヘントの写本二二番 L. Maeterlinck, *Le Genre satirique dans la peinture flamande*, Paris, 1907, fig. 85 と 121. ルイーズ・ド・サヴォワの『時禱書』、十五世紀 Abbé V. Leroquais, *Les Livres d'heures de la Bibliothèque nationale*, Paris, 1917, pl. LX と LXII. ミュンヒエン版『ボッカッチョ作品集』、十五世紀 L. Olschki, *Manuscripts français à peintures des bibliothèques d'Allemagne*, Genève, 1932, pl. IX.

＊27——O. Jennings, *op. cit.*, fig. p. 230.

＊28——デヴォンのウィリアムの『聖書』、一二五一—七四年 E. Millar, *La Miniature anglaise du Xe au XIIIe siècle*, Paris, 1926, pl. 77. ロベール・ド・ブロワの詩、十三世紀末、アルスナル図書館蔵、五二〇一番 H. Martin, *La Miniature française*, pl. 24. ヴァンドームの聖職者席およ

びチェスターの聖職者席、一三三〇年頃 F. Bond, *op. cit.*, fig. p. 12. ルーアン図書館の聖職者席および扉口 J. Adeline, *Les Sculptures grotesques et symboliques*, Rouen, 1879, pl. XLVI.

＊29—P. Clemen, *Romanisch Monumentalmalerei in den Rheinländern*, Dusseldorf, 1916, p. 524, fig. 372.

＊30—R. Bernheimer, *Romanische Tierplastik*, München, 1931, pl. 50, fig. 153.

＊31—E. Babelon, *La Gravure en pierre fine*, Paris, 1894, fig. 135 ; E. Gebhart, *Gemmen und Kameen*, Berlin, 1925, fig. 140.

＊32—A. Furtwängler, *Beschreibung der geschnittenen Steine im Antiquarium zu Berlin*, Berlin, 1896, n°s 8536, 8538 ; J. Macarius, *Abraxes seu Apistopistus, quae est antiquaria de Gemmis Basilianis disquisitio*, Antwerpen, 1657, p. 37 ; S. Reinach, *Pierres gravées*, Paris, 1895, pl. 26, fig. 50-11.

＊33—A. Furtwängler, *Beschreibung*, n° 8536.

＊34—*Ibid.*, n°s 3341, 3344, 8532. C. W. King, *Antique Gems and Rings*, London, 1872, pl. LVI, 4 と 5. L. Augustino, *Gemmae et sculpturae antiquae*, Francfort, 1694, n° 203.

＊35—A. Furtwängler, *Beschreibung*, n° 8533.

＊36—『グリヴォー・ド・ラ・ヴァンセルの収蔵庫の彫石』(*Pierres gravées du cabinet de M. Grivaud de la Vincelle*)、パリ国立図書館のメダル収蔵庫にある独創的なデッサン E. 86, n° 148, リュイーヌ・コレクションから出たメダル収蔵庫の陰刻宝石 145.

＊37――A. Furtwängler, *Beschreibung*, n°s 1798, 1801.

＊38――A. Furtwängler, *Die antiken Gemmen*, I, Berlin, 1900, pl. XXVI, 83 ; *Beschreibung*, n°s 1805, 1806.

＊39――E. Babelon, *op. cit.*, p. 176.

＊40――C. A. Bötiger, *Kleine Schriften*, Dresden, 1836, pp. 460-461. A. Furtwängler, *Die antiken Gemmen*, III, p. 353 と 363.

＊41――A. Blanchet, *Recherches sur les grylles*, *Revue des études anciennes*, XLIII, 1921, p. 43.

＊42――A. Furtwängler, *Die antiken Gemmen*, III, p. 114 と 288.

＊43――*The Illustrated London News*, mai 1932, p. 756, fig. 2 ウーリー発掘。

＊44――E. Minns, *Scythians and Greeks*, Cambridge, 1913, fig. 106-6 と 19.

＊45――A. Rose, *New Light on the Grylli*, *Journal of Hellenic Studies*, 1935, pp. 232-235. J. Zykan, *Der Tierzauber*, *Artibus Asiae*, 1935, p. 203 以下。

＊46――Ch. Picard, *L'Épisode de Baubô dans les mystères d'Éleusis*, *Congrès d'histoire de christianisme*, Paris, 1928, p. 25 以下。

＊47――A. Delatte, *Études sur la magie grecque*, *Akephalos Theos*, *Bulletin de correspondence hellénique*, 1914, p. 199 以下 ; M. K. Preisendanz, *Akephalos*, *Der Kopflose Gott*, *Beihefte zum Alten Orient*, 8, Leipzig, 1925-26.

＊48――A. Delatte, *op. cit.*, fig. 10 サルデーニャで発見、カリアリ美術館蔵、前五世紀。サルディス

のあるスカラベにも似たような図像が見られる。Orcurti, *Bolletino archeologoco sardo*, IV, pl. II, 13. G. Perrot et Ch. Chipiez, *Histoire de l'art dans l'Antiquité*, III, Paris, 1885, fig. 296 を参照。

＊49——Th. Wiegand et H. Schrader, *Priene*, Berlin, 1904, fig. 149-154 四世紀。

＊50——G. Perrot et Ch. Chipiez, *op. cit.*, IX, fig. 18.

＊51——A. Gori, *Thesaurus gemmarum*, Firenze, 1750, pl. CXXXVI.

＊52——A. Delatte, *op. cit.*, p. 209.

＊53——P. Perdrizet, *Bronzes de la collection Fouquet*, Paris, 1911, pp. 42-43.

＊54——D. G. Hogarth, *The Zakro Sealing*, *Journal of Hellenic Studies*, 1902, p. 76 以下 pl. VII, fig. 44 と 45 ; The Bossert, *Alt Kreta*, Berlin, 1921, pl. 243 e.

＊55——D. G. Hogarth, *op. cit.*, fig. 16, pl. VIII, fig. 57 と 27 a. 著者によれば、これは獅子の面ではないかという。

＊56——W. Ward, *Seal Cylinders of Western Asia*, Washington, 1900, fig. 300 b. 前三〇〇〇年代。L. Delaporte, *Cylindres Orientaux du musée du Louvre*, Paris, 1920, fig. 76, nº 251 前二四〇〇年頃。

＊57——M. von Oppenheim, *Tell-Halaf*, London, 1931, pl. XXXIII A.

＊58——J. Marshall, *Mohenjo-Daro and the Indus Civilization*, London, 1932, I, pl. XII, fig. 17 三面有角神。

＊59—S. Reinach, *Cultes, Mythes et Religions*, Paris, 1913, *Mercure tricéphale*, p. 161 以下；W. Deonna, *Études d'art comparé, simultanéité et succession*, *Revue d'ethnographie et de sociologie*, 1913, p. 335 以下。また *Unité et diversité*, *Revue archéologique*, 1914, pp. 40-41.

＊60—E. Minns, *op. cit.*, fig. 106-6 と 19. 七兄弟の墓およびエルテガン（ニュンファエウム）から出土。二〇六頁以下。

＊61—A. Furtwängler, *Die antiken Gemmen*, I, pl. VII, 32 と 33, pl. XV, 88.

＊62—*Ibid.*, pl. XV, 87, 89.

＊63—A. Furtwängler, *Beschreibung*, n°s 6545, 6546, 6548.

＊64—*Ibid.*, n°s 5334, 7810.

＊65—S. Reinach, *Pierres gravées*, pl. 26, fig. 51-3.

＊66—*Ibid.*, pl. 24, fig. 48-10, pl. 131, fig. 64.

＊67—A. Furtwängler, *Beschreibung*, n°s 1916, 1927, 1928, 7815, 8523, 8527, 8528；C. W. King, *op. cit.*, pl. LVI, fig. 11.

＊68—A. Furtwängler, *Beschreibung*, n° 8524.

＊69—S. Reinach, *Pierres gravées*, pl. 131, fig. 65.

＊70—ストラスブール近郊で見つかった三世紀のグリロス A. Blanchet, *op. cit.*, fig. 1.

＊71—J. Hackin, *Recherches archéologiques à Begram*, Paris, 1939, p. 21, n° 329, pl. LXI.

＊72—L. Delaporte, *Musée du Louvre, catalogue des cylindres*, Paris, 1923, pl. III (A 1424)；*Survey of*

Persian Art, Oxford, 1938, pl. 255, DD, KK, fig. 371, d, f, g.

＊73——Daremberg et Saglio, *Dictionnaire des Antiquités*, II, p. 1429 以下所収の S. Reinach, *Galea* の論文を見よ。

＊74——S. Reinach, *Pierres gravées*, pl. 17, fig. 34-3, 4, 5, fig. 35-1, 2, 3, 4, 5, 6, 7, 9.

＊75——ヘデルンハイムのロマネスク遺跡で発見された仮装面 S. Reinach, *Galea*, fig. 3423. ミネルヴァの面 S. Reinach, *Pierres gravées*, pl. 30, fig. 60-2, 3, 4, 5, 7, 10, 11, 12, 14, fig. 61-4.

＊76——S. Reinach, *Pierres gravées*, pl. 24, fig. 47-12.

＊77——*Ibid.*, pl. 24, fig. 47-9, pl. 25, fig. 49-7, 8, fig. 50-3, 6, 7, pl. 90, fig. 73.

＊78——S. Reinach, *Galea*, fig. 3417.

＊79——H. Goetz, *The history of persian costume*, *Survey of Persian Art*, fig. 745 g.

＊80——S. Reinach, *Galea*, p. 1450.

＊81——A. Furtwängler, *Beschreibung*, n°s 8527 と 8528 ; S. Reinach, *Pierres gravées*, pl. 26, fig. 50-13. fig. 51-5.

＊82——J. Séligmann, *L'Orfèvrerie carolingienne, dans Travaux du groupe d'histoire de l'art de la faculté des Lettres de l'université de Paris*, Paris, 1928, p. 141.

＊83——W. S. Heckscher, *Relics of Pagan Antiquity in Medieval Settings*, *Journal of the Warburg Institute*, I, London, 1937-38, p. 204 以下 ; A. Darcel, *Le Trésor de Conques, pierres antiques*, *Annales archéologique*, 1860, pp. 327-333 ; W. Sauerländar, *Art antique et sculpture autour de*

1200, Art de France, I, 1961, pp. 47-56.

＊84——G. A. S. Snidjer, *Antique and Medieval Gems on Bookcovers at Utrecht, The Art Bulletin*, XIV, 1932 ; L. Palustre et X. Barbier de Montault, *Le Trésor de Trèves*, Paris, s. d., p. 22.

＊85——E. Babelon, *Histoire de la gravure sur gemmes en France*, Paris, 1902, p. 64 ; H. Wentzel, *Mittelalterliche Gemmen, Versuch einer Grundlegung, Zeitschrift des deutschen Vereins für Kunstwissenschaft*, 1941, p. 46 以下。

＊86——ヨーク大司教は、一一五四年、三面の獣の彫られた石で手紙に封印をしていた。ソワソン副司教は一一八九年に白鳥の姿をしたレダ像で、またサンス大司教ギヨーム・ド・シャンパーニュは兜を被ったミネルウァで、それぞれ手紙に封印をしていた。

＊87——J. Labarte, *Histoire des arts industriels*, Paris, s. d., I, p. 205 と 215.

＊88——E. Babelon, *Histoire de la gravure sur gemmes*, p. 73.

＊89——A. T. de Girardot, *Histoire et inventaire du trésor de la cathédrale de Bourges, Mémoires de la Société nationale des antiquaires de France*, XXIV, 1859, p. 53 ; E. Le Brun-Dalbanne, *Les Pierres gravées du trésor de la cathédrale de Troyes, Mémoires de la Société académique de Troyes*, 1880, pp. 1-145 ; L. Niepce, *Archéologie lyonnaise*, III, *Les Trésors des églises*, Lyon, s. d., p. 7.

＊90——E. Babelon, *Les Camées antiques et modernes de la Bibliothèque nationale*, Paris, 1897, p. LXXV.

＊91——Didron, *Orfèvrerie du XIIIe siècle*, *Annales archéologiques*, XXIX, 1859, p. 225.

＊92——十三・十四世紀には、〈カメオ〉(camayeu) という言葉が、現在使われているような浮彫り彫石だけでなく、陽刻・陰刻を問わずあらゆる彫石を指していた。E. Babelon, *Histoire de la gravure sur gemmes*, p. 75 を参照。

＊93——J. von Schlosser, *Quellenbuch zur Kunstgeschichte des abendlandischen Mittelalters*, Wien, 1896, p. 297, nº XXXVIII.

＊94——F. Greuzer, *Zur Gemmenkunde, antike geschnittene Steine von Grabmahl der Heiligen Elisabeth in Kirche zu Marburg*, Leipzig, 1834.

＊95——Ch. R. Smith, *Collectanea antiqua* VII, London, 1857, p. 65, *Medieval seals set with ancient gems*; H. Schuermans, *Intailles antiques employées comme sceaux au Moyen Age*, *Bulletin des Commissions Royales d'art et d'archéologie*, 1872, pp. 344-366; G. Demay, *Des pierres gravées employées dans les sceaux du Moyen Age*, Paris, 1877.

＊96——たとえば、シューエルマンの陰刻彫石集成では、一二〇〇年の印章は一つしかなく、ほかは十五世紀のもの一つを除いて、いずれも十三世紀と十四世紀のものである。

＊97——J. Labarte, *Inventaire du mobilier de Charles V, roi de France*, Paris, 1879, p. xiv.

＊98——B. de Montfaucon, *Supplément au livre de l'Antiquité expliquée et représentée en figures*, Paris, 1724, III, p. 26.

＊99——ユーグ・ラゴの『金石誌』F. de Mély, *Du rôle des pierres gravées au Moyen Age*, *Revue de l'art chrétien*, 1893, p. 195.

＊100――Th. Wright, *On Antiquarian Excavations and Researches in the Middle Ages*, *Archaeologia*, XXX, 1844, p. 444 以下；L. Pannier, *Les Lapidaires français*, *Bibliothèque de l'École des haute études*, t. 52, 1882；F. de Mély, *Du rôle des pierres gravées au Moyen Age*, p. 14 以下。また *Les Lapidaires de l'Antiquité et du Moyen Age*, Paris, 1896-1902；P. Studer et J. Evans, *Anglo-Norman Lapidaires*, Paris, 1924；J. Evans et M. S. Serjeantson, *English Medieval Lapidaires*, London, 1933.

＊101――J. Quicherat, *Mélanges d'archéologie et d'histoire*, Paris, 1886, p. 357.

＊102――F. de Mély, *Du rôle des pierres gravées*, p. 18.

＊103――Albert le Grand, *De Mineralibus et rebus metalicis*, Lib, II, *De Figuris lapidum a natura factis*, cap. 2.

＊104――Is. del Sotto, *Le Lapidaire du XIV*^{e} *siècle d'après le traité de Jean de Mandeville*, Wien, 1862, p. 119 以下。一一八―一二八頁、〈イスラエルの石〉に充てられた章を見よ。

＊105――J. Labarte, *Inventaire du mobilier de Charles V*, n° 618.

＊106――F. de Mély, *Du rôle des pierres gravées*, p. 26 と 28.

＊107――Camillus Leonardis, *Speculum lapidum*, Venezia, 1502；F. de Mély, *Du rôle des pierres gravées*, p. 99 参照。

＊108――R. de Lespinasse, *Les Métiers et les Corporations de la ville de Paris*, II, Paris, 1879, p. 81.

＊109——E. Babelon, *Histoire de la gravure sur gemmes*, pp. 86-97.

＊110——G. Demay, *Des pierres gravées dans les sceaux du Moyen Age*, n°s 249-268.

＊111——*Ibid.*, n° 268.

＊112——*Ibid.*, n° 265 および G. Demay, *Inventaire des sceaux de la Flandre*, Paris, 1873, n° 2963, p. 331.

＊113——W. S. Heckscher, *op. cit.*, pl. 30 c と 31 a. トリーアから出たアダの『福音書抄本』（八〇〇年頃）においてすでに、古代彫石が写本扉に、聖遺物箱上に嵌め込まれているかのように描かれている。著者は同じく、聖母の両手で支え持たれた、きわめて面白いダビデ王像も見せてくれる（バーゼル美術館、十四世紀）。王の顔は、メドゥーサ面のカメオである。小像は獅子で飾られた紅玉髄の上に据えつけられている。

＊114——大英博物館 Cotton, Nero D. I., C. C. Omen, *The Jewels of Saint Albans Abbey*, *The Burlington Magazine*, LVII, 1930, fig. IV.

＊115——たとえば、カンブレの写本一一七番のグリロス（A. Durieux, *op. cit.*, pl. 11）とL・アウグスティーノのグリロス（*op. cit.*, p. 203）を、A・フルトヴェングラー（*Beschreibung*）の印章八五五八番および八五三五番のグリロスとO・ジェニングズ（*op. cit.*）二二二頁および二三〇頁に出てくる像をそれぞれ比較せよ。

＊116——F. de Mély, *Du rôle des pierres gravées*, fig. V.

＊117——W. Diepen, *Die romanische Bauplastik in Klosterrath*, Würzburg, 1926, pl. XLI, fig. 3.

*118——ノリッジの聖職者席 G. C. Druce, *Some Abnormal and Composite Human Forms in English Church Architecture*, *Archaeological Journal*, 1915, fig. 1.

*119——A. Durieux, *op. cit.*, pl. 17 カンブレ ms. 124 十六世紀。

*120——M. R. James, *Marvels of the East*, Oxford, 1929. これらの驚異の古代風の——文学と図像の——伝統については R. Wittkower, *Marvels of the East*, *Journal of the Warburg and Courtauld Institutes*, V, 1942, pp. 159-197 を参照。

*121——A. de Laborde, *La Cité de Dieu*, Paris, 1889, pl. CII ナントの写本、一四七八年。

*122——E. H. Langlois, *Essai sur les danses des morts*, I, Rouen, 1851, p. 301.

*123——W. Deonna, *Comment les idées et les monuments changent de sens, du dieu au diable, au sorcier, au damné*, *Études d'archéologie et d'art*, Genève, 1914.

*124——H. Omont, *Psautier illustré*, *B. N.*, *ms. lat. 8846*, Paris, s. d., pl. 6.

*125——H. Omont, *Miniatures du Psautier de Saint Louis*, レイデン大学附属図書館 ms. lat. 76 A, Leiden, 1902, pl. 15.

*126——E. Millar, *La Miniature anglaise*, I, pl. 75.

*127——M. R. James, *The Trinity College Apocalypse*, The Roxburghe Club, 1909, pl. 6, 17, 25.

*128——E. Mâle, *L'Art religieux du XIIIe siècle en France*, Paris, 1923, p. 383.

*129——『ナルボンヌの板絵』（一三七三—七八年）、カンタベリー系の『黙示録』、大英博物館 Add. ms. 17333 十四世紀初頭。E. Millar, *Souvenir de l'Exposition des manuscrits français à* *peintures au British Museum, Publications de la S. F. R. M. P.*, 1933, pl. XXVII.

＊130——カンブレの『黙示録』（四八二）、十三世紀末。

＊131——H. Reiners, *Die Kölner Malerschule*, Leipzig, 1925, pl. XIV ; M. Lehrs, *Der Meister mit Banderollen*, Dresden, 1886, pl. VII ; E. Mâle, *L'Art religieux de la fin du Moyen Age en France*, Paris, 1922, fig. 35.

＊132——K. Lange, *Der Papstesel*, Berlin, 1891 ; H. Grisar, *Luthers Kampfbilder*, Friburg-en-Brisgau, 1923, chap. I.

＊133——W. Y. Ottley, *Fac-Similes of Scarce and Curious Prints*, London, 1826, pl. 25.

＊134——G. C. Druce, *op. cit.*, pl. 2 ウェストミンスターの『動物誌』ms. 22 十三世紀。L. Maeterlinck, *op. cit.*, fig. 74 イーブルの写本、十四世紀。E. Millar, *Livre d'heures exécuté pour Geoffroy d'Aspremont, Bulletin de la S. F. R. M. P.*, 1925, pl. 7 十三世紀末、フランス北部またはフランドル。

＊135——R. Borrmann, *Aufnahmen mittelalterlicher Wand-unt Deckmalerei in Deutschland*, Berlin, s. d., I, pl. 9.

＊136——S. Reinach, *Pierres gravées*, pl. 26, fig. 51-3.

＊137——Dom L. Baillet, *Les Miniatures du Scivias de sanit Hildegard, Monuments Piot*, XIX, 1911, pl. IV および XI 十二—十三世紀。

＊138——G. C. Druce, *op. cit.*, pl. III カートメルの聖職者席。I. Futterer, *Gotische Bildwerke der deutschen Schweitz*, Augsburg, 1930, fig. 179 チューリヒ美術館の聖職者席。A. Moschenross, *Quelques mots sur les stalles de la cathédrale de Thann*, s. l. n. d., fig. p. 10. ロマネスクにおける三面の伝統については M. Durand-Lefebvre, *Art gallo-romain et sculpture romane*, Paris, 1937, p. 157 以下を見よ。

*139——G. Demay, *Les Sceaux du Moyen Age*, n°s 252 (1239), 259（十四世紀）, 261 (1360), 262 (1245), 263 (1362).

*140——J. Baltrušaitis, *Cosmographie chrétienne*, fig. 18.

*141——*Annales archéologiques*, XIX, 1859, fig. p. 220 および *Congrès archéologique de Bordeaux*, 1941, p. 342.

*142——E. Mâle, *L'Art religieux du XIIIe siècle*, p. 70 アルスナル図書館の聖王ルイの『詩篇集』およびパリ国立図書館 ms. lat. 238.

*143——*Ibid.*, パリ国立図書館 ms. lat. 320, 824, 1328, 1394. サント＝ジュヌヴィエーヴ図書館 ms. 2200, 1690 また Abbé V. Leroquais, *Les Bréviaires manuscrits des bibliothèques de France*, Paris, 1934, pl. xi にあるメッスの『聖務日課書』、十三世紀後半。J. van den Gheyn, *Le Psautier de Peterborough*, Haarlem, s. d., pl. i も見よ。

*144——シャルトルの絵硝子。パリ国立図書館 ms. lat. 1076. E. Mâle, *L'Art religieux du XIIIe siècle*, p. 70, note 5. E・パノフスキーは他に二つの写本を挙げている（*op. cit.*, p. 4, note 6）。一つは十四世紀のもので、三面の〈一月〉が表されていることから、おそらく三位一体の擬人

像を念頭に置いているのだろう。

*145——E. Panofsky, *op. cit.*, pl. III, fig. 5 フランス語写本、一四〇〇年頃。

*146——A. Straub et G. Keller, *Hortus Deliciarum*, Strassburg, 1901, pl. XXII.

*147——C. Enlart, *La Volupté et la Mort, Mémoires de la Société des antiquares de France*, 1908, pl. LXVII 一五〇〇年頃。

*148——F. Hartlaub, *Signa Hermetis, Zwei alte alchemische Bildhandschriften, Zeitschrift des deutschen Vereins für Kunstwissenschaft*, IV, 1937, 折丁二番 fig. 1, 2, 3 および折丁四番 fig. 7.

*149——A. Straub et G. Keller, *op. cit.*, pl. XI bis.

*150——E. H. Langlois, *op. cit.*, pl. 8.

*151——パリ国立図書館 ms. fr. 9220 十四世紀初頭。

*152——三面の〈賢明〉——フィレンツェで作られた浮彫り（ロンドンのヴィクトリア・アンド・アルバート美術館）、シエナ大聖堂の敷石、ベルガモの礼拝堂。二面の〈賢明〉——スカリゲル家の墓（ヴェローナ）、鐘楼の浅浮彫り（フィレンツェ）、オルカーニャの手になる聖櫃（フィレンツェのオルサン・ミケーレ）、ジョットのフレスコ画（パドヴァのアレーナ）、ミシェル・コロンブの手になるブルターニュ公フランソワ二世の墓（ナント）。E. Mâle, *L'Art religieux de la fin du Moyen Age en France*, Paris, 1922 および E. Panofsky, *op. cit.*, p. 1 以下を見よ。

*153——God. Vat. lat. 1925 十五世紀中葉。E. Panofsky, *op. cit.*, p. 4, note 6 を参照。

*154——*Ibid.*,『三頭の徴』の章も見よ。J. Seznec, *op. cit.*, p. 110.

*155——Ch. R. Smith, *op. cit.*, p. 72.

*156——Didron, *Iconographie chrétienne, Histoire de Dieu*, Paris, 1843, pp. 551-561, fig. 141, 142, 147 ; L. Cloquet, *Éléments d'iconographie chrétienne*, Lille, 1891, p. 108 ; A. Hockel, *Die Trinität in der Kunst*, Berlin, 1930 ; R. Pettazzoni, *The pagan origin of the three-headed representation of the Christian Trinity, Journal of the Warburg and Courtauld Institutes*, IX, 1946, pp. 135-151.

*157——Th. Wright, *Histoire de la caricature*, Paris, 1857, fig. 111.

*158——Didron, *Iconographie chrétienne*, p. 545, fig. 135 フランス語写本、十五世紀。*Annales archéologiques*, I, 1844, p. 275 ; W. Deonna, *Questions d'archéologie religieuse et symbolique, Diable Triprosope, Revue d'histoire des religions*, 1914, p. 125 以下。

*159——ロニョン訳、パリ、一九六六年。

*160——A. de Laborde, *La Bible moralisée illustrée, conservée à Oxford, Paris et Londres*, Paris, 1911-1921, pl. 106, 112, 239, 656, 722.

*161——E. Wind, *Sante Pagnini and Michelangelo, Gazette des Beaux-Arts, Mélanges Henri Facillon*, 1944, p. 220.

*162——O. Schönberger, *Grünewald Drawings*, New York, 1948, n° 35. 主題面での古典古代との関係については E. Markert, Trias Romana, *Zur Deutung einer Grünewaldzeichnung, Wallraf-*

Richartz Jahrbuch, 1943 の研究がある。

*163——L. Delisle et P. Meyer, *L'Apocalypse en français au XIIIe siècle*, パリ国立図書館 ms. fr. 403, Paris, 1901, f° 40.

*164——A. Furtwängler, *Die antike Gemmen*, I, pl. XV, 71.

*165——H・イェイツ・トムソンの五〇番と大英博物館 ms. 17333 のカンブレ四八二の『黙示録』。H. Yates Thompson, *op. cit.*, IV, pl. XXXVI および E. Millar, *Souvenir de l'Exposition des manuscrits français*, pl. XXVII を見よ。

*166——S. Reinach, *Pierres gravées*, pl. 24, fig. 48-10.

*167——P. Kristeller, *Die Apocalypse, älteste Blockbuchausgabe*, Berlin, 1916, pl. XLV ; F. Didot, *Des Apocalypses figurées manuscrites et xylographiées*, Paris, 1870.

*168——Champfleury, *Histoire de la caricature au Moyen Age et sous la Renaissance*, Paris, 1876, pp. 281-282.

*169——G. Demay, *Le Costume de guerre et d'apparat d'après les sceaux du Moyen Age*, Paris, 1875, pl. XXIII. マテュー・ド・モンモランシーの印章。一一九八年に遡るリチャード獅子心王のキマイラは、イギリスの獅子を中央に、白鷺のかたちをとっているが、これは単なる羽根飾りにすぎなかった。

*170——C. N. Allou, *Études sur les casques du Moyen Age*, *Mémoires de la Société royale des antiquaires de France*, 1835 ; L. Larchey, *Ancien Armorial équestre de la Toison d'Or et du l'Europe du*

XVe siècle, Paris, 1890 ; H. G. Strohl, *Heraldischer Altas*, Stuttgart, 1909 ; W. G. Blackie, *Some Scottish Armorials, The Connoisseur*, 1935, p. 291 以下 ; M. Pastoureau, *Traité d'héraldique française et étrangère*, Paris, 1979, p. 205 以下。

＊171――H. Ehrenberg, *Deutsche Malerei und Plastik von 1350-1450*, Bonn, 1920, fig. 46 および E. Millar, *La Miniature anglaise*, II, pl. 57.

＊172――W. Stammler, *Allegorische Studien, deutsche Vierteljahrsschrift für Literaturwissenschaft und Geistgeschichte*, XVII, 1939, p. 9 以下。軽率な言葉を避ける（細長い首）という考え方は、シドラハの物語（十三世紀第四・四半世紀）にも見出される。これについては Ch.-V. Langlois, *La Connaissance de la nature et du monde au Moyen Age*, Paris, 1911, p. 243 を参照。図像は、十三世紀のドイツの詩人に描写されているが、もっとも古い作例とされるのは十五世紀のものにすぎない。

＊173――A. Blum et Ph. Lauer, *La Miniature française aux XVe et XVIe siècles*, Paris, 1930, pl. 33.

＊174――H. G. Ströhl, *op. cit.*, fig. 2.

＊175――O. Jennings, *op. cit.*, fig. 196, 200, 208, 243.

＊176――A. Furtwängler, *Die antiken Gemmen*, I, pl. XXVI, 83.

＊177――オックスフォードの素描 Ch. de Tolnay, *Hieronymus Bosch*, Basel, 1937, pl. 105.

＊178――*Ibid.*, pl. 67 ミュンヒェンのピナコテークの収蔵庫で発見された『最後の審判』の断片。

＊179――Ch. de Tolnay, *Hieronymus Bosch*, pl. 102, 105, 107, 112.

*180 ——*Ibid.*, pl. 57.

*181 ——*Ibid.*, pl. 62-66 および J. Friedländer et J. Rosenberg, *Les Peintures de Lucas Cranach*, Frammarion, 1978, pl. 99.

*182 ——Ch. de Tolnay, *Hieronymus Bosch*, pl. 37, 38, 40, 41, 42, 45.

*183 ——M. Brion, *Bosch*, Paris, 1938, p. 40.

*184 ——P. Lafond, *Hieronymus Bosch*, Brussel, 1914, p. 40.

*185 ——R. von Bastelaer, *Les Estampes de Peter Bruegel L'Ancien*, Brussel, 1908, pl. 117, 118, 124, 125, 128, 129, 131.

*186 ——Ch. de Tolnay, *Hieronymus Bosch*, p. 75 文学的典拠の註1。H. Dollmayr, *H. Bosch und die Darstellung der vier letzen Dinge*, *Jahrbuch der Kunsthistorischen Sammlungen des AH. Kaiserhauses*, 1898, p. 224 ; F. Schmidt-Degener, *Un tableau de Jérôme Bosch au musée de Saint-Germain-en-Laye*, *Gazette des Beaux-Arts*, 1906, I, p. 150, note 4 を参照。

*187 ——J. Macarius, *op. cit.*, p. 37.

A

B

●図１（上）――頭脚族｜A：メッスの天井画　1220年頃／B：リンの聖職者席　1415年頃

●図２――頭脚族｜中：ケンブリッジのフィッツウィリアム美術館所蔵写本の一葉　1280年頃／下：ロンドンのランベス宮殿の『詩篇集』 14世紀初頭

●図3（上）——頭脚族｜アングロ＝ノルマン系の『黙示録』 14世紀初頭　第四の封印の開封　トゥールーズ
●図4（下）——頭脚族｜『黙示録』 14世紀　ドイツの写本A（177 f° 23） ドレスデン国立図書館

●図5——冥府降下｜ヴォルフェンビュッテルの写本　1235年以降

●図6——幻想的な生き物｜A：ドゥエの『詩篇集』 1322-25年／B：リヨンの『ローマ司教典礼書』 15世紀／C：ミュンヒェン版『ボッカッチョ作品集』 15世紀末／D：スペインの本 1508年

●図 7（上）——幻想的な生き物｜パリの本の見出し文字　16世紀初頭
●図 8（下）——教皇座の風刺画｜ニュルンベルクの版画　1548年

●図 9 ——民衆的風刺画｜ティロル　18世紀

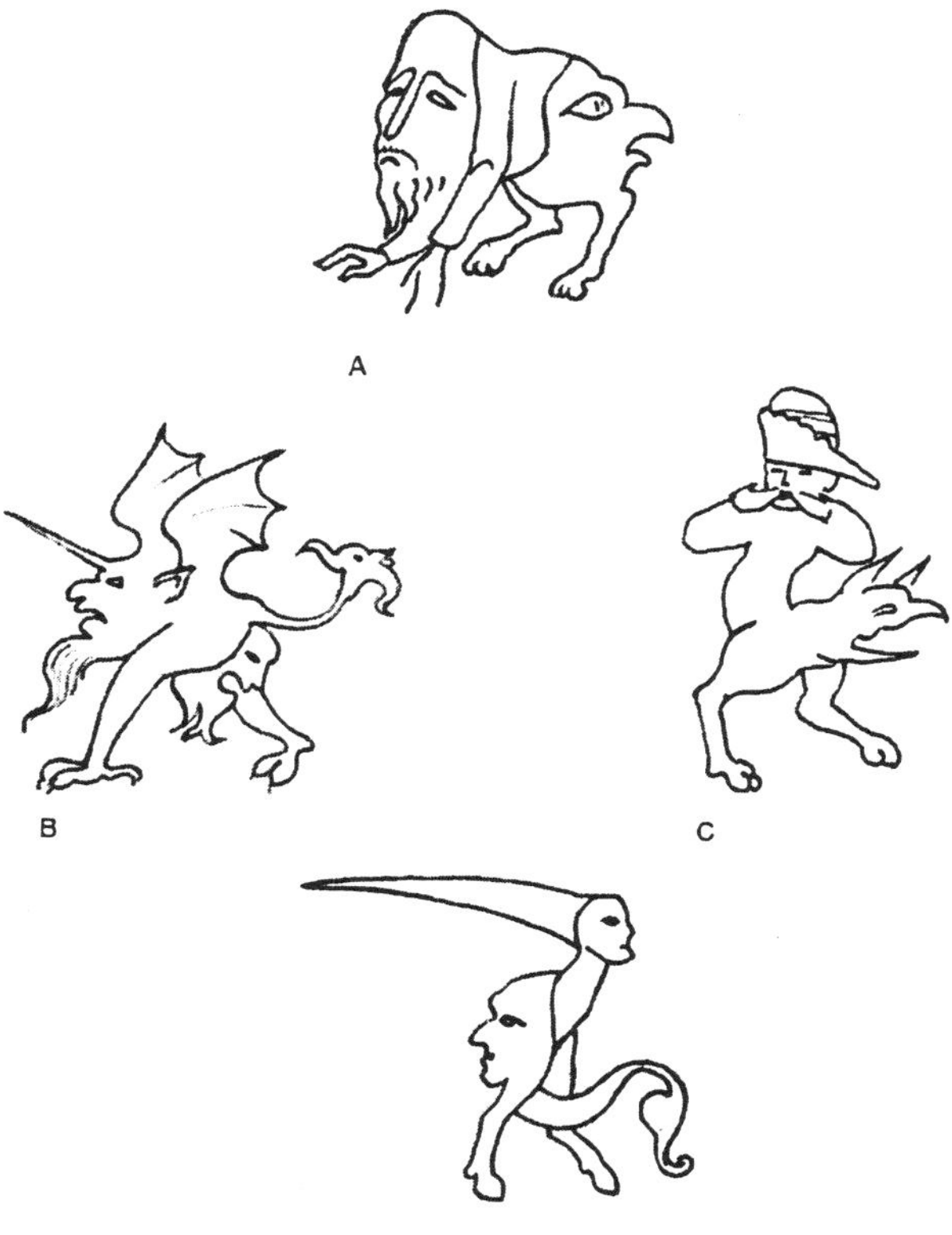

●図10——幻想的な生き物｜A：オームズビーの『詩篇集』 14世紀初頭／B：メアリ女王の『詩篇集』 14世紀初頭／C：パリの『詩篇集』 14世紀初頭／D：デヴォンのウィリアムの『聖書』 1251-74年

●図11——欄外の奇形｜テルーアンヌの『時禱書』 13世紀末　パリ国立図書館（ms. lat. 14284）

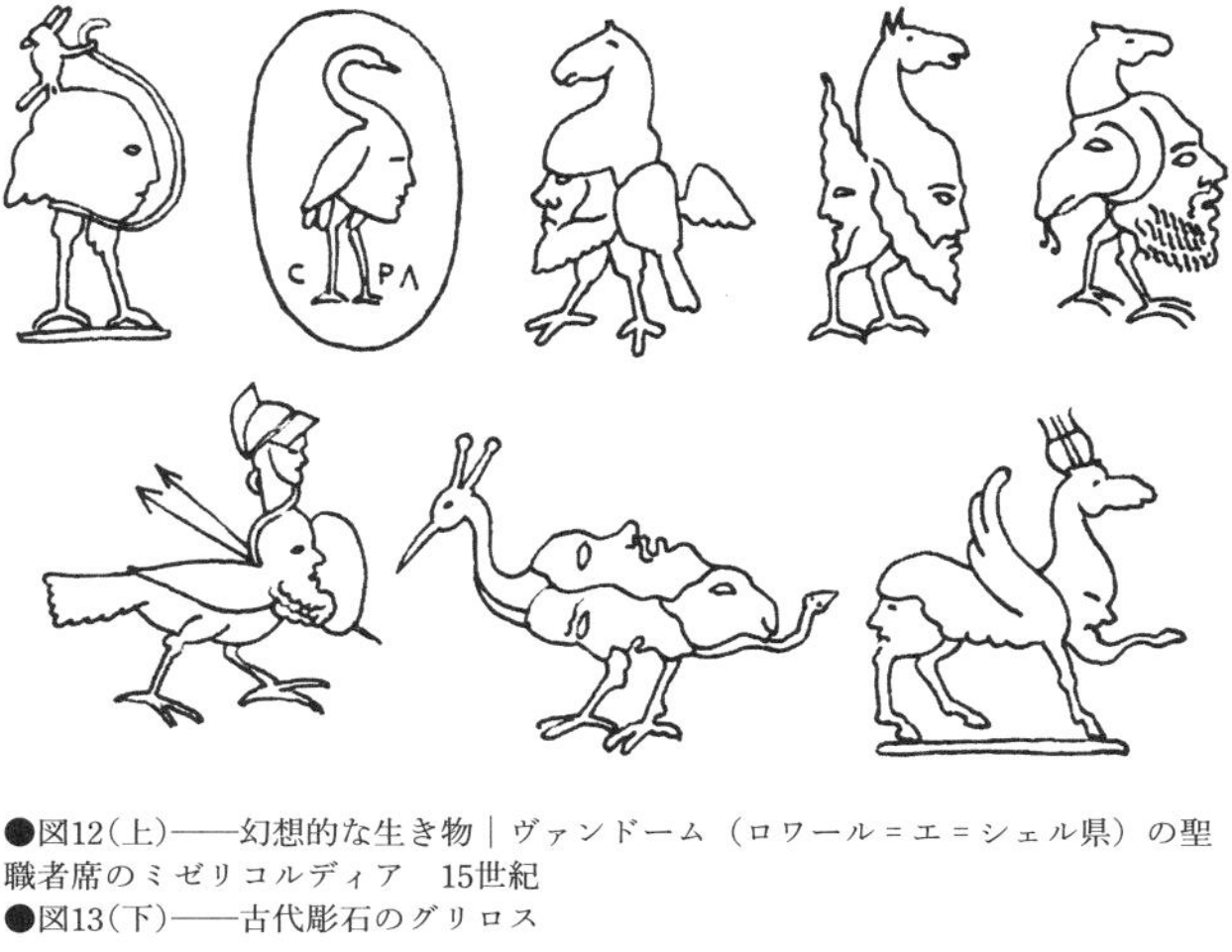

●図12(上)——幻想的な生き物｜ヴァンドーム（ロワール＝エ＝シェル県）の聖職者席のミゼリコルディア　15世紀
●図13(下)——古代彫石のグリロス

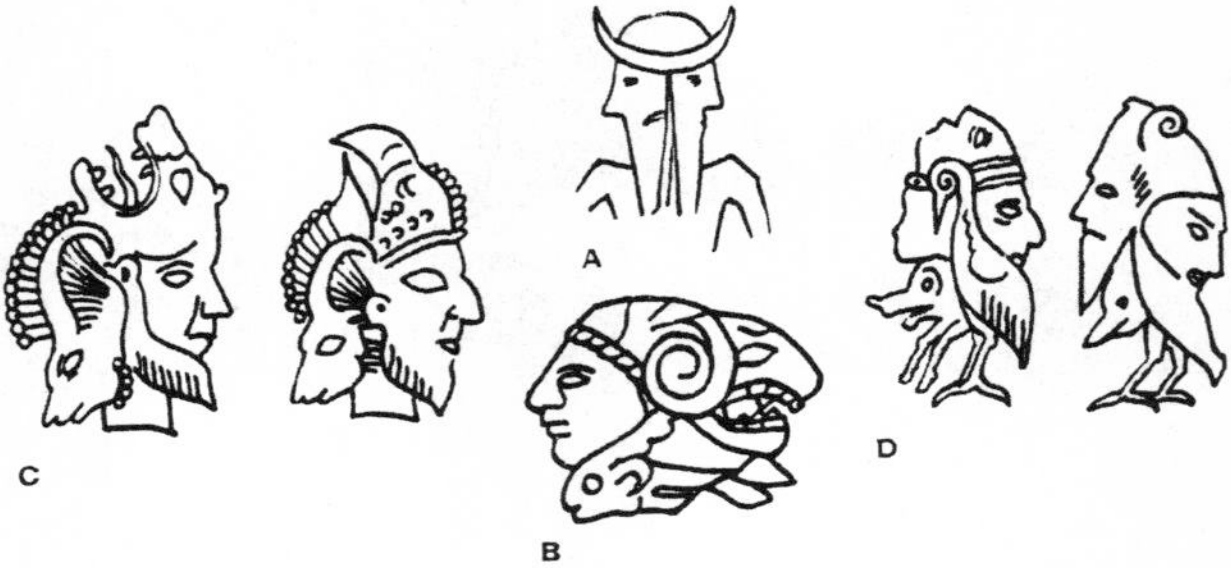

●図14（上）——位置のずれた頭部｜AとD：クレタ島にあるザクロのミュケナイ時代の家で出土した印章／B：サルディスのベス神／C：プリエネのバウボ神
●図15（下）——増殖した頭部｜A：シュメールの神　前3000年／B：スキタイのグリロス　前5世紀／C：イランのグリロス　前4世紀／D：サルディスのグリロス　タロスの墓地　前4世紀

●図16(上)――動物のかたちをした古代の頭飾り｜A：アテナ・ポリアス／B：彫石のグリロス
●図17(中)――古代のグリロスとゴシックのグリロス｜AとC：古代のグリロス／B：カンブレの写本のグリロス　14世紀／D：ルーアンで印刷された刊本のグリロス　15世紀／E：リヨンで印刷された刊本のグリロス　15世紀
●図18(下)――古代の霊とゴシックの悪霊｜A：古代印章上の腹部に顔のある人像／B：15世紀の悪霊／C：後半身に頭を持つ古代の霊／D：《ナルボンヌの祭壇前飾》の悪霊　1373-78年

●図19――位置がずれた頭を持つ異形｜左上：教皇座を象徴するメランヒトンの怪物／右上：ヴェルノン（ユール県）の聖水盤の天使　15世紀／下：クピドの踊り　アルトベッロの版画　15世紀末

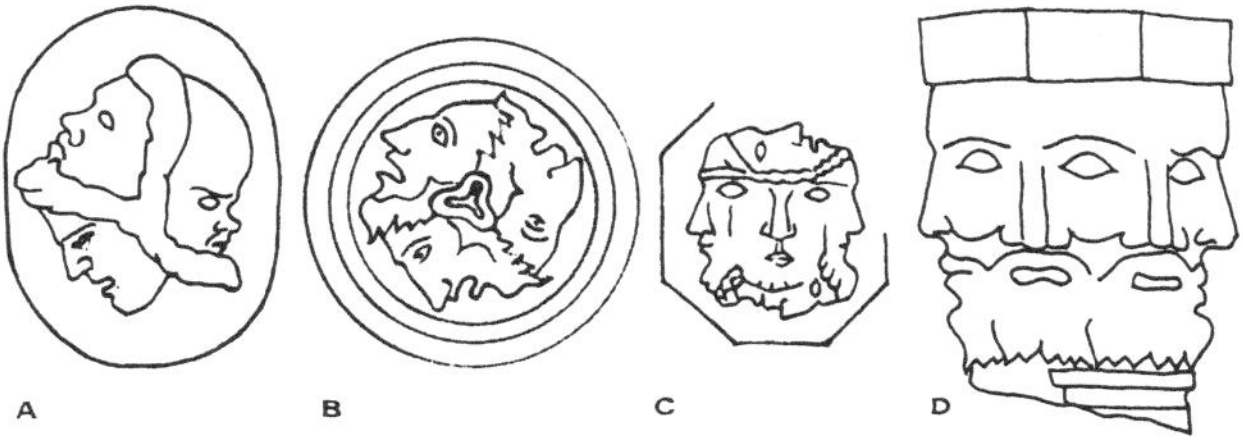

●図20(上)――多頭グリロス｜A：古代の三つ組グリロス／B：グルクのフレスコ　カリンティア　13世紀／C：ナヴァール王ティボーの小印章の古代陰刻宝石　1245年／D：チューリヒの聖職者席のミゼリコルディア　14世紀第2四半世紀
●図21(下)――三面｜サン＝ポル＝ド＝レオン（フィニステール県）の聖職者席のミゼリコルディア　15世紀

●図22——ティツィアーノ《賢明の寓意》 ロンドン　ナショナル・ギャラリー

●図23, 24——キリスト教的および悪魔的な三面の三位一体｜上：16世紀のフランス版画　ディドロン『キリスト教図像学』より／下：『聖杯物語』 15世紀　パリ国立図書館（ms. fr. 96, f° 61）

●図25——反三位一体｜マティアス・グリューネヴァルトの素描　1523-24年頃
ベルリン銅版画展示室

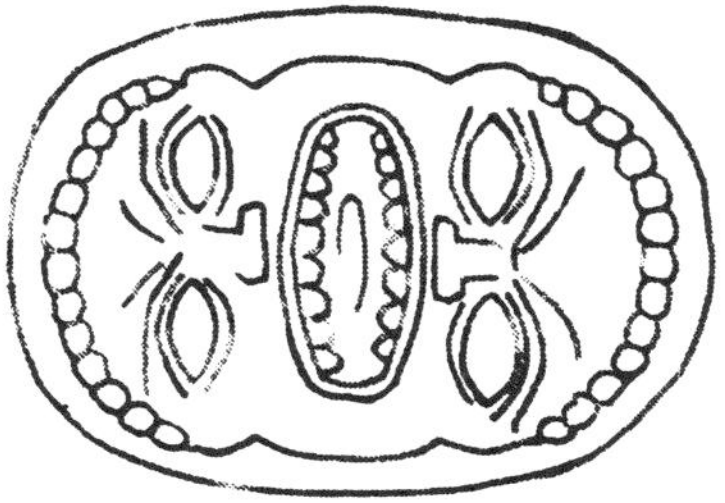

●図26, 27――二裂のゴルゴン｜上：アングロ＝ノルマン系の『黙示録』 13世紀初頭　パリ国立図書館（ms. fr. 403, f° 40）／下：タロスのスカラベ　前４世紀末

●図28——三裂のゴルゴン｜アングロ＝ノルマン系の『黙示録』 カンタベリー 1290年頃

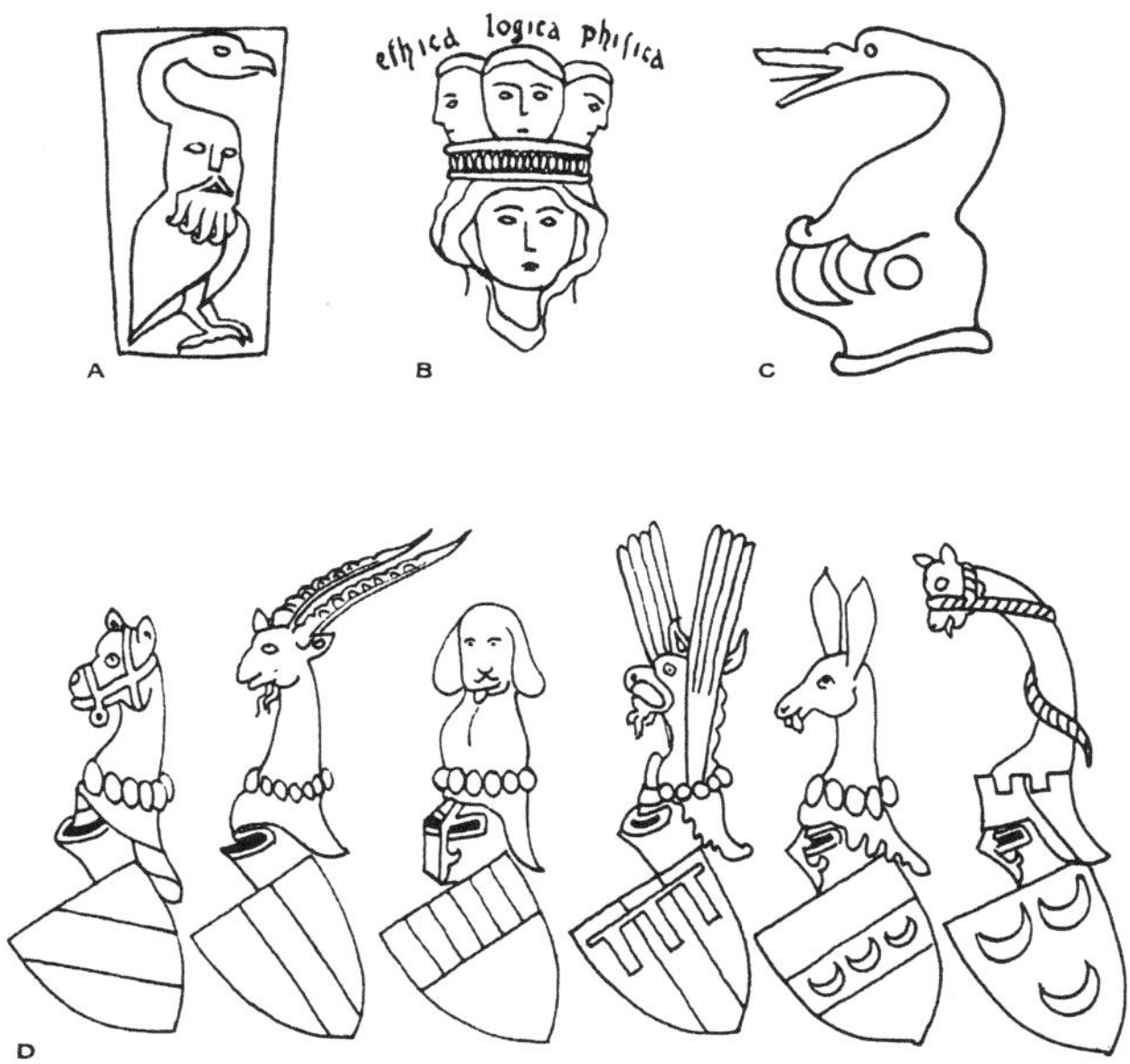

●図29――動物のかたちをした頂飾り｜A：オーネ（シャラント＝マリティーム県）の飾迫縁にあるロマネスク時代の像／B：哲学の兜『愉楽の園』12世紀末-1205年／C：15世紀の兜／D：クラース・ハイネン『スコットランド紋章総覧』14世紀

●図30, 31——異形のグリロスと人物｜左：『ラウトレル詩篇集』のグリロス　ロンドン　大英博物館／右：騎士の姿　1390年頃　ケーニヒスベルク（現ロシア連邦領カリーニングラード）のフレスコ

●図32——異形の人物｜完璧なる人間　ドイツの素描　15世紀

●図33――グリロスのかたちをした兜｜コンラート・グリュンベルク『紋章の書』1483年

●図34——ヒエロニムス・ボスのグリロス｜左上：ベルリンの素描／右上：ヴェネツィア　隠遁聖者の祭壇画／中と左下：オックスフォードの素描／右下：古代のグリロス

●図35――頭脚族｜上：ヒエロニムス・ボスのグリロス　《聖アントニウスの誘惑》（部分）　リスボン国立古美術館／下：リールの司法官ラウル・オーブリの印章　古物の贋作　1320年頃

●図36――腹部に頭を持ったレビヤタン｜《地獄のキリスト》（部分）　ウィーン美術史美術館

第二章　印章と古銭の奇想

第一節　印章の奇想

貝中獣――貝殻からはい出る古代動物と〈貝のアフロディテ〉、中世における獣を孕む貝。飛行艦と魚形船。

玉石彫刻は夥しい数にのぼる異形モティーフを中世にもたらした。それらのなかでも、とくに〈貝中獣〉はインタリヨで特殊な場所を占めている。馬、*1驢馬、*2雄牛、*3鹿、*4雄鶏、*5象、*6野兎、*7鼠、*8対をなす四足獣が*9渦巻形の殻から蝸牛のように姿を現す。ときには犬が貝から跳ね出て野兎に噛みつき、*10獣が人を襲い、*11象が鼻で松明や材木などを運ぶ。*12図体の大きい奔放な動物が、不思議なことに小さな事物から逃げ出すのだ【図37】。

アフロディテも同じ条件から生まれた。この女神にまつわる伝承はユーフラテス河に落下した卵が鳩の懐に抱かれたという神話と関係づけられており、麗しき女神の出自もそこに端を発するという。この女神がギリシアの豊饒神となり、卵の殻の方は貝殻に変えられたのだろう。[13]デオンナも、[14]またステファーニもフェニキアがこの図像生成の場であったと考えており、前者はシャコ貝系の平貝のなかに女神を見ている。[15]というのもキラキラした真珠母に人の姿が浮かび上がるからであり、後者は紫紅貝のなかに女神を見ている。テュロスの貨幣では貝殻だけが表されており、ハトリアの貨幣では髪を風になびかせたアフロディテのそれとおぼしき女性頭部が丸い貝から跳び出ている。[16]ローマの人々はウェヌスを〈プルプリッサ〉（purpurissa）と呼んだが、場合によってはこれがその出自の裏づけとなろう。もっとも、ローマの女神は帆立貝系の貝から現れるのが普通である【図38】。あるときは花弁のように割れた殻から上半身をのぞかせ、またあるときは殻が羽根のように開く。[17]それらの意味するところは様々である。身体の鎧すなわち保護の意であったり、純潔の表象であったり、というように。そればかりか、どれも等しく生き物を生み出すのだ。かくして、それらは復活と来世の観念を象徴し、おそらく貝殻はこの資格でもってローマの石棺を飾ることになろう。貝殻は建物の飾りにも見出される。貝殻飾りで装飾された壁龕はそのなかに設置される彫像に不滅の輝きをもたらす。[18]

こうした出自を有するのは女神だけではなかった。その息子にして随伴者であるエロス、これもまた貝殻に[19]――平貝や[20]巻貝に[21]――登場する。あるインタリヨではもう一つの持物である野兎と戯れており、これもエロスと同じように渦巻形の巣からはい出ようとしている。[22]神の周囲にいるものならどれでも似たような出自を持つことができた。そのため、貝中の他の動物、わけても雄山羊がエロスと結びつくこともないではなかった。もっとも、山羊の動物誌の豊かさはエロス信仰の枠組を上まわっていたのではあるが。前者の方が宇宙開闢論としては広大であり、アフロディテ自身も数多ある形態の一つにすぎなかったのだ。

海辺に住む人々にとって海はあらゆる生き物の源であった。地上の動物でさえそうだ。なんと馬までもポセイドンのお供に交じって海からやって来た。[*23] アナクシマンドロスとタレスの思想はこうした水の魔力への信仰にまるごと支配されており、[*24] 貝の奇跡もおそらくそうした信仰と結びつくのだろう。最初は紫紅貝がこの動物相全体の伝播に貢献していたのかもしれない。紫紅は動物の血すなわち命であり肉だから。もっとも、四足獣や禽獣を生み出した貝はほかにもあった。ただし、ほとんどの場合、残されているのは巻貝か鸚鵡貝。これらの像がときに滑稽さを感じさせるローマ末期玉石彫刻では、ごく簡単な巻貝類なのだ。

中世はこれらのモティーフ、これらの象徴のなかのいくつかを踏襲した。ビザンティンは石棺の平貝を拱廊装飾に採用した（ラヴェンナの正教会洗礼堂とサン・ヴィターレ教会）。九世紀の象牙彫りではどうやら聖人の光輪にその条線が再現されているらしい。[*25] それらはカルタゴの燭台で焔の周りに拡がる〈貝形薔薇飾り〉からもたらされたのだろう。[*26] カロリング朝の時代までは墓所に蝸牛の殻の含まれることがよくあった――人が覚醒に到る場所としての墓の寓意。しかし、図像の数が増えるのはゴシック美術においてである。それらは〈復活〉に関するキリスト教の象徴表現の伝統を踏まえている。ある『時禱書』では墓から身を起こすラザロの傍らに蝸牛が姿を見せる。[*27]ラテラノ美術館の石棺でヨナが鯨の口から吐き出されているが、それと同じことだ。[*28]獣が鎧に身を包んだ騎士を戯画化していることもよくあった。[*29]しかし、これ以後、貝は怪物を生み出す魔術的な事物として表現されることになる。貝の形態は規則正しい。その完璧さにも瞠目すべき貝は裡に潮騒を秘めており、超自然的な特質をすでに具えている。もし山奥で貝殻が見つかったなら、それは星の巡り合わせでそこにかたちづくられたのだと考えられた。レオナルド・ダ・ヴィンチでさえいまだそうした言い伝えを信じていた。[*30]

古代彫石の場合と同様、貝殻にはおよそ場違いな動物が容れられている。野兎、[*31]鳥、[*32]鹿、[*33]犬[*34]が手品箱から出るようにそこから跳び出てくる。『ベリー公のいとも豪華なる時禱書』[*35]（一四一〇―一六年）と、ビューラーによってハインリヒ・マンに帰せられたヴォルフェクの『家の書』[*36]（一四六〇―六五年）では黄道十二宮の〈磨羯宮〉がこの方法で現れる。一月の最大部分に呼応する〈磨羯宮〉は、したがって、年そのものの誕生の謂である。異様な姿をした蝸牛、たとえば、頭のところが髯面の人頭をかたどった上に兎の耳をはやしているもの、[*37]頭に司教冠を被り四足獣の足を持っているもの、[*38]四足獣の足と人間の腕を持っているものが貝から産み落とされる。マルグリット・ド・ボージューの『時禱書』（一三六三年頃）にもこうした異形がひしめきあっている。[*39]それらのなかのいくつかは殻を脱ぎ捨ててもなお渦巻のかたちをとどめている。無防備の軟体の上には犬、狼、鳥、兎、人の頭部が直《じか》に据えつけられる。ギリシア＝ローマの動物誌がドロレリーに転生しているのだ【図39】。ゴシックの貝は人間も産み出した。マルヌ県スウィップの浮彫り（十五世紀）には法螺貝を被った頭部が現れる。[*40]これはハトリアの貨幣にアフロディテの頭部が現れるのと同じ。しかし一般的に言うと、中世において貝からはい出てくるのは麗しき女神でなく、異様な姿をしたもの、悪霊なのだ。大方の場合は古代におけるのと同じく陸棲の生き物であった。ただ魚形セイレンだけは尻尾が真珠層（うろこ）に覆われていることから海の眷属に属する。[*41]

ランスのサン＝レミ教会にある十五世紀の浮彫りでは人物が胴体全体を見せている。[*42]トレイユ[*43]（十五世紀）とトゥール＝シュル＝マルヌ[*44]（十五世紀）では脚を通している。ボスの《快楽の園》では貽貝のなかで誕生が起こっている。[*45]一人の男が黒い貝を背中に乗せて運んでおり、その貝のなかで痩せた脚が動いているから【図40】。同じ画家の作品を基にしたコックの版画ではおどけ楽師を満載した貽貝が水の上を渡っている。[*46]ボッティチェッリは貝にウェヌスを組み合わせ壮麗に表現してみせるが、フランドル人はそれで愚者の舟を拵えた【図41】。

貝は悪魔をも孕む。ルーアンでは裁判所の座席飾りで、蝙蝠の翼手と耳朶を持った怪人が鸚鵡貝から半身を覗かせている。[*47]十三世紀のイギリスの写本では一対の子安貝から悪霊が跳び出ており、これまたヴィーナスの貝と呼ばれている。[*48] ブリューゲルの《冥府降下》で紡績形の符標から出ようとしている犬は間違いなく地獄の生き物である。[*49] ジョヴァンニ・ベッリーニが鏡像として考えたであろう寓意画（一四八八年頃）では二人の男が法螺貝のお化けを運んでおり、そこから裸の躰が軟体動物のように滑り出そうとしている[*50]【図42】。その男の顔には邪悪さが見え見えで、両腕に大蛇が一匹絡みついている。〈恥辱〉か、さもなくば〈中傷〉と解釈されるそれは、陰険な策を弄して忍び込む。これは何よりもまず悪魔の被造物であり、それを見た担ぎ手の一人は恐怖のあまり後ずさりしている。

豊饒の貝をめぐる神話と図像は移し換えられた。そこからはい出てくる獣はいまや新しい眷属に属していたが、生成過程は同じである。豊饒の貝はその普遍的な価値、その豊かさのゆえにギリシア＝ローマの玉石彫刻に映し出されている蒼古たる宇宙開闢論的教説と一つになった。

もう一つの別な主題はインタリヨからもたらされた。空を飛ぶ艦がそれである。リスボンにあるボスの《聖アントニウスの誘惑》では、松明を手にした狒々が有翼球に乗って火事に照らし出された雲のなかを浮遊している。[*51] これがアッシリアの円筒印章によく使われている、あの太陽円盤から直接もたらされたものであることは間違いない。[*52] 同じ空に浮かんでいる艦の方は、ヘレニズムのインタリヨをほとんどそのまま踏襲している。[*53]

最古の舟は動物の頭部や胸部で飾られていた。ギリシア＝ローマ世界では白鳥の首が多かった。こうした鳥形舳は玉石彫刻[*54]や形状の装飾的要素を際立たせたアレクサンドリア貨幣[*55]に再現されるうち、次第に大型化し、舟全体が帆柱付きの鳥に姿を変えた。ときには白鳥が翼を広げていることもある。[*56]ガレー船は、海上用でなく、飛行用に造られたかのようだ。もっとも、十五世紀末葉になるまで翔び立つことはなかったのだが。中世はこうした図柄の彫石を好んで蒐集した。『金石誌』もそれらに様々な効能を認めていた。たとえば、ジョン・マンデヴィルのそれ曰く、「帆柱の揃った舟のある石は仕事を絶やさぬようにする」[*57]。おそらくボスは有翼舟の図像をこうした護符から手に入れたのだろう。彼の三連祭壇画にはそれらのうちの二つが示されている。すなわち、家鴨型と鸛型の二つが。一方の家鴨型の方はつながれている。游禽類は船そのものに化けており、ただ尖った舳だけが木でできている。他方の鸛型の方は滑空している。帆柱はあるが、帆はない。古代の禽獣は頸を伸ばし、ついに両翼で翔び上がった。御飾りによって運ばれる船は飛行艦となった。天空と大海の垣根が取り除かれたのだ。ひとたび実例が示される。すると以後はすべての船を、たとえ魚の形をした船であっても空中飛行に転用することができた。

魚の方がもっとずっと自然に船と結びつく。魚はクレタ人の小舟を飾り、船全体が魚の形をとることもよくあった。頭の先が尖り、尻尾がはね上がる。すると、ペルシアの貨幣やギリシアの貨幣の櫂走船ないし帆走船となる。[*58]魚体はガレー船と一つになった。結びつきが強まり、動物なのか船なのかの判断がつきにくくなることもあった。いくつかの印章では、なるほど生きた被造物である。[*59]海豚の背に甲板、帆柱、綱が跨っているから。[*60]

この魚形船もまたボスによって描かれる。眼を輝かせ、口を開け、背中には帆柱と支檣索《ししょうさく》が装備された。古代のものとの同一性は動かしがたい【図43と図44】。彫った貴石上に見ることのできる、魚体を包んでいる布にさえ同じやり方で襞がつけられている。またしてもグリロスの画家は彫石の助けを借りている。

リスボンの誘惑図では鳥形舟の傍らにこうした舟艇の一つが浮かんでいる。別な場所では、いまや空飛ぶ機械として考え出された舟と同一視される魚が鳥のように天翔けている。天空はこうした海の動物群全体によって埋めつくされる。これは海戦であり、槍と松明を手にしての騎馬戦なのだ。その光景は夢幻的。舟のなかの一隻は、眼のところと、鋸歯を持つ衝角のところに獣のかすかな痕跡を留めているにすぎない。翼も帆もなしに滑空する鮪舟や海豚舟もある。男も女もこうした乗り物で疾駆する。これもまた画家の創作ではなかった。魚に跨る騎士はサンスの基壇に彫られており、玉石彫刻のなかに広まっていた。[*61]古代の貨幣、わけてもキュジコスやタレントゥムの、おそらくタラスをかたどった古貨にはさらに広く流布していた。[*62]ときには若々しい英雄が鮪を腕に抱えている。[*63]ボスの作品でも魚に跨った人像にその所作が取り上げられている。以上のことから、このように言えそうである。すなわち、これらの事例において画家は彫られた貴石でなく、銀貨から霊感を得ていた、と。飛行艦はペーテル・ホイスの作品[*64]やブリューゲルの作品[*65]にも見出される。われわれはいたるところで諸要素の介入に立ち合わされる。海の貝のなかで陸棲動物が誕生し、空中も水中も彼らの住処となる。ギリシア＝ローマの覚醒はそれの正確な境界内で安定化するどころか、逆に現実世界に揺さぶりをかけるのだ。

第二節　古代貨幣

三脚巴文。〈カピトリヌスの雌狼〉。主題の継受における古銭の役割。描かれたメダル。ガリア貨幣・ケルト貨幣の〈二本足の四足獣〉。

貨幣はいくつかの主題の継受において決定的な役割を果たしていたようだ。三脚巴文も〈カピトリヌスの雌狼〉も同じ源泉から中世にもたらされた。臀部が貼り付き、球やゴルゴン頭を中心として回転する三本の人脚[*66]はアテナの楯にしばしば姿を見せる[*67]。この三脚巴文は彫石にも表されているが[*68]、それがよく見つかるのはむしろ古銭の方である。アテナイ、アイギナ島、パンフュリア地方アスペンドスの貨幣では様々な時代にそれが利用されている[*69]。シチリア島でも僭主アガトクレスの時代から三脚巴文が鋳造貨幣に使われている。回転する三脚巴文は三つの岬を持つ島の象徴にもなった。ゴシックの西欧はこうしたレパートリーから直《じか》にそれを借り受けたのだろう。面白い結びつきだが、八世紀にはマン島出土の武器にも三脚巴文が姿を見せる。[*70]これはノルマン人がもたらしたものかもしれない。時代が下ると、イギリス、ドイツ、スイスの紋章や美術に三脚巴文が見出される。[*71]ハイリゲンクロイツの浮彫りでは三脚巴文がヒエログリフの形態を保っている。[*72]ヒエロニムス・ボスの《最後の審判》では半抽象文が息を吹き返す。[*73]骨格はゴルゴン頭は鉤鼻に大歯の頭と化し、大きな羽根帽子を被り、脚で地面を蹴っている。テトナングで一五一六年に生まれた奇形の双子を描く版画にもやはり三脚巴が認められる。[*74]怪物の脚は風船のように肉瘤からはえ出ており、ここでもまた下肢を放射状に広げた三脚巴文のヴァリアントが球の周りに描かれている【図45】。

幼児に乳を飲ませる四足獣——〈カピトリヌスの雌狼〉——の主題はロマネスク美術にもときおり姿を見せる。これもまた貨幣を介して伝えられた。主題はいくつもの彫石に刻まれた後、稀にみる連続性をもって古銭に踏襲され、そして、刻印のローマ的伝統を保持していた北方諸国で最大限規則正しく存続していくことになる。[*75]イギリス[*76]やラインラント[*77]のケルト貨幣では恒常的にそれが用いられていた。芸術家は即座に図像を見つけることができたのだ。

メッスの迫持ち受けの浮彫り（十四世紀）では〈カピトリヌスの雌狼〉の主題から牧歌的な

図像が生まれている。[*78] 一人の農夫が雌豚に飲み物を与え、その雌豚がさらに二人の男子に乳を授ける、という図柄である。ドイツの版画(一四六五年)でも巨きな雌豚の周りで人々が忙しく働いている。[*79] 鼻を撫でる者がいるかと思えば、尻尾を引っぱる者も、ローマの双児のように乳房に吸い付く者もいる。これはユダヤ人に対する風刺である【図46】。動物と幼児が混同されているのは原型が摩滅していたせいだろう。これら二つの構成はカピトリヌス群像を先駆けていた。すなわち、カルコピーノによると一四七五年頃に復元されたという、またその双児が、「貨幣の裏側を念入りに調べ」もしたある芸術家の仕事だろうとされるそれよりもさらに古いのだ。[*80] ローマでも、またアルプス以北でも、図像は同じ方法で自然発生的に復元されていたという。ただ、外観だけは極端な対照を呈している。すなわち、かたや気高い青銅の獣と若々しい闘技者の組み合わせ、かたや卑俗な化け物というように。すでに数多の例について指摘してきた親縁性と対照性を、ここでもまた認めることができる。

主題の継受においては古銭の役割が彫石の影響力と一つになった。中世は彫った石に対する信仰を有していたが、また同時に古い金貨や銀貨にも眼がなかった。十五世紀のある法律によると、一部は「それら〔古銭〕の発見された畑や家の持ち主に、残りは発見者の手に」帰するとされている。[*81] 出自も様々な貨幣、とりわけローマやビザンティンのものが大量に出まわっていた。それらの古銭は信心メダルとして身に具された。コンスタンティヌス帝時代のデナリウス貨にも、メロビング朝時代のものにも穴や環縁の付いた貨幣がたくさんある。[*82]

十五世紀に入って形成された古銭コレクションのなかではペトラルカのそれがもっとも傑出していたという。ベリー公の財産目録にも美しい貨幣についての言及がある。たとえば、「ユリウス・カエサルの顔が生き写しに打ち出された重い大デナリウス金貨」であるとか、「片面にティベリウス帝の顔のある……金製小型円形装身具」であるとか、というように。[*83]

貨幣は家具や、衣服や、馬具の飾りとしても役立てられていた。マテュー・ド・クーシは、古銭狂いの国王ランスロにいくつかの古銭を贈ったところ、国王はそれらを「そこにある他のものと一緒に彼の帽子」に縫い付けたと報告している[*84]（一四五三年）。古銭蒐集や古銭学も大流行だった。メダル製造業の誕生もそれらの展開と直接のつながりを持っている。名詞の〈メダリア〉(medalia)、これについて知られている最初の言及は一二七四年にまで遡るが、それはまず古貨幣と同義であった。[*85]シュロッサーは古代貨幣を複製した例を様々に挙げるなかで、ポストゥムスの〈サラセン風〉メダル（三世紀）が十五世紀にジュトンとして模造されたことを指摘している。[*86]不思議な形象の刻まれたインタリヨと同じく、それらの古代貨幣もまた魔力を秘めるとされていたため、いくつかの主題の伝播に貢献した。それらがどのように影響を及ぼしたのか、これについてはシャンティイにある『ベリー公のいとも豪華なる時禱書』（一四一〇頃—一六年）で詳しいことが立証されている。獣帯記号をともなう太陽の馬車と東方三博士の前の馬上の王、これら二つの構成には一四〇二年にベリー公の取得した、ヘラクレイオスとコンスタンティヌスをともなう金製メダルの図柄がそのまま焼き直されているからだ。[※87] この時禱書では彫石からの影響も看て取れる。月暦の〈十二月〉の頁において、上部の黄道十二宮のアーチのなかに金属貨幣の図柄が取り込まれているというだけでなく、その半円形装飾の下で繰り広げられている狩猟の場面もまた玉石彫刻に由来するからである【図47】。鹿は追いつめられ、地面に倒れている。猟犬は四方八方から鹿に襲いかかり、それに噛みつく。これは獰猛な肉塊が扇形に寄り集まったもの、いうならば生ける動物の房にほかならない。対称性を有することからして、これもまた文様からもたらされたものだろう。この動物の団塊は「ゴシック的リアリズム」の勝利の実例とみなされているが、ポル・ド・ランブールは城館を地平に見霽《みは》るかすヴァンセンヌの森にそれを配することで、古代彫石で流行した主題を唐突に出現させてみせている【図48】。

古銭と古代インタリヨに共通する多数の題材（飛行艦や魚形船、三脚巴文、雌狼、貝中のウェヌス）が二つの方途から伝播しえているのに対し、それら以外の題材は貨幣特有のものらしい。われわれが〈二本足の四足獣〉と名づける奇妙な獣もそうだ。

この獣の尋常ならざるところは、とりあえず金属の摩滅によって説明できる。馬の像は時を経るうちにその一部がすり減ってくる。脚の部分が消え失せて見えることもよくある。こうした現象は後代の世俗化した図像のなかにも存続する。ただし、描画の原則としてではあるが。図像は少しずつ解体されていった。前肢は足首の方が脆弱なため、脚と足の間隔が次第に広がっていき、やがて自由に闊歩し始める。[*88] 新しい生き物が誕生したのだ。これは離脱した支肢が完全に消え去った後にはじめて最終的な型を見出すことになる。

〈二本足の四足獣〉の最終段階はパリの人々のスタテール銀貨のいくつかに描かれているが、[*89] モティーフが多様な展開を見せたのはアングロ＝サクソン系の諸拠点においてであった。[*90] 軀幹が長い首までひと息にすらりと伸びているため、その姿はよく龍と間違われる。胸前に脱落した上肢の名残りとして二つのわずかな隆起の残っているのが見られることもある。普通は頭から臀まで躰は滑らかである。水平の位置を保っていなかったなら、もともと四足獣であったなどとはとうてい思えない。前側の支えを失うと獣は宙吊りにされているように見える。それは骨格からして異様であるが、均衡の法則から解放されているがゆえになおさらそうなのだ。

十三世紀の九〇年代に動物が再生してくるのもやはり同じイギリスにおいてであった。イギリス南部の一写本[*91]（一二八〇—一三〇〇年）とピーターバラの『詩篇集』[*92]（十三世紀末）にはそれが忠実に再現されている。動物はアングロ＝ノルマン系地獄図[*93]に現れ、イースト・アングリアの彩飾写本[*94]とともに広まった。聖職者席の彫刻[*95]にも、フレスコ画[*96]にも見られる。色々な主題を集めた画家用素描帖[*97]とウェストミンスターにあるリチャード二世の墓碑[*98]は、ローマ型を変形した、ケルト貨幣にごく近い例を提供してくれる【図49】。

二足獣は大陸も席捲した。北方からイタリア、スペインまで。写本欄外の植物文様[*99]を、聖職者席[*100]を駆け回った。南欧の賦彩天井も侵略を受けた[*101]。装飾師の画帖[*102]はもちろん、自然学書[*103]にまで姿を現す。十五世紀のいくつかの綴織り[*104]では野蛮人が二本足の四足獣を引き回している。ボスの《快楽の園》では象と麒麟のあいだを闊歩している。プラドの誘惑図では、驚くほどいきいきとした、しかも奇形性の面でおよそ自然な獣の姿で聖職者の脇にそれが表されている。ルーヴルの素描では二足の犬が、前肢を持たぬにもかかわらず体の水平を保っている。古貨幣のすり減った図像と細部まで神経を尖らせ正確さを追求する画家の素描のあいだには大きな懸隔もあろう。しかし解剖学的なデフォルメ、物理の基本に背く姿勢は、千年来変わっていないのだ【図50】。

十二世紀から後の古代ドロレリーのかかる伝播では二つの事柄に注目せねばならない。すなわち、伝達の方法と選択の仕方の二つである。中世には小型の護符が多量に出まわっていた。装飾でも伝承でもすでに地歩を得ていたがため、かくも広範な普及が可能となったのだ。芸術家たちはある時期、とくに貨幣と彫石からもたらされたレパートリーに豁然と眼を開いた。等閑にされて久しい源泉、とはすなわち新しい源泉が、縮小された小宇宙の特質や魔力に感づき始める時代に発見されたのであった。だが、それら宝物に索められたのは優美さや純粋形体の完全さではなかった。ゴシックの図像はアルカイク期、古典期、民族移動期の文明のどの層にあっても、奇怪なもの、歪形なものばかりを集めた。幻想的なものの覚醒によってギリシア＝ローマ世界がまずそれに貢献した。中世の構成のなかに持ち込まれてからも、それらの奇想は完璧に認識可能なものであり続けた。神々の表現は神話が教訓化されてゆくなかで祖型から次々と独立していった。それに対し、装飾や寓話の領域でより自由に広まる、古代のグリロスや異形の方は、図像表現においても想像力においても、独創的な要素を手つかずのまま保持していたのだ。

原註

＊1——A. Furtwängler, *Beschreibung der geschnittenen Steine im Antiquarium zu Berlin*, 1896, n° 3348 ; E. Tölken, *Erklärendes Verzeichnis der antiken vertieft geschnittenen Steine der Kgl. Preuss. Gemmensammlung*, Berlin, 1835, pl. VIII, 302 ; J. Winckelmann, *Description des pierres gravées du feu baron de Stosch*, Firenze, 1760, pl. VII, 15.

＊2——Fr. Imhoof-Blumer et O. Keller, *Tier-und Pflanzenbilder auf Münzen und Gemmen*, Leipzig, 1889, pl. XXIV, 38, pl. XXVII, 13 ; A. Furtwängler, *Beschreibung*, n°s 2121, 5930 ; E. Tölken, *op. cit.*, pl. VIII, 300 ; J. Winckelmann, *op. cit.*, pl. VII, 14.

＊3——Fr. Imhoof-Blumer et O. Keller, *op. cit.*, pl. XVIII, 49.

＊4——A. Furtwängler, *Beschreibung*, n° 8344 ; E. Tölken, *op. cit.*, pl. VIII, 303.

＊5——A. Furtwängler, *Die antiken Gemmen*, I, Berlin, 1900, pl. VLVI, 34.

＊6——A. Furtwängler, *Beschreibung*, n°s 8346, 8348, 8546 ; *Die antiken Gemmen*, pl. XLVI, 35 ; Fr. Imhoof-Blumer et O. Keller, *op. cit.*, pl. XIX, 45 ; E. Tölken, *op. cit.*, pl. VIII, 305, 308 ; C. W. King, *Antique Gems and Rings*, London, 1872, pl. LVI, 7.

＊7——A. Furtwängler, *Beschreibung*, n°s 3350, 8345 ; E. Tölken, *op. cit.*, pl. VIII, 310.

*8——A. Furtwängler, *Beschreibung*, nº 2522.

*9——A. Furtwängler, *Die antiken Gemmen*, I, pl. XLVI, 32.

*10——S. Reinach, *Pierres gravées*, Paris, 1895, pl. 72, fig. 95-7.

*11——A. Furtwängler, *Beschreibung*, nº 7547.

*12——E. Tölken, *op. cit.*, pl. VIII, 306 と 309.

*13——L. Stephani, *Erklärung einiger im südlichen Russland gefundene Kunstwerke*, *Compte rendu de la Commission impériale archéologie*, Sankt-Peterburg, 1870-71, p. 18 ; W. Deonna, *Aphrodite à la coquille*, *Revue archéologique*, 1917, p. 397.

*14——W. Deonna, *Aphrodite à la coquille*, p. 399.

*15——L. Stephani, *op. cit.*, p. 19.

*16——G. Marchi, *L'Aes gravé del Museo Kircheriano*, IV, Roma, 1839, pl. 2, fig. 2, pl. 3, fig. 3 と 4, pl. 6, fig. 5.

*17——Th. Panofka, *Terracoten des Kgl. Museum zu Berlin*, Berlin, 1842, pl. XVII と XVIII ; S. Reinach, *Répertoire des vases peints grecs et étrusques*, Paris, 1899, pl. 34, fig. 1 と 3 ; J. J. Bernouilli, *Aphrodite. Ein Baustein zur griechischen Kunstmythologie*, Leipzig, 1873, p. 326, *Aphrodite mit Muschelflügeln* ; K. Tümpel, *Die Muschel der Aphrodite*, *Philologus*, LI, 1892, p. 385 以下。

*18——建築への貝殻の適用については M. Bratschkova, *Die Muschel in der antiken Kunst*, *Bulletin* *de l'Institut archéologique bulgare*, XII, 1938, pp. 1-132 を見よ。

＊19——M. Bratschkova, *op. cit.*, n°s 329, 390, 857, 860, 899, 900, 901.

＊20——A. Millin, *Monuments antiques inédits*, II, Paris, 1806, pl. XVIII.

＊21——G. Brusin, *Aquileia, guida storica e artistica*, Udine, 1929, fig. 161.

＊22——L. Stephani, *Erklärung einiger Vasengemälde*, *Compte rendu de la Commission impériale archéologique*, 1862, p. 65, note 6.

＊23——V. Bérard, *De l'origine des cultes arcasiens*, *Bibliothèque des Écoles françaises d'Athènes et de Rome*, 1894, p. 111.

＊24——F. Houssey, *Les Théories de la genèse à Mycène et le sens zoologique de certains symboles du culte d'Aphrodite*, *Revue archéologique*, 1895, p. 12 以下。

＊25——M. Bratschkova, *op. cit.*, fig. 47.

＊26——R. P. Delattre, *Lampes chrétiennes de Carthage*, *Revue de l'art chrétien*, 1891, II, p. 299, fig. 346 と 371.

＊27——*Bulletin du Comité historique*, II, 1850 所収のA・ド・バスタールの図版一七三を見よ。

＊28——O. Marucchi, *I monumenti del Museo Lateranese*, Roma, 1911, pl. XVIII, n° 1.

＊29——E. Dewick, *The Metz Pontifical*, London, 1902, pl. 12, 34, 87, 91 ; L. Maeterlink, *Le Genre satirique dans la peinture flamande*, Brussel, 1907, fig. 69 ; E. Mâle, *L'Art religieux du XIIIe siècle en France*, Paris, 1932, fig. 29 ; H. Hahnloser, *Villard de Honnecourt*, Wien, 1935, pl. 3.

＊30——M. Herzfeld, *Leonardo da Vinci, der Denker, Forscher und Poet*, Jena, 1911, p. 73 および P. Duhem, *Études sur Léonard de Vinci*, I, Paris, 1906, p. 37.

＊31——リヨン大聖堂 L. Bégule, *Monographie de la cathédrale de Lyon*, Lyon, 1880, 2e série, pl. II.

＊32——Th. Belin, *Heures de Marguerite de Beaujeu*, Paris, 1925.

＊33——L. Olschki, *Manuscrits français à peinture des bibliothèques d'Allemagne*, Genève, 1932, pl. LX.

＊34——リヨン大聖堂 L. Bégule, *op. cit.*, 3e série, pl. 1 ; O. Jennings, *Early Woodcut Initials*, London, 1908, fig. p. 247.

＊35——P. Durrieu, *Les Très Riches Heures du duc de Berry*, Paris, 1904, pl. I と XIII.

＊36——H. T. Bossert, *Das Mittelalterliche Hausbuch*, Leipzig, 1912 および W. Bühler, *Heinrich Mang, der Hausbuchmeister, Mitteilungen der Gesellschaft für verfielfältigende Kunst*, 1931, p. 1 以下。

＊37——Abbé V. Leroqais, *Les pontificaux des bibliothèque de France*, Paris, 1937, pl. LXVIII 十四世紀の写本。

＊38——Abbé V. Leroqais, *Les pontificaux*, pl. CXII, 1483-1500.

＊39——Th. Belin, *op. cit.*

＊40——F. Michel, *Monuments du Gâtinais*, Lyon, 1879, pl. XIX, 2.

＊41——Abbé V. Leroqais, *Les Bréviaires des bibliothèques de France*, Paris, pl. CVI, 1481-97 ; A. Kühl, *Die Illustration des Rosenromans, Jahrbuch der kunsthistorischen Sammlungen des AH.*

Kaiserhauses, XXXI, I, Wien, 1912, pl. XV 十五世紀。

*42——L. Charbonneau-Lassay, *Le Bestiaire du Christ*, Paris, 1940, p. 929, fig. IV.

*43——F. Michel, *op. cit.*, pl. XIX, 2.

*44——L. Charbonneau-Lassay, *op. cit.*, p. 929.

*45——Ch. de Tolnay, *Hieronymus Bosch*, Bâle, 1937, pl. 70.

*46——P. Lafond, *Hieronymus Bosch*, Brussel, 1914, pl. p. 100.

*47——J. Adeline, *Les Sculptures grotesques et symboliques*, Rouen, 1879, p. XXXII.

*48——ケンブリッジ大学トリニティ・カレッジ ms. Bx. 2, Th. Wright, *Histoire de la caricature*, Paris, 1875, p. 65, fig. 41.

*49——Ch. de Tolnay, *Die Zeichnungen Pieter Bruegels*, Zürich, 1952, n° 64.

*50——ヴェネツィアのアカデミア C. Gamba, *Giovanni Bellini*, Paris, 1936, fig. 139, p. 130. また T. A. Cook, *Spirals in Nature and Art*, London, 1903, p. 95, pl. I も見よ。

*51——Ch. de Tolnay, *Hieronymus Bosch*, pl. 39.

*52——H. Prinz, *Altorientalische Symbolik*, Berlin, 1915, pl. I, III.

*53——Ch. de Tolnay, *Hieronymus Bosch*, pl. 43.

*54——B. Graser, *Die Gemmen des Kgl. Museums zu Berlin mit Darstellungen antiker Schiffe*, Berlin, 1867, fig. 47, XXXII, fig, 73, XIII.

*55——B. Graser, *Die ältesten Schiffsdarstellungen auf antiken Münzen*, Berlin, 1870, fig. D 614^{3} ネ

ロ帝時代のアレクサンドリア。

*56——S. Reinach, *Pierres gravées*, pl. 59, fig. 49-5.

*57——Is. del Sotto, *Le Lapidaire du XIVe siècle d'après le traité de Jean de Mandeville*, Wien, 1862, p. 124.

*58——B. Graser, *Die ältesten Schiffsdarstellungen auf antiken Münzen*, fig. A 584 b, B 422 b, D 239 b.

*59——B. Graser, *Die Gemmen mit Darstellungen antiker Schiffe*, fig. 103, XII.

*60——ゴーティエ・ド・メッスの『世界の姿』（サント＝ジュヌヴィエーヴ図書館 ms. 2200, f° 80）およびメーゲンベルクの『自然の書』（A. Schramm, *Der Bilderschmuck der Frühdrucke*, III, Leipzig, 1921, pl. 459）では、これがある船頭によって島と間違えられた鯨であるが、そのなかに出てくる魚と重なり合う船とこの図像を混同してはならない。

*61——Fr. S. Maffei, *Gemmae antiche figurate*, III, Roma, 1707, fig. 17.

*62——E. Babelon, *Traité des monnaies grecques et romaines*, III, Paris, 1910, pl. LXV, 2, 3, 4, 5, 6, 11, 12, 13, 14, 15, 16, 18, 19.

*63——*Ibid.*, pl. CLXXV, 12.

*64——P. Lafond, *op. cit.*, pl. p. 54.

*65——A. Gluck, *Pierre Bruegel le Vieux*, Paris, 1936, pl. 17.

*66——E. Goblet d'Alviella, *La Migration des symboles*, Paris, 1891, p. 221 以下。

＊67——E. Gerhard, *Auserlesene griechische Vasenbilder*, Berlin, 1840, I, pl. vi, II, pl. cxli, IV, pl. ccxl, VI.

＊68——A. Furtwängler, *Die antiken Gemmem*, I, pl. xxvi, 74 ; C. W. King, *op. cit.*, pl. iii, 35.

＊69——E. Babelon, *Traité de monnaies*, III, pl. xxiii, 12-19, xxx, 20, xxxiii, 10, 11, 12, clxiii, 16-26.

＊70——E. Goblet d'Alviella, *op. cit.*, p. 28.

＊71——A. Schramm, *op. cit.*, XIII, pl. 198, nº 1989 ; M. de Smirgrodski, *Geschichte der Svastika*, Brunswick, 1890, pl. 2, fig. 155.

＊72——H. Hahnloser, *op. cit.*, fig. 152.

＊73——ミュンヒェンのピナコテーク Ch. de Tolnay, *Hieronymus Bosch*, pl. 76.

＊74——ハンス・ブルクマイアーの版画 M. Geisberg, *Der Deutsche Einblatt-Holzschnitt in der ersten Hälfte des XVI. Jahrh.*, I, München, 1923, pl. 16.

＊75——A. Gori, *Museum Florentinum, Gemmae antiquae*, Firenze, 1732, pl. liv.

＊76——A. Engle, *Traité de numismatique du Moyen Age*, I, Paris, 1891, fig. 298 ; H. Grueber, *Handbook of the Coins of Great Britain and Ireland*, London, 1899, pl. ii, fig. 64.

＊77——R. Forrer, *Keltische Numismatik der Rhein-und Donaulande*, Strassburg, 1908, fig. 497.

＊78——*Congrès archéologique de Strasbourg*, 1920, fig. p. 21. メッス大聖堂のル・モン＝カルメル礼拝堂。

＊79——H. Schmidt, *Denkmäler des Holz-und Metallschnittes im Kgl. Kupferstichkabinett in München*,

Nurnberg, s. d., nº 83, pl. 82 ; W. L. Schreiber, *Manuel*, II, nº 1961 および *Formschnitte und Einblattdrucke in der Kgl., Bibliothek zu Berlin*, Strassburg, 1913.

＊80——J. Carcopino, *La Louve du Capitole*, *Bulletin de Association Guillaume Budé*, 1924-25 抜刷りの九頁。

＊81——A. de la Fons-Mélicocq, *Documents pour servir à l'histoire des monnaies*, *Revue de la numismatique belge*, 1861, p. 418.

＊82——E. Babelon, *Les Origines de la Médaille en France*, *Revue de l'art ancien et moderne*, XVII, 1905, p. 162.

＊83——J. Guiffrey, *Inventaires de Jean, duc de Berry (1401-1416)*, Paris, 1894, I, p. CXXIII, p. 70 および II, p. 26.

＊84——A. de la Fons-Mélicocq, *Documents pour servir à l'histoire des monnaies, XVe et XVIe siècles*, *Revue de la numismatique belge*, 1862, p. 279.

＊85——E. Babelon, *Les Origines de la médaille en France*, p. 162.

＊86——J. von Schlosser, *Die ältesten Medaillen und die Antike*, *Jahrbuch der kunsthistorischen Sammlungen des AH. Kaiserhauses*, XVIII, 1897, pp. 64-108.

＊87——J. Guiffrey, *Médailles de Constantin et d'Héraclius par Jean, duc de Berry, en 1402*, *Revue numismatique*, 1890, p. 86 以下 ; H. de la Tour, *Bulletin des antiquaires de France*, 1903, p. 296 ; P. Durrieu, *Les Très Riches Heures du duc de Berry*, p. 9, pl. I から XXII および XXXVII ;

H. Bober, *The Zodiacal Miniature of the Très Riches Heures of the Duc of Berry*, *Journal of the Warburg and Courtauld Institutes*, XII, 1948, pp. 1-34. 鹿狩りの図像を彫った古代彫石については A. Furtwängler, *Beschreibung*, n° 7689 および *Die antike Gemmen*, pl. XLV, n° 32 および Fr. Imhoof-Blumer et O. Keller, *op. cit.*, pl. XV, n° 42 を見よ。

＊88——A. Blanchet, *Manuel de numismatique française*, I, Paris, 1912, fig. 71, 95, 103. 歩兵、パリ人、モラン人の、前二—一世紀のスタテール銀貨。H. de la Tour, *Atlas des monnaies gauloises*, Paris, 1892, pl. V, 2250, 2252, pl. XXIII, 6827, pl. XXXI, 7777, 7779, pl. XXXV, 8707.

＊89——R. Forrer, *op. cit.*, pl. XIV, 444.

＊90——A. Engel et R. Serrure, *Traité de numismatique du Moyen Age*, Paris, 1891, fig. 314 および 316 ; C. F. Keary, *A Catalogue of English Coins in the British Museum*, London, 1887, I, pl. IV, 3 と 4（六〇〇—七〇〇年?）; R. Ruding, *Annals of the Coinage of Great Britain*, III, London, 1840『シャット銀貨』〔七—八世紀のアングロ＝サクソンの銀貨〕pl. 1-27, pl. 26-10.

＊91——M. R. James, *A Descriptive Catalogue of the Manuscripts in the Fitzwilliam Museum*, Cambridge, 1893, pl. IV.

＊92——J. van den Gheyn, *Le Psautier de Peterborough*, Haarlem, s. d., pl. XVI.

＊93——A. Auriol, *La Descente de saint Paul en Enfer*, *Trésor des bibliothèques de France*, III, 1930, pl. III.

＊94——E. Millar, *La Miniature anglaise aux XIVe et XVe siècles*, Paris, 1928, p. 2 オームズビーの『詩

篇集』。pl. 53 マイルミートのウォルター『高貴なものについて』、一三二六—二七年。pl. 56『ラウトレル詩篇集』、一三四〇年頃。

＊95——F. Bond, *Stalles and Tabernacle Work*, London, 1910, fig. 76.

＊96——ヘイルズ教会、グロスターシャー、一三五〇年頃 T. Borenius, *English Medieval Painting*, Panthéon, 1926, pl. 55.

＊97——M. R. James, *An English Medieval Sketch-Book, n° 1916 in the Pepysian Library*, Magdalen College, Cambridge, The Walpole Society, 1924-25, pl. II.

＊98——H. Shaw, *Alphabet, Numerals and Devices of the Middle Ages*, London, 1845.

＊99——A. W. Byvanck et G. J. Hoogewerff, *La Miniature hollandaise dans les manuscrits des XIVe, XVe et XVIe siècles*, La Haye, 1922, I, pl. 115, 118, 119 ; P. d'Ancona, *La Miniature italienne*, Paris, 1925, pl. XXI, fig. 31 ; J. Dominguez Bordona, *La Miniatura española*, II, Barcelona, 1930, pl. 120, 122, 143.

＊100——B. von Tieschowitz, *Das Chorgestühl des Kolner Domes*, Marburg, 1930, pl. 53 b および *La Escultura en Andalucia*, I, Sevilla, s. d., pl. 100 セビリャの聖職者席、一四七八年。

＊101——フレジュスとポン＝サン＝テスプリの天井画 M. L. Brugier-Roure, *Les Plafonds peints de la vallée du Rhône*, *Congrès archéologique*, 1885, p. 309 以下。歴史記念局の写真 n°s 123363 と 123364.

＊102——シュテファン・フォン・ウラッハの装飾見本帖、一四九五年以前 J. von Schlosser, *Zur*

Kenntnis der künstlerischen Überlieferung, Jahrbuch der kunsthistorischen Sammlungen des AH. Kaiserhauses, XXIII, 1903, fig. 11.

*103――コンラート・フォン・メーゲンベルクの『自然の書』、一四七〇年 A. Schramm, *op. cit.*, III, pl. 458, 460.

*104――H. Gobel, *Wandteppiche*, III, Berlin, 1933, fig. 9 および 47a 北スイス、一四五〇―六〇年頃。

●図37（上）——貝殻のなかの古代獣たち
●図38（下）——貝殻のなかのアフロディテ｜ギリシアのヘレニズム時代のテラコッタ　パリ　ルーヴル美術館

●図39——貝殻のなかのゴシックの獣｜A：ギヨーム・デュランの『司教典礼書』 14世紀／B：ラングルの『聖務日課書』 1481-97年／C：シャルル豪胆公のために書かれた『ピサ年代記』 15世紀／D：ルーアン裁判所の座席 1455-69年／E：マルグリット・ド・ボージューの『時禱書』 1363年頃／F：古代彫石／G：『ベリー公のいとも豪華なる時禱書』の〈雄羊座〉 1410-16年／H：スウィップ（マルヌ県）の浮彫り 15世紀／I：アフロディテの頭部の図柄のあるハトラの貨幣

●図40(上)——貽貝からはい出す男｜ヒエロニムス・ボス《快楽の園》中央パネル（部分） マドリード プラド美術館
●図41(下)——愚者の舟｜ヒエロニムス・ボスに基づくコックの版画

●図42――貝殻のなかの四足獣｜上：《冥府降下》　ピーテル・ブリューゲルの素描（部分）　ウィーン　アルベルティーナ美術館／下：ジョヴァンニ・ベッリーニ《寓意》　1488年頃　ヴェネツィア　アカデミア美術館

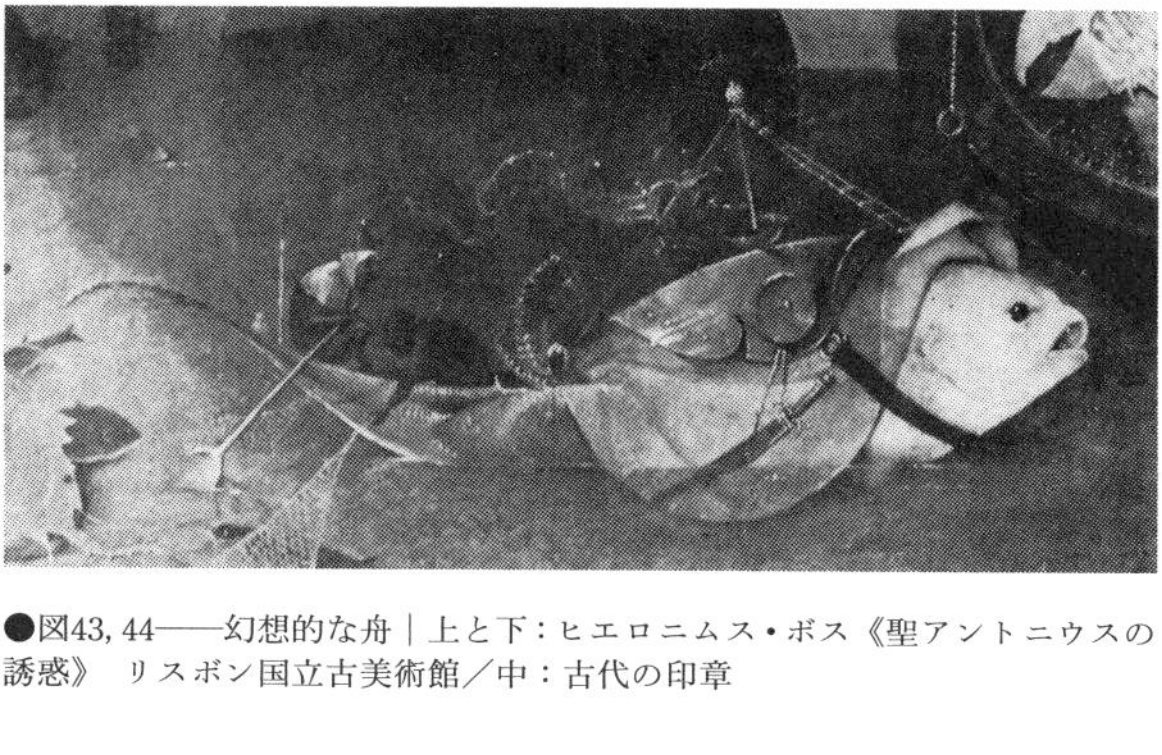

●図43, 44——幻想的な舟｜上と下：ヒエロニムス・ボス《聖アントニウスの誘惑》 リスボン国立古美術館／中：古代の印章

●図45――三脚巴｜A：古代の陰刻宝石／B：ヒエロニムス・ボスより／C：ハイリゲンクロイツ（オーストリア）の浮彫り　14世紀／D：1516年テトナングで生まれた奇形児　ハンス・ブルクマイアーの版画

●図46――人間に乳を与える四足獣｜上：ドイツの版画　1465年／下：メッスの大聖堂の迫持ち受け飾り　14世紀

●図47(上)——ポル・ド・ランブール　12月『ベリー公のいとも豪華なる時禱書』の月暦　シャンティイ　コンデ美術館
●図48(下)——餌になった鹿｜古代の彫石　ベルリン国立美術館

●図49——二本足の四足獣｜A：歩兵のスタテール銀貨／B：パリ人のスタテール銀貨／CとDとE：アングロ＝サクソンの貨幣／F：イギリス南部の写本　1280-1300年／G：ウェストミンスターにあるリチャード２世の墓碑　1400年頃／HとI：スペインの写本　15世紀／J：イサベル１世の『聖務日課書』　15世紀／K：コンラート・フォン・メーゲンベルク『動物誌』　1470年／L：シュテファン・フォン・ウラッハの文様集成　1495年頃

●図50——二本足の四足獣｜ヒエロニムス・ボスの素描　パリ　ルーヴル美術館素描室

第三章　イスラームのオーナメントと装飾枠

第一節　ゴシック的中世におけるイスラーム世界

アラビア科学。「サラセン風」の趣味——蒐集品、贋造品。

イスラームはロマネスク美術へいくつかの幾何学的・紋章学的モティーフと、抽象的形体学の感覚と、怪物の一眷属をもたらし、古代美術と同様の影響を及ぼし続けた。オリエントとの接触は十三世紀にも、またそれ以降も絶たれることがなかった。[*1] 地中海の沿岸諸地域のあいだでの往来すなわち十字軍、交易、巡礼が、いまや直接交渉を維持していた。[*2] アラブ支配下のスペインが活発な中継地となった。ルシタニアの王国は境界を東方のはるか彼方にまで前進させた。ヴェネツィアは東洋が西洋全体へ侵入していくうえでの一大港となった。本章ではオリエントの寄与の歴史を跡づけようというのではない。あらゆる面に寄与があったのだから。オリエントの人々は大挙してやって来た。十三世紀には教皇の尽力で二十人の

〈海外聖職者〉(clerici transmarini) がパリに住みついた。ヴィエンヌ公会議(一三一二年)の後、パリには「サラセン趣味」(sarrazinois) の説教壇が設けられた。*3『金石誌』が、占星術、医学、アラビア数学の書物が流布した。アルハゼン(イブン・アルハイサム)の『光学』は一二〇〇年頃にラテン語へ翻訳されている。わかるのは、中世思想全体に対するイスラーム思想の影響がいかに強かったかということである。*4十三世紀にアリストテレス学派の形而上学、自然学、道徳学の普及に傑出した役割を果たしたのもイスラームの思想であった。当時、アリストテレス学派の諸学は主としてアラビアの編纂書とアヴェロエス(イブン・ルシュド)の『註解』を介して知られていた。パリのアヴェロエス主義もそれの一環にほかならなかった。なんと古代の神話も、神格も、天空図も、いまやアラビア化されて再生してきた。*5ある証言によると、アリストテレスについて講義するため一二四五年にパリ大学を訪れたアルベルトゥス・マグヌスは、アラビア風の服を身に着けることでイスラームへ象徴的な敬意を払ったという。

身辺の装いの領域においてもオリエントは伝説的な威光を発揮した。聖王ルイのパレスティナ・エジプト滞在はフランスの嗜好史に奥深い刻印を残した。フリードリヒ二世とアルフォンソ賢王はアラビアの魔術師や学者に囲まれ、豪奢なオリエント趣味に明け暮れた。一二九二年にはイギリスのエドワード一世が、一三〇〇年にはアラゴンのハイメ二世がそれぞれ大使をペルシアへ派遣している。イランの支配者であった［イル・ハーン国の］アルグーン、ガーザーン、ウルジャーイトゥーの使節はヨーロッパ諸侯からも教皇からも歓待され、彼らに豪奢な贈り物を届けた。金銀工芸品や織物が大聖堂の宝物庫に流入し続けた。個人コレクションも形成された。「舶来」の物品、といってもそこではイスラームの手工業品が筆頭を占めていたわけだが、それに人気が集まった。シャルル五世[*6]やベリー公ジャン・ド・フランス[*7]の財産目録を見ると、イスラーム教徒の手に帰せられる硝子製品、織物、金属製品の量の多さに驚かされる。ダマスクス（Damas）、サラセン（Sarrazin）といった名辞に頻繁に出くわす。ことによると帰属はかならずしも正確でないかもしれない。オリエント風のものも、新しい西洋であまり馴染みがないというだけのものも、すべてみなこの見出しの下に入れられていたからだ。しかし、この呼称は高貴であることを示す肩書きのようなものであった。魔術的な言葉であり、イスラーム教徒の首長の豪奢や栄光を想起させずにはおかなかったのだ。

もちろん、正真正銘のオリエント産品もないではなかった。それらは様々な範疇に属する。なかでも織物と絨毯は、イスラームの寄与がどれほど多様にしてかつ恒常的であったかをもっともよく例証してくれる【図51】。布地の主だったものについては原産地がわかっている。モースルからはモスリン地（mousseline）、すなわち絹糸と金糸で織られた布で、マルコ・ポーロに言及のあるものが。バグダードからはバルダッキーノ（baldacchino）、すなわち西洋ではイギリスに至るまで広範に普及した柄物の布地で、フーラーグ・ハーンがシリア征服後に貢ぎ物として要求したものが。[*8] ダマスクスからはダマスコ織（damasquin）、すなわちこれまたペルシアで生産された綾織地が。十二世紀には滅多に口の端に上らなかったアンティオキア産羅紗布（drap d'Antioche）も、十三世紀から十四世紀にかけ恒常的に言及されるようになった。ロンドンの大聖堂財産目録（一二九五年）とカンタベリーのそれ（一三一五年）には、黒地か赤地に金糸や青糸で鳥や文様を織り出した布地についての記述がある。イランはシグラトン地（siglaton）とタフタ地（taffetas）を専らとした。[*9] ブレーデルラムの描いた人物（一三九二―九九年）は鳳凰の織り出された豪奢なペルシア織を身にまとっている【図52】。カマカ織（camocas；camocato）は中国からペルシアに伝えられ、そこからキプロス島を経てフランス宮廷へ届けられた。もちろん、キプロス島にも特産品があった。マラマト織（maramato）はファマグーストからもたらされ、ニコシアがシリアの工場と覇権を争った。西洋諸国ではキプロス緞子にも人気が集まった。金糸を使ったキプロス金襴もそうだ。この方は今日でもキプロス島で生産が続いている。エジプトからは花文様を金糸で織り出したダビキ織（dabiki）と、詩歌に歌われることの多いアレクサンドリア産ボイル絹がもたらされた。アレクサンドリアはオリエント全体のヨーロッパ全域向け集散地となった。絨毯なら、小アジアでも、シリアでも、またエジプトでも、どこでも買い付けができた。一三九八年にはオルレアン公ルイが「トルコ人の国」からそれを取り寄せている。[*10] 十五世紀のフランドル絵画やイタリア絵画では、聖母や聖人の足許にトルキスタンやコーカサスで作られた絨毯がよく見られる[*11]【図53と図54】。ばかりか、西洋絵画は、いくつかの稀少な標本しか残されておらぬ、十六世紀以前のオリエント産絨毯について主な知識を提供してくれる。こうした証拠の価値については、いくらそれを強調してもけっして充分すぎることはない。

以上、大雑把ではあるが、布地地誌学に示される通り、伝達網は緊密にしてかつ広範に及んでいたようだ。イスラームの大拠点も東方キリスト教世界のそれも、すべて西洋に物品を供給していた。距離などものの数ではなかったらしい。

しかしこれらの市場でも足りなかったようで、大部分は現地に造られた工場から供給されていた。[*12]アラブ支配下のスペインは十一世紀と十二世紀に全盛を誇った生産をあいかわらず継続していた。十三世紀のコルドバの年代記作家シャクンディはこのように言う。すなわち、アルメリアは銀糸の布地を産出し、絹織物ではムルシアとマラガが名高い、と。これらの街はどこも「金糸で柄を織り出した絹布で知られ、でき映えもみごとな布地はそれを眼にする東方の人々の賞讃の的になっている」とする同時代のアラビア語文献もある。[*13]バグダードとその地区の一つであったアッタビーヤの名はスペインの生産者グループ全体と結びつきを持っていた。[*14]円形枠の内側に幻想的な生き物を配した古典的モティーフはその起源がササン朝の形体に遡るが、これも十三世紀中葉に至るまでバグダード周辺で採用されていた。紋章的な人像が氾濫しているわけではないが、精神的な面ではいちだんとイスラーム色の強い抽象的な装飾の萌芽をそこに見ることができる。[*15] ゴシック的西洋圏のすぐ外周に見出されるのはオリエントの基調の全体である。これら織物のいくつかはフランス各地の大聖堂の宝物のなかでその存在が確認されている。サンスにある聖レオンの屍衣が然り。サン＝キリアース・ド・プロヴァンにある聖エドモン（一二四一年歿）の上祭服もまたそうだ。これら二つは十二世紀末と十三世紀のアンダルシアの工房の作に帰せられている。[*16]「スペイン絨毯」もいくつかの財産目録のなかで言及されているが、これはおそらくモリスコ〔スペイン人イスラーム教徒〕の手になるものであろう。

イタリアはイタリアで、これらの布地の伝播に少なからず寄与していた。パレルモは長いあいだにわたって主要なヨーロッパ市場に通じていた。一一三五年に遡り、十三世紀以来ドイツ皇帝の戴冠式に使われてきた教会祭服型外套も、あるいはオットー四世に贈られフリードリヒ二世の遺骸を包むのに役立てられた麻の祭服も、名だたる裂布はどれもパレルモで生まれている。

これらパレルモの工房はロジェ二世時代から国際化し、ギリシア人、アラビア人、現地人などの協同する姿をそこに見ることができるが、西欧人織工もつねに雇用されていた。しかしながら、これらの工房はビザンティン＝イスラームの手本に頑としてこだわり続けていた。したがって十三世紀については、構成の割付や記銘の仕方など、細かな点によってしか製品を識別することができない。

しかし、シチリア島はまだ遠すぎたようだ。ばかりか、そこにあった工場は遅からず島を離れることになった。一二八二年の事件〔シチリアの晩鐘。対アンジュー家反乱を指す〕の後、パレルモの織工たちは、まずルッカ、アマルフィに移り、ついでジェノヴァ、フィレンツェ、ヴェネツィアを転々とした。オリエントとの芸術交流史ではこうした移住現象が新時代の幕開けを告げる。われわれは西方への地滑り、影響圏の近接に立ち合っている。ある期間は生産が純粋にオリエント的な性格を保ち、一次原料も東から流入し続けた。〈ギラーン産の絹〉（seta ghella）と〈マーザンダラーン産の絹〉（seta masandroni）はペルシアから直接もたらされた。グルジアもルッカの人々に多くのものを供給したが、それらはどれも贋造品であった。[*17]

これらアジアの前哨はさらに内陸に侵入していった。ラティスボナ（レーゲンスブルク）では十三世紀半ばに絹地工房が造られている。[*18]この拠点では、向かい合う怪物、背中合わせの怪物、獣文をともなう紋章などの芸術が、ビザンティンにおけるように、さもなくばイスラーム教国におけるように開花した。アレクサンドロスがグリフォンに担われる姿はイタリアからライン河を通ってアルザスへ至るまでのロマネスク彫刻に伝えられたが、これは布地を東方のプロトタイプとして制作されている。もう一つの重要な拠点はケルンに設けられた。[*19]ここでも十三世紀はビザンティンの紀元一千年の水準にあった。主にイタリアで購入していたとはいえ、パリはアラビア色の強い独自の工場を有していた。「絹織工の生業に関する法令」には一二六〇年の年記がある。一二七七年にはサラセン風絨毯への特典が出現、一三〇二年には綴織りをサラセン風の規則に適わせるためのいくつかの図柄と、そして錦柄のサラセン風施物袋製造を専門とする職人組合が十三世紀の租税台帳に登場する。[20] アラスでは一三八九年にジャン・ド・クロワゼットなる人物がサラセン風絨毯織工の資格を得ている。王室の財産目録のなかでサラセン産ないしダマスクス産として言及されている品物のなかには、フランス人によってフランスで作られたものも混ざっている。[21]

以上のように、ただ一つの産業技術でも広範な流入経路図を描くことができる。ここに陶器と金銀細工品が加わればそれはより完全なものとなろう。西洋ではアラビア趣味のことが言及されており、[22]「中世のヴェルサイユ」ことエダン庭園、これはシチリアの摂政であったアルトワのロベール二世が一二九五年から一三〇二年にかけて整備させたものであるが、そこにもジャザーリーのそれに似た多数の自動人形《オートマトン》が溢れていた。[23] これらの要素だけでも両世界の緊密かつ多様な結びつきを立証するには充分である。

この足早な回顧から二つの特徴を導き出すことができる。すなわち、オリエントの文物に関する幅広い知識、そして組織立った模倣の努力である。各種の布地に対し使われる用語からしてすでにアジアやアフリカの街の名をたえず告げており、それらの多様性がこれら贅沢品の主要生産地を想起させるが、しかしそのことよりむしろ産業技術についての高度な知と、そして原産地との恒常的な交渉を必要とする産業が誕生したことのほうが意味深い。

ゴシック的中世は、ロマネスク的中世に深々と刻印をしるしてきた古い源泉を放棄したわけではなかった。たとえ新様式が勝利しても東方的形体を見捨てたりはしなかったのだ。イスラームはかつてないほどその魅力を発揮した。十一世紀と十二世紀の後、オリエントの寄与が装飾において様々な展開を見せるのは十三世紀後半と十四世紀においてである。この潮流はすでに知られていた主題や技術を流布させたが、貢献はそれだけに限らなかった。正確に言えば、西洋はもはや同じ価値を追求していなかった。オリエントも同じく変化していた。進化し、新たな洗練によって豊かさを増し続けていたのだ。もっとも、オリエントの影響は抽象志向、人工性、幻想性など、同一の方向であいかわらず揮われていたのであるが。オーナメントにおいても、イマジュリにおいても、宗教的形象においても、異国的寓話の色調を注ぎ込む。幾何学への妄執ぶりや超自然的なヴィジョンは、いまやゴシック世界において現実と生命により近いシステムの上に移植され、ありえぬ世界のなかで全体がまるごと進化していたロマネスク世界におけるよりも、さらにずっと奇矯さを際立たせているのだ。

第二節　抽象文

クーフィー文。多辺組紐文。放射組紐文。花文字。

アラビアの天分がゴシックの装飾のなかでまず第一に発揮されたのは、オーナメントによって、そしてそれの象徴である主題すなわちクーフィー体によってである。思えば、ギリシアでは九世紀前半からクーフィー体モティーフの流布が見られた。[*24] 同様にロマネスク美術も彫刻と彩飾写本のなかでそれを利用していた。[*25] モワサックでは柱頭の上部に、サン゠ピエール・ド・ルッドでは象嵌装飾の施された楣、ル゠ピュイとヴート゠シラクでは木製扉のフリーズにそれぞれクーフィー体の偽銘文が走っている。フィクリはこうした胴蛇腹の一つから、なんと「神ノ御意ノママニ」（MA CHA(A)LLAK）の言葉さえ読み取っている。[*26] 表記には誤りがあるものの、完璧に解読可能なそれを。最後はサン゠スヴェールの『黙示録』。そこでも、第一葉の縁飾りにクーフィー飾帯が展開している。

十三世紀にはオーナメントの真の再生が起こり、それと同時に、オリエントにたえず開かれていた南欧からイル゠ド゠フランスの諸都市へ影響が波及していった。第一段階は中途である。すなわち、一二二五―三〇年頃のリモージュでは、華を地に散らしたか、さもなくば草花と円華文の、といってもエナメルによるのではあるが、そうした一連の金銀細工品がすべてクーフィー文でもって飾られた。それらは十三世紀中葉に一度姿を消した後、パリに再び姿を現す。[*27] スーリエがクーフィー飾帯の主要な喧伝者ではなかったかとみているイタリアでは、一二七五年になるまでこうした甦りの例が見あたらない。[*28] それに対し、北方では、聖王ルイの『詩篇集』（一二五四年頃）やイザベル・ド・フランスのそれ（一二七〇年以前）など、いくつかの写本[*29]にも、さらにはウェストミンスターの祭壇画（一二六〇年頃）——おそらくは聖王ルイが「イギリスの従弟」の建てた新しい大修道院へ贈ったもの[*30]——やサン＝ドニの敷石[*31]（十三世紀中葉）にもクーフィー飾帯がすでに見られる。十三世紀末と十四世紀のフランスの象牙彫り[*32]にも、また金属工芸品[*33]にも多い。一方、財産目録は、シャルル五世のそれもそうだが、「ダマスクス文字」や「サラセン文字」で飾られた多数の金銀細工、硝子器、布地類について言及している。[*34] 芸術家や所有者の名前か、あるいは単なるコーランの一節か、いずれにせよ正真正銘の銘文であることも多いが、しかし、アラビア書体を西欧人が真似ただけのものも少なくない。こうしたオーナメントは装飾のなかに持ち込まれ、謎めいた性格や商標の符牒をそこへ付与する。意匠は主として L（lām）と A（alef）に由来する。これらは垂直線からなるアラビア字母であり、ロマネスクのミディ地方における L と A の組み合わせときわめて近い。茎の先が花形で、軸枝がパルメットになっている、十三世紀の王室の『詩篇集』のクーフィー飾帯は、モサラベの装飾システムと直接結びつくサン＝スヴェールの『黙示録』の頁全体を囲む縁飾りとほとんど同じである【図55】。

イスラームの形体はやがてゴシックの装飾と緊密に融け合うことになった。クーフィー主題の後には組紐文の再生が見られる。これは生《なま》の植物が忽然と現れ、余白に侵入してくる時期と重なる。十三世紀末頃から十四世紀初頭にかけてはどこにでも見つかる。すなわち彩飾写本の大画派のすべてに。しかし、組紐文がまず最大の広がりを持ったのはイースト・アングリアとその周辺の都市においてであった。それらはもはや紐の単純な組み合わせでなく、直と曲の巧みな配置によってかたちづくられる入り組んだ組紐文である。ジグザグ[※35]をはじめ千変万化する折り線[※36]で折り目が構成されることもあれば、外に向かって次々と重畳する結び目で埋められることもある。[※37]ときには結び目と折れ目が互い違いになることもある。[※38]組紐文は規則的な間隔に分割されていることが多く、それにより組紐文のなかから隠された形体[※39]——矩形に組み込まれた聖アンデレ十字型四葉形[※40]、分割されたハート形[※41]、連続8字形[※42]、連続菱形[※43]——が浮かび上がって見える。同じ網の目でも内部の配置を変えるだけで無数のかたちが発見できるのだ。一定のシステムの枠内で多辺形や多弁形が無数に組み合わされ、つなぎ合わされ、繰り返される。[※44]

これらの構成のなかには折れ線、裂け目、交差四葉を持つ八世紀と九世紀の組紐文を思い出させるものもあるが、いまではそれらを何世紀にもわたって保存してきたイスラーム教徒の幾何学美術に直接拠っている。[*45] 西欧はそれらを放棄することが多かったのに対し、イスラームは同じ主題に拠る同じヴァリエーションを泰然と繰り返していた。様々な詞を際限なく繰り返すアラビア風歌唱法の流儀でもって。われわれが指摘してきたモティーフ、すなわち鋸歯状組紐文[*46]、分割ハート形文[*47]、矩形内の四葉文[*48]、編格子文[*49]はどれも同じ時期に流布している【図56】。ゴシックの写本装飾には、分割によって、オリエントの代数学者や幾何学者によって規定される方法に従って構成し直された組紐文が再登場してくる。そこでは、繊細さも運筆さえもイスラームの幾何図形の特質を保ち続けており、複合的な形象のなかのあるもの、たとえば円華文などおよそ手つかずのままの姿で復元されている【図57】。

円華文の主題はもとよりイスラーム的なものであった。イエメンのスライヒー朝の一君侯の名の冠せられた一〇二五年のコーランにはそれがすでに見られる。[*50] シリアの陶器[*51]、イランの陶器、アラビア化したスペインの十二世紀と十三世紀の織物[*52]、後代ではバレンシアの光沢釉薬皿の文様[*53]にも多い。ペルシアのミニアチュールでは楯に貼り付けられる。[*54] マグリブ王朝末期のコーランでも比類なく豪華にして複雑な円華文が展開されている。[*55]

西欧の彩飾写本はこうしたオーナメントを忠実に模倣してみせている。マルグリット・ド・バールの『聖務日課書』[*56]（十四世紀初頭）やイタリアの写本[*57]（一三三八年）の放射組紐文は、カシャーン産の椀[*58]にある編目円華文（十三世紀）と見紛わんばかりだ。オームズビーの『詩篇集』

では円華の先端に瘤と葉飾りがついているが、そこにはまたオリエントの豪華絢爛たる円華文における ような、環の連鎖する組紐文も見られる【図58】。ときには建物のオーナメント装飾でさえそれを模倣した。ハーヴィは、カンタベリー大聖堂の装飾（一三二〇年頃）と、またこれと同時代のペルシアのイスラーム礼拝堂の壁龕装飾とのあいだで、同一の主題にもとづく複雑な組紐文の瞠目すべき類似性の見られることを明らかにしている。[*59]

レオナルド・ダ・ヴィンチは、その晦渋にして一徹な思考の象徴として残されている六つの結び目意匠のなかで、これらの配置を組み合わせてみせている。[*60] ヴァザーリは彼について語るにあたって、「その上彼は時間を費やして、秩序だった縄模様〔組紐〕を描いた。縄〔紐〕は端よりすべての部分を通って他の端につらなってゆき、ひとめぐりするようになっていた」〔田中英道訳〕と明確に述べている。[*61] 迷宮とも呼ばれるこれらの丸網（tonndi）ないし索群（gruppi di cordi）は8字形、多辺形、円形、分割ハート形、組ハート形などいくつもの輪で構成されている。それら各部はすべて明晰で完璧に読解可能、しかし解析不可能なほど一体化しきっている。個々の折れ目は明瞭に組み合わされている、がしかしメカニズムの秘密を保っている。完全は奇跡に通じる。

これらの素描は〈レオナルド・ダ・ヴィンチのアカデミア〉（Academia Leonardi Vinci）という銘文がその真中にあることから、ミラノにあった巨匠の学園の門標を飾るためか、さもなくば彼の書票のために考案されたのではないかと考えられている。エッレーラによると、〈緊縛〉という語とヴィンチ（縛られたの意）を掛けた有意的な紋章であろうという。G・ダッダはそれらをレース飾りや刺繡の手本としてしか見ていない。[*62]

それは何よりもまず純粋形体に関する技巧訓練、すなわち精神の戯れであった。ゴシック時代におけるのと同様、モティーフは建築装飾にも使われている。たとえば、ブラマンテはミラノのサンタ・マリア・デル・グラツィエ教会の丸天井に。[*63] レオナルド自身もスフォルツァ城の〈アッセの間〉の天井（一四九八年頃）に。[*64] ただし、そこでは十六本の樹木で結び目を作っている【図59】。デューラーは二度目のイタリア滞在にさいし六つの構成を木版に彫っているが、署名を消し去り、代わりに自らのモノグラムを嵌め込んでいる。彼のオランダ旅行記のなかには、ディートリヒと称する絵硝子職人への贈り物として組紐（knoten）のことが言及されている。[*65]

二人の偉大な人物に結びつけられた放射組紐文はいまや二重に有名である。モリスコ風索群（gruppi moreschi）とも、アラベスク（arabeschi）とも、ダマスクス風組紐（cordelle alla damaschina）とも呼ばれる放射組紐文は、アラビアの円華組紐文と直接のつながりを持っている。同時代のアフリカのコーランにおいても同じものを認知できるが、しかしそれらはイスラームを経由して、十四世紀に入り同じモティーフを同化し始めていたゴシック的伝統と再び一つになった。

組紐文はある時期からまた新しい姿で流布し始めた。すなわち、幹が先にいくに従って細く脆弱になるのでなく、抑揚のある息の長い描線だけで単純にかたちづくられる、そうした形体で。主題はゴシック書体のなかへ移し替えられた。奇妙な矛盾であるが、花文字（cadeaux）と呼ばれる、ペン描きのこうしたオーナメント*66は、写本よりもむしろ刊本の装飾のなかに多い。*67そこでは文字、縁飾り、額飾りを構成し、単純な組紐文をはじめとするあらゆる種類のヴァリエーションを踏襲している。折り目を鋭くしたり、太線と細線を交互に組み合わせたりすることで、形象はより機械的で精密なものとなる。要素が過剰であるにもかかわらず、全体は明解にして明白。隣り合う二本の線はけっして一つにならない。機械仕掛けの指にでも導かれているかのように。

モティーフは複雑化に向かって、骨格の弛緩に向かって進化していった。角《かど》と8字形が増える。結び目は先端にも曲線にも移植され、文字に鋸歯状の骨格をまとわせる。あるときは大振りの曲線を描いて展開し、あるときは細かく密集する。紙の上を遊動する手のリズムに合わせて新しい曲線が現れる。組紐は十五世紀の真只中、書体の変遷のなかで解体する。規則的な形体は葉飾りや、二重の折れ目や、三重の折れ目や、折れ線によって四方八方に引き裂かれバラバラにされる【図60】。しかし、そうした気紛れのなかにあっても組紐は見失われることがなかった。これら、より自由な組み合わせの周りでたえず結びつき合う。ときには本来の厳しさ、硬さのなかに姿を現す。ドイツの本の扉では一五七二年においてもなおその花文字のなかにすべての多辺形図形を再現して見せている。[*68] ときには鋸歯形や8字形を組み合わせた組紐、ハート形、四葉形、折れ目の入った大きな格子形が見出される。中世に流布した主題は、いうなればイスラームの全き純粋さのなかで復元され、要約されたのである。ゴシック書体の存続はこれらの意匠と結びつき、またしても二つの装飾システムの緊密なつながりを浮かび上がらせてみせる。

第三節　幻想的な植物文

ゴシックのルーミー。オリエントの半パルメット文と十三―十四世紀の写本の植物群。縁飾り。

この装飾のなかにはイスラーム的オリエントの基本的なモティーフの一つである、先の尖った半葉文が持ち込まれた。サキジアンはそれの起源がビザンティンにあるのではないかと考えている。[*69] ミールザー・ムハンマド・ハイダル・ドゥグラトの『ターリーヒ・ラシーディ』は十六世紀に権威づけられた文献であるが、そのなかでオーナメントに与えられている名称ルーミー（rūmi）――ローマのの意――が、この古代起源説の裏づけになろう。コンダコフはイラン特有のものと見ている。[70] 図式化されたアカンサス葉にシルエットがおぼろげに現れている場合もあるが、しかし、キシュのスタッコ壁のパルメット文には鋭い輪郭がはっきり現れ、時を経ずにイスラームのレパートリーへ展開していった。[71] その過程は先鋭化、柔軟化にある。半葉文はササン朝の半パルメット文から次第に離れていった。ササン朝のものは大きな切れ込みが入り、ほかの二つの切れ込みは誕生時の背向曲線の切れ目にその名残りをとどめながら消えていく【図61】。ときには、端部に第二のルーミー葉文や頂華文も受け入れる。植物の形体は両側を彫琢されながら細長くなり、鋭さを増し、剣に似てくる。

サーマッラーのスタッコ（八三六―八三九年および八四七―八五九年）はこうした組み合わせのなかのいくつかを先駆けており、滑らかで規則的な輪郭をそれらに付与している。最近の研究ではこれらのオーナメントがインドの主題と関係づけられている。[72] そこでは二世紀以来意匠が相同で平板な葉を持つ蓮華によって支配されていたからなのだが、その最終的公式は十世紀から十一世紀にかけて明白なものとなった。ペルシア陶磁器の文様、[73] ファーティマ朝の彫刻、[74] クーフィー体のコーラン、[75] スペインの象牙彫り[76]にもそれが見出される。

ルーミーも十三世紀以降古典的主題となり、かなり早くからゴシックの植物文の上へ移植されている。一二三〇年のフランス写本にはルーミーの最古の復元例が見られる。[77] ついでイギリス画派に広まった。[*78] その筆頭はデヴォンのウィリアムの『聖書』[*79]（一二五一—七四年）。また、サント＝シャペルの『福音書抄本』[*80]の仲間にも、フランス北西部写本群（テルーアンヌ、カンブレ、アミアン）にも[*81]【図62】。「自然の覚醒」はこの幻想的な植物群とともに始まった。ルーミーの展開はどこでも横並びである。マルグリット・ド・ボージューの『時禱書』（一三六三年頃）ではいまだオーナメントに大きな比重が割かれている。画法はやがて稀少化し、十四世紀後半には一般から姿を消す。[*82]

最初、半葉文は唐草模様の上で規則的・対称的な形態と結び合わされた。複合的なアラベスクを形成し、同じモティーフの重合と包合によって増殖した。曲線の繊細さも、配置の分析的性格も、ルーミー半葉や頂華を先端へ新たに付け足すといった細部もイスラームとの緊密なつながりを反映していた。

しかし、ゴシックのルーミーは本の縁飾りを走るより自由な植物文と融け合うことで、あらゆる制約から解き放たれていった。ある期間、眼にもつかぬ凸凹や裂け目を手がかりに、まるで壁の上かなにかのように羊皮紙の上をはい上がる植物をかたちづくっていたのもそれだ。葉は限りなく細長くなり、余白全体を跳ね回り、行尾の内側へくい込み、欄外の異形の手すりと化す。その細身で明晰な輪郭線を保ちながら、苗木に化けることもよくあった。フィリップ美王の『聖務日課書』（一二九七年以前）とモーガン図書館蔵の『クララ詩篇集』（十三世紀末）では様式化された半葉に生《なま》の葉が交錯している。[*83] その結果、異なる風土、異なる世界で育まれた二つのものの混成種が生まれた。純粋種でなく、雑種が。ゴシックの植物はまるで鋼のように鍛えられる。密生する緑のなかから浮かび上がるのは、いまだヤタガン〔トルコの剣〕の輪郭であって植物のそれではない。

これらのオーナメントとともにイスラーム特有のもう一つの主題が届けられた。すなわち、写本の縁の全周に等間隔で外向きに打たれている点文の列がそれだ。最初は絨毯からの影響があったのだろう。こうした突起物をともなう装飾の侵入をまず受けたのはイスラーム教徒の本の余白であった。突起は歯形文、[*84] 針状突起文、[*85] パルメット文[*86]などからなる。西方でこの主題は十三世紀末に姿を現し、同じヴァリエーションとともに広く流布した。すなわち、筆勢を生かした点文[*87]や生《なま》の植物文[*88]とともに。ピュセルの作品では、葉文が欄外全体に規則正しく配されており、その筆触も一一八六年に彩飾されたコーランと同じである。[*89] リュソンの『ミサ典書』(十四世紀末) ではこれらの葉文が円華飾りに芽を吹く。写本頁は植物によって縁取られる。まるでオリエントの絨毯のように【図63】。

第四節　嵌枠

オリエントの円形嵌枠。多辺形嵌枠と弁状正方形嵌枠。ファーティマ朝の梁。ルネサンスのアラベスク。

円形嵌枠はゴシックの装飾枠のなかで重要な役割を演じるが、これまた同じオリエントのレパートリーからもたらされた。ヴィラール・ド・オヌクール[*90]では〈運命の輪〉を、サンス[*91]では〈吝嗇〉と〈鷹揚〉の像を容れ、リヨン、サン゠ディエ、ミュンスター・グラトバハでは絵硝子に見られ、また教会の敷石[*92]（トロワ、フローヴィル）にも、象牙彫り[*93]にも、そしてなんと聖王ルイの貨幣にまで見られる多弁形円縁は典型的な「サラセン風」主題である。十世紀と十一世紀にはスペインのアラビア風小櫃[*94]と地中海イスラーム世界の織物[*95]に枠組としてそれが現れる。十二世紀後半から十三世紀にかけて象嵌銅器類[*96]で円形嵌枠の使用が一般化し、そこにはキリスト教的主題の嵌め込まれることさえあった。アイユーブ朝のスルタンの銘のある鉢（一二四〇—四九年）にも、一二四八年の年記のあるモースルの燭台にも福音書の諸場面が再現されている[*97]。西方では十三世紀に作られた裂布のなかに、背中合わせの神獣と向かい合わせの円形嵌枠がゴシックの人像と多辺形の嵌枠内で交互に繰り返されている例がある【図64】。

オリエントでは弁状円形嵌枠のあらゆるヴァリアントが知られていた。それらの配置法はもともと古代地中海世界特有の幾何学的基調の一部をなしており、なかのいくつかがムーズ河流域の金銀細工師によって伝えられ、カロリング朝とオットー朝の諸要素を復興させていた。しかし、それを自家薬籠中のものとしていたイスラーム世界もまたそれら弁状円形嵌枠を再び取り上げ発展させており、今度はこちらの経路を介してもたらされる。

オリエントの金銀細工と彫刻、[*98]ヨーロッパの織物と浮彫りには同じ四葉状嵌枠が見出される。クーバチ（ダゲスタン地方）ではセルジューク朝美術と関連のある装飾板に彫られた人像が、アミアンの基壇にある一連の浅浮彫りと同じ円形嵌枠に嵌め込まれている[*99]【図65】。この装飾のなかを直《じか》に、ないし斜めに走る多弁四角形もまた二つのグループのなかで使われていた。第一のヴァリアントはマーストリヒトに保存されている九―十世紀のアラビア＝ビザンティン系の織物に現れ、[*100]第二のそれはアジーズ・ビラー（九七五―九六年）が建築を始め一〇五八年に完成したカイロ小宮殿から運び出され、カラウーンの病院《マリスタン》[*101]（一二八六―八八年）に再利用されたファーティマ朝時代の木梁彫刻に現れる。これらの遺品には形体の純粋さの点でも、また年代の点でも一級の価値がある。木は金銀細工師によって加工され、円形枠は小箱に嵌め込まれるように建築枠組へ嵌め込まれる。嵌枠内の人像、獣、正向ないし背向の神獣は象牙彫りを思い出させる【図66】。古い貯蔵庫に眠っていたものは、こうしたモティーフが聖堂のなかに流布するまさにそのとき、再び陽の目を見ることになったのだ。[*102] 小型の物品が伝播の仲立ちになっていたことはまず間違いない。

もっとも、これらの装飾枠組のなかにはテキスタイルに直接拠るものもあった。そのことは枠どうしが連鎖し、連続的なパターンをなす構成においてはっきりしている。たとえば、パリのノートル＝ダムの「赤い扉」とメッスの大聖堂において、斜めの帯がかたちづくる菱形文などのパターン構成がそうだ。アデマールはこれらの浅浮彫りを、リヨンの美術館にあるアレクサンドリア産の裂布と関連づけている。[*103] そこには帯が交差する部分に円華文を配し、異形を嵌枠内に嵌め込むといった細部まで見出される。これぞまさしく彫刻の織物。おそらくはコプトのものを手本としており、ために「サラセン産」として台帳登録されたのだろうが、西方で作られたもっと後代の作品である可能性も排除できない。スペインやイタリアの絹織物は十三世紀になってもなお同じ格子柄を真正直に繰り返していたからだ。[*104] イースト・アングリア系の写本とつながりのある『詩篇集』[*105]にも似たような配置の四弁状円形嵌枠があり、その星形のヴァリアントはこの時代のイタリア＝イスラーム系の裂布に姿を見せる。[*106] それぞれの嵌枠には人物座像が嵌め込まれている。しかし、それは単純な円形嵌枠ではない。人物が横たわり、その躰からはえ出た茎に葉がつながっている、すなわち、アラビアの多辺形の意匠がエッサイの樹に化けているからである【図67】。

円形嵌枠の幾何学全体は西方でも東方でもおよそ変わりがない。ゴシック美術が、こうした組み合わせに長け、かつまた作品の知られていたところのより豊かで、より古いレパートリーからそれらを借用したのはむしろ当然であった。一方、ある時期東方の要素を歓迎したルネサンスもまた円形嵌枠の名前を再興し、そのイスラーム的源泉を鮮やかに証明してみせた。ヴェネツィアがオリエント産の武器や絨毯のオーナメントを模倣した後、十六世紀にはフランスやドイツにその装飾の新しい潮流が広まった。一五三〇年にはフォンテーヌブローの彫刻家にして画家のフランソワ・ペルグランが『肖像学精華』を上梓し、「アラビア＝イタリア的な方法」なるものを規定してみせた。[*107] ついでジャン・ド・グールモン（パリ、一五四六年）とその弟子のデュセルソー（一五六七年）によって、またペーター・フレトナーやハンス・ルドルフ・マヌエル・ドイッチュ（一五四六年）らによって似たような技法書が刊行された。[*108] 一五三〇年代にはホルバインがイニシャル装飾の上にこうしたオーナメントを描いてみせる。[*109] 多辺組紐文も、剣葉文も、四弁状正方形嵌枠も、われわれがイスラームのものと同定するこれらのモティーフはすべて抽象形象のなかに純粋なかたちで復元されているが、しかしレオナルドの円華組紐と同様に、アラビア風、ないしモリスコ風と呼ばれていた【図68】。中身の点でも、形体の点でも、オリエント的異国趣味への回帰それ自体、中世の発奮のように見えるのだ。

原註

*1——E. Ebersolt, *Orient et Occident*, II, Paris, 1929 ; G. B. Depping, *Histoire du commerce entre le Levant et l'Europe depuis les Croisades jusqu'à la fondation des colonies d'Amérique*, Paris, 1830 ; W. Heyd, *Histoire du commerce du Levant au Moyen Age*, Leipzig, 1885 ; E. Rey, *Les colonies franques de Syrie aux XIIe et XIIIe siècles*, Paris, 1883 ; J. Delaville Le Roulx, *La France en Orient au XIVe siècle*, Paris, 1886. また R. A. Jairazbhoy, *Oriental Influence in Western Art*, London, 1965 および G. Pochat, *Der Exotismus während des Mittelalters und der Renaissance*, Stockholm, 1970 も見よ。

*2——A.-C.-A. de Marsi, *Les Pèlerins picards à Jérusalem du XIVe au XVIe siècle*, Amiens, 1881 ; H. Omont, *Journal d'un pèlerin français en Terre Saints (1383)*, *Revue de l'Orient latin*, III, 1895, p. 475 以下 ; P. Riant, *Voyage en Terre saint d'un maire de Bordeaux au XIVe siècle*, *Archives de l'Orient latin*, II, 1884, p. 378 以下 ; E. Travers, *Deux Pèlerinages en Terre sainte au XVe siècle*, *Revue nobiliaire*, 1869, p. 257 以下 ; L. Audiat, *Pèlerinages en Terre saint au XVe siècle*, Paris, 1870.

*3——G. Dugat, *Histoire des orientalistes de l'Europe du XIIe au XIXe siècle*, Paris, 1868, p. vi ; Ch.

Jourdain, *Un collège oriental à Paris au XIIIe siècle*, *Revue des sociétés savantes*, VI, 1861, pp. 66-73.

＊4——この問題については、最近の研究のなかで下記のものを見よ。Jacob, *Der Einfluss des Morgenlandes auf das Abendland, vornehmlich, wahrend des Mittelalters*, Hannover, 1924 ; W. Goetz, *Brunetto Latini und die arabische Wissenschaft*, *Deutscher Dante-Jahrbuch*, 21, 1930, p. 102 以下 ; U. Monneret de Villard, *La Studia dell'Islam in Europa nel* XII *e nel* XIII *sec.*, Cité du Vatican, 1944 ; M. Rodinson, *Dante et l'Islam d'après les travaux récents*, *Revue d'histoire des religions*, 1951, pp. 203-235.

＊5——F. Saxl, *Beiträge zu einer Geschichte der Planetendarstellungen im Orient und im Okzident*, *Der Islam*, 1912 ; F. Saxl et E. Panofsky, *Classical Mythology in Medieval Art*, *Metropolitan Museum Studies*, IV, 2, New York, 1933 ; F. Saxl et H. Meier, *Verzeichnis astrologischer und mythologischer illustrierter Handschriften in englischen Bibliotheken*, (H・ボーバーによる出版) London, 1953. ザクスルの序論『中世末期におけるオリエント的伝統とヨーロッパ的伝統の混淆』(*Die spätmittelalterliche Vermischung orientalischer und europäischer Tradition*) の第三章 pp. XLV-LI. Seznec, *op. cit.* も見よ。

＊6——J. Labarte, *Inventaire du mobilier de Charles V*, Paris, 1879.

＊7——A. de Champeaux et P. Gauchery, *Les Travaux d'art exécutés pour Jean de France, duc de Berry*, Paris, 1897.

＊8——L. Douet d'Arcoq, *Comptes de l'argenterie des rois de France*, Paris, 1851, I, p. 266, II, p. 286.

＊9——W. Heyd, *op. cit.*, p. 698 と 700.

＊10——*Ibid.*, p. 706.

＊11——J. Lessing, *Modèles de tapis orientaux d'après les documents authentiques et les principaux tableaux du XVe et du XVIe siècle*, Paris, 1879 ; W. Bode, *Anciens tapis d'Orient*, Paris, 1906, p. 6 ; G. Soulier, *Les Influences orientales dans la peinture toscana*, Paris, 1924, p. 202 以下；K. Erdmann, *Orientalische Tierteppiche auf Bildern des XIV. und XV. Jahrbuch der preuss. Kunstsammlungen*, 1929, pp. 261-298 および *Neue orientalische Tierteppiche auf Abendländischen Bildern des XIV. und XV. Jahrh.*, *ibid.*, 1942, pp. 121-126 ; E. de Lorey, *Le Tapis d'Avignon*, *Gazette des Beaux-Arts*, 1932, pp. 162-171. 画中での布地の表現については A. Klesse, *Seidenstoffe in der italienischen Malerei des 14. Jahrhunderts*, Bern, 1967 を見よ。

＊12——G. Migeon, *Les Arts du tissu*, Paris, 1909, p. 53 以下；Francisque-Michel, *Recherches sur le commerce, la fabrication et l'usage des étoffes de soie, d'or et d'argent et autres tissus précieux en Occident, principalement en France pendant le Moyen Age*, Paris, 1852.

＊13——Ibn Sa'īd, Makkari, *Analects sur l'histoire des Arabes en Espagne*, Leiden, 1855-61, p. 123 からの引用。

＊14——R. B. Sergent, *Material for a History of Islamic Textiles*, *Ars Islamica*, IX, 1942, p. 81.

＊15——D. G. Shepherd, *The Hispano-Islamic Textiles in the Cooper Union Collection*, *Chronicle of the*

Museum for the Art of Decoration of the Cooper Union, I, n° 10, décembre 1943.

＊16——A. F. Kendrick, *Textiles, Burlington Magazine Monograph*, II : *Spanish Art*, New York, 1927, p. 62 および pl. 3 A と B.

＊17——W. Heyd, *op. cit.*, II, p. 670.

＊18——O. von Falke, *Kunstgeschichte der Seidenweberei*, Berlin, 1921, p. 28 以下 fig. 253-259 ; J. H. Schmidt, *Deutsche Seidenstoffe des Mittelalters, Zeitschrift des deutschen Vereins für Kunstwissenschaft*, 1934, pp. 95-112.

＊19——H. Koch, *Geschichte des Seidengewerbes in Köln vom XIII. bis zum XVIII. Jahrh*, Leipzig, 1907.

＊20——W. Heyd, *op. cit.*, II, p. 709.

＊21——G. B. Depping, *Règlements sur les arts et métiers de Paris, rédigés au XIIIe siècle et connus sous le nom de Livres des Métiers d'Étienne Boileau*, Paris, 1837, p. 126 と 404.

＊22——F. Grenard, *Grandeur et Décadence de l'Asie*, Paris, 1939, p. 36.

＊23——M. Charageat, *Le Parc d'Hesdin, création monumentale du XIIIe siècle, ses origines arabes, Bulletin de la Société de l'art français*, 1950, pp. 94-106.

＊24——G. Millet, *L'École grecque*, Paris, 1961, pp. 254-256.

＊25——A. de Longpérier, *De l'emploi de caractères arabes dans l'ornamentation chez les peuples chrétiens de l'Occident, Revue archéologique*, 1846, pp. 696-706, 1847, pp. 406-411 および A. Fikry, *L'Art roman du Puy*, Paris, 1934, chap. XII, *Le Décor coufique*, pp. 255-267. K.

Erdmann, *Arabische Schriftzeichen als Ornamente in der abendländischen Kunst des Mittelalters*, dans *Akad. d. Wiss. und d. lit. in Mainz : Abh. Geist und Sozialwiss.*, Wiesbaden, 1954.

＊26——A. Fikry, *op. cit.*, p. 263.

＊27——J. J. Marquet de Vasselot, *Les Crosses limousines du XIII*^{e} *siècle*, Paris, 1941, pp. 115-127.

＊28——G. Soulier, *op. cit.*, p. 187 以下。

＊29——H. Omont, *Psautier de Saint Louis*, Paris, s. d., pl. XLVI, XLVII, XLVIII, LXXIX ; S. C. Cockerell, *A Psalter and Hours Executed before 1270 for a Lady Connected with St. Louis, Probably his Sister Isabelle of France*, London, 1905 および H. Yates Thompson, *Illustration of One Hundred Manuscripts*, I, London, 1907, pl. v. このクーフィー装飾のまた別な例で、コックレル（二七頁）は、十三世紀のものとしてウィーンの『道徳版聖書』ms. 1179 とサント＝シャペルの『福音書抄本』、パリ国立図書館 lat. 8892 を、それより進んだ時代のものとしてシャンティイの『ベリー公のいとも豪華なる時禱書』とウィーンにあるルネ・ダンジューの『捕われし愛の心』をそれぞれ引き合いに出している。F・ド・メリ（*Les Primitifs et leurs signatures*, Paris, 1913）は、クーフィー体を真似た十四世紀の画家の署名を挙げている。A. H. Christie, *The Development of Ornament from Arabic Script*, *The Burlington Magazine*, 1922, XL, pp. 287-292 および XLI, pp. 34-41 も見よ。

＊30——W. R. Lethaby, *English Primitives*, I, *The Burlington Magazine*, 1916, p. 351.

＊31——E. Amé, *Les Carrelages émaillés du Moyen Age et de la Renaissance*, Paris, 1859, pl. p. 70.
＊32——R. Koechlin, *Les Ivoires gothiques français*, Paris, 1924, pl. XXVIII, XXXI.
＊33——パリのクリュニー美術館にある十三世紀後半の三聖人マクシミアン、ジュリアン、リュシアンの聖遺物箱。
＊34——J. Labarte, *op. cit.*, nos 1561, 2188, 2285, 3322, 3365, 3371, 3382, 3384, 3549.
＊35——S. C. Cockerell, *The Gorleston Psalter*, London, 1907, pl. v.
＊36——ボウアンの『詩篇集』E. Millar, *La Miniature anglaise aux XIVe et XVe siècles*, Paris, 1928, pl. 69.
＊37——カンタベリーのリチャードの『詩篇集』E. Millar, *La Miniature anglaise*, II, pl. 39. マドリード国立図書館にある『ローマ司教典礼書』（vit. 18-9）J. Dominguez Bordona, *La miniatura española*, II, Barcelona, 1930, pl. 114.
＊38——C. Gaspar et F. Lyna, *Les Manuscrits de la Bibliothèque royale de Belgique*, *Publications de la S. F. R. M. P.*, pl. LXVI 十四世紀初頭のフランドルの写本、九一五七番。オームズビーの『詩篇集』O. Saunders, *English Illumination*, II, Panthéon, 1929, pl. 110.
＊39——こうした組紐をほどく技術については、拙著『アルメニアとグルジアの中世美術』（*L'Art médiéval en Arménie et en Géorgie*, Paris, 1929）所収の「組紐」の章を見よ。
＊40——六条組紐を三番目の折れ目ごとに切ったもの S. C. Cockerell, *The Gorleston Psalter*, pl. v.
＊41——六条組紐を二番目の折れ目ごとに切ったもの、ドゥエの『詩篇集』*Ibid.*, pl. XVI.

*42——六条組紐をそれぞれの折れ目で切ったもの、ゴーレストンの『詩篇集』*Ibid.*, pl. v.

*43——四条組紐を二番目の交錯軸ごとに切ったもの、マルグリット・ド・バールの『聖務日課書』Abbé V. Leroquais, *Les Bréviaires des bibliothèques de France*, Paris, 1933, pl. xxiv.

*44——ボウアン家の一族の『詩篇集』、N・リトリントンの『ミサ典書』E. Millar, *La Miniature anglaise*, II, pl. 69, 71, 72.

*45——たとえば、カール大帝の『福音書抄本』、パリ国立図書館 nouv. acq. lat. 1203.

*46——一三〇六年にバグダードで作られたコーランの装飾頁 *Survey of Persian Art*, Oxford, 1938, pl. 937 B.

*47——一三一〇年のラシード・アッディーンの扉絵 *Ibid.*, pl. 936 B および十四世紀のシリア陶器 J. Sauvaget, *Poterie syro-mésopotamienne du XIV*^{e} *siècle*, Paris, 1932, pl. 16 と 18.

*48——J. Sauvaget, *op. cit.*, pl. 15.

*49——*Ibid.*, pl. 16 と 24.

*50——A Sakisian, *Thèmes et motifs d'enluminure et de décoration arméniennes et musulmanes*, *Ars Islamica*, 1939, fig. 7.

*51——J. Sauvaget, *op. cit.*, pl. 28.

*52——A. F. Kendrick, *Catalogue of Muhammadan Textiles of the Medieval Period*, *Victoria and Albert Museum*, London, 1924, n° 990, pl. XVIII.

*53——G. Migeon, *Manuel d'art musulman*, II, Paris, 1927, fig. 397.

*54——一三五〇年頃 L. Bynion, J. V. S. Wilkinson et B. Gray, *Persian Miniature Painting*, London, 1933, pl. xxv b.

*55——G. Migeon, *Manuel*, I, fig. 8 と 9.

*56——Abbé V. Leroquais, *Les Bréviaires*, pl. xxiii.

*57——P. Toesca, *Monumenti e studi per la storia della miniatura italiana, La collezione di Ulrico Hoepli*, 1930, pl. lxxvi.

*58——*Survey of Persian Art*, pl. 732.

*59——J. H. Harvey, *The Gothic World, 1100-1600*, London, fig. 85.

*60——G. d'Adda, *Leonardo da Vinci, la gravure milanaise et Passavant, Gazette des Beaux-Arts*, 1868, p. 123 以下 ; E. Muntz, *Léonard de Vinci*, Paris, 1899, p. 233 の註 fig. p. 232, 233, 236 ; W. von Seidlitz, *Leonardo da Vinci, der Wendpunkt der Renaissance*, Wien, 1935, p. 453 ; K. Coomarashwamy, *The Iconography of Dürers Knots and Leonardo's Concatenation, Art Quarterly*, VII, 1944, pp. 109-125.

*61——A. Chastel, *Léonard de Vinci par lui-même*, Paris, 1952, p. 23.

*62——G. d'Adda, *Essai bibliographique sur les anciens modèles de lingerie, de dentells et de tapisseries en France, en Allemagne et en Flandre, Gazette des Beaux-Arts*, 1864, p. 434.

*63——A. Venturi, *Storia dell'arte italiana*, VIII, 2e partie, Milano, 1924, p. 740, fig. 680.

*64——L. Beltrami, *Leonardo da Vinci e la Sala delle Asse*, Milano, 1902.

*65——H. Klaiber, *Beiträge zu Dürers Kunsttheorie*, Blaubeuren, 1902, fig. 32.

*66——〈カタナー鎖〉については V. Gay, *Glossaire archéologique du Moyen Age et de la Renaissance*, Paris, 1885 を参照。A・ブルム（A. Blum, *L'Alphabet gothique de Marie de Bourgogne*, *Gazette des Beaux-Arts*, 1938, pp. 103-110）は、この飾りに囲まれた文字のことを「帯状文字」（lettres-tournure もしくは tourneure）と呼んでいる。イタリアの書家は大きな字を「フランス文字」（littera francese）と呼んでいた。

*67——羽根ペンで書かれたものの典型的な例としては、一四三五年の証書、大英博物館 Add. ms. 19650, *The New Palaeographical Society*, London, 1912 とくに X, pl. 250 b. モンペリエの文字手本集成 J. Malo-Renault, *La Lettre ornée du Moyen Age*, *Revue de l'art ancien et moderne*, 1934, p. 162. 一四七六年頃のマリ・ド・ブルゴーニュのアルファベット A. Blum, *op. cit.*, 印刷物のなかでは F. Courboin, *Histoire illustrée de la gravure en France*, Paris, 1923, pl. 94 と 108；O. Jennings, *Early Woodcut Initials*, London, 1908, p. 226 ヴェラール版手書きアルファベット。

*68——R. Bruck, *Die Malerein in den Handschriften des Königreichs Sachsen*, Dresden, 1906, n° 185, fig. 268.

*69——A. Sakisian, *Thèmes et motifs d'enluminure*, pp. 73-76 および *La Reliure turque du XVe au XIXe siècle*, *Revue de l'art et moderne*, 1927, p. 280, fig. 4. 著者によれば、ルーミー（rūmī）、および文字通りの連鎖したルーミー（bend-rūmī）という言葉は、現代のペルシア、トルコ

の写本彩飾師のあいだでもなお同じ意味で使われている。

＊70——N. Kondakov, *Histoire et monuments des émaux byzantins*, Francfort-s.-M., 1892, p. 300, pl. 16.

＊71——J. Baltrušaitis, *Sasanian Stucco, Ornemental, Survey of Persian Art*, pl. 188 h.

＊72——M. S. Dimand, *Studies in Islamic Ornament*, II, *The Origins of the Second Style of Samarra Decoration, Archaeologica in Memoriam Ernest Herzfeld*, pp. 62-68.

＊73——A. U. Pope et P. Ackerman, *A Study of Persian ornament, Survey of Persian Art*, fig. 904 c および pl. 575 c.

＊74——G. Migeon, *Manuel*, I, fig. 120.

＊75——B. Moritz, *Arabic Palaeography*, La Caire, 1905, pl. 4 と 34.

＊76——G. Migeon, *Manuel*, I, fig. 161.

＊77——A. de Laborde, *Les Principaux Manuscrits de la bibliothèque de Saint-Pétersbourg*, Paris, 1936, pl. III.

＊78——モーガン図書館の『クララ詩篇集』M. R. James, *Catalogue of Manuscripts in the Library of J. Pierpont Morgan*, London, 1906, n° 18, p. 46. 大英博物館 Roy. ms. 30, VI ペトルス・コメストル、一二八三―一三〇〇年。O. Saunders, *English Illumination*, II, pl. 77 と 78.

＊79——E. Millar, *La Miniature anglaise du Xe au XIIIe siècle*, Paris, 1926, pl. 77.

＊80——パリ国立図書館 ms. lat. 17326 と ms. lat. 8892 および大英博物館 Add. ms. 38114.

＊81——カンブレのサン＝セピュルクルの『聖務日課書』Abbé V. Leroquais, *Les Bréviaires*, pl. XX. 一二七五—一三〇〇年のアミアンの写本 *The Holford Collection, Burlington Fine Arts Club*, 1924, Cat. nº 4, pl. VI. テルーアンヌの『時禱書』J. Billioud, *Très Anciennes Heures de Thérouanne à la bibliothèque de Marseille*, *Les Trésors des bibliothèques de France*, V, Paris, 1935, pl. LXI.

＊82——Th. Belin, *Heures de Marguerite de Beaujeu*, Paris, 1925.

＊83——C. R. Morey, *Exhibition of Illuminated Manuscripts*, New York, 1934, ms. 46, p. 24 および pl. 43.

＊84——*Survey of Persian Art*, pl. 929 一〇三六年のコーラン、大英博物館。

＊85——*Ibid.*, pl. 936 B と 937 B 一〇三六年にバグダードで作られたコーランおよび一三一〇年のラシード・アッディーンの扉絵。E. Kühnel, *Islamische Kleinkunst*, Berlin, 1925, fig. 7 コーラン、一三〇〇年頃。

＊86——*Survey of Persian Art*, pl. 929 A と 933 一一八六年に彩飾されたコーランおよび一二一〇年から一二二五年までのあいだに書かれたタバリーの頁。

＊87——G. Vitzthum, *Die Parizer Miniaturmalerei*, Leipzig, 1907, pl. IV, Dresden, Oc. 57 ; pl. XII ジュネーヴの『聖書』lat. 6 a.

＊88——一三一一年のアルスナル図書館蔵の六三二九番『王の大全』*Ibid.*, pl. XXXIII. 十四世紀リュソンの『ミサ典書および司教典礼書』Abbé V. Leroquais, *Les Pontificaux des bibliothèques de France*, Paris, 1937, pl. LXXXI.

*89——パリ国立図書館蔵 ms. lat. 10483. ベルヴィルの『聖務日課書』Abbé V. Leroquais, *Les Bréviaires*, pl. XXVIII, XXXIV.

*90——H. Hahnloser, *Villard de Hannecourt*, Wien, 1935, pl. 42.

*91——E. Mâle, *L'Art religieux du XIIIe siècle en France*, Paris, 1923, fig. 76.

*92——L. de Vesly, *La Céramique ornementale en haute Normandie*, Rouen, 1913, pl. XV ; L. Deschamps de Pas, *Essai sur les pavages des églises, Annales archéologiques*, X, 1850, p. 17.

*93——R. Koechlin, *Les Ivoires gothiques*, pl. CLXXVI, CLXXVII, CLXXIX, CLXXXI, CLXXXIII.

*94——G. Migeon, *Manuel*, I, fig. 152, 153, 154.

*95——O. von Falke, *op. cit.*, fig. 132.

*96——*Survey of Persian Art*, pl. 1317 十三世紀。F. Sarre et F. Martin, *Die Ausstellung von Meisterwerken muhammedanischer Kunst in München*, II, München, 1912, pl. 145 一二三二—五九年モースルの象嵌ブロンズ。G. Migeon, *Les Cuivers arabes, Gazette des Beaux-Arts*, 1899 いわゆるブラカスの水差し、一二三二年。いわゆるバルベリーニの壺、一二五〇年頃。

*97——G. Migeon, *Exposition des arts musulmans au musée des Arts décoratifs*, Paris, 1903, pl. XI と XII.

*98——E. Kuhnel, *op. cit.*, fig. 113 ; G. Migeon, *Exposition des arts musulmans*, pl. XIII.

*99——まずドーンによって、ついで一九二四—二七年バックキロフによって発掘された。D. Dorn,

Compte rendu du voyage dans le Caucase et sur la rive méridionale de la mer Caspienne, Sankt-Peterburg, 1861 および A. Bachkiroff, *L'Art du Daghestan*, Moskva, 1931, pl. 17, fig. 21 と 22.

*100——O. von Falke, *op. cit.*, fig. 169.

*101——Herz Bey, *Boiseries fatimides aux sculptures figurales*, *Orientalisches Archiv*, III, 4, 1912-13, pl. XXVII と XXIX および G. Marçais, *Les Figures d'hommes et de bêtes dans les bois sculptés de l'époque fatimide*, *Mélanges Maspero*, III, pp. 241-257, *Mémoires de l'Institut français du Caire*, 1935；C. J. Lamm, *Fatimid Woodwork, its Style and Chronology*, *Bulletin de l'Institut d'Égypte*, XVIII, 1936, pp. 59-89.

*102——パリ、ルーアン、リヨン、リモージュ、アヴィニョン、オーセール、ストラスブール、ケルン、ベルン。第一四回国際美術史学会においてマルセは、ゴシック美術へのイスラーム的多弁状矩形について、それがイタリア経由で伝達されていると報告している（一九三六年バーゼル刊の『要約』、二七—二八頁）。同じ著者の *Le Carré quadrilobé*, *Histoire d'une forme décorative de l'art gothique*, *Études d'art du musée d'Alger*, I, 1945, pp. 67-78 も見よ。パラレルな伝統、つまり四弁状嵌枠の古代＝カロリング朝的伝統については J. Baltrušaitis, *Réveils et prodiges, le gothique fantastique*, Paris, 1960, pp. 41-43 も見よ。

*103——J. Adhémar, *Influences antiques dans l'art du Moyen Age français*, London, 1937, p. 289, fig. 118 と 119.

＊104——O. von Falke, *op. cit.*, fig. 151 と 218.

＊105——S. C. Cockerell, *The Gorleston Psalter*, pl. xx, 大英博物館 Arund., ms. 83.

＊106——O. von Falke, *op. cit.*, fig. 219 と 220 ; F. Sarre et F. Martin, *op. cit.*, III, pl. 181.

＊107——L. Dimier, *François Pellegrin, peintre et sculpteur de Fontainebleau, Annales de la Société archéologique du Gâtinais*, 1901 ; G. Migeon, *La Fleur de la Science de Pourtraiture, Patron et Broderie, façon arabique et italique, par Francisque Pellegrin*, 1530, Paris, 1908.

＊108——H. Röttinger, *Peter Flettners Holzschnitte*, Strassburg, 1906, p. 76 ; R. Berliner, *Ornementale Vorlage-Blätter des XV. bis XVIII. Jahrh.*, Leipzig, 1926, I, pl. 92 と 93.

＊109——A. Lichtwark, *Der Ornamentstich der deutchen Frührenaissance*, Berlin, 1888, p. 30 以下、「モリスコ」の章。

●図51——フランドル絵画のなかのオリエント絨毯｜ヤン・ファン・エイク《ファン・デル・パーレの聖母子》（部分） 1436年 ブルッヘ市立美術館

●図52――鳳凰の図柄のペルシア織物｜メルヒオール・ブレーデルラムの祭壇画《神殿奉献とエジプト逃避》（部分）　1392-99年　ディジョン美術館

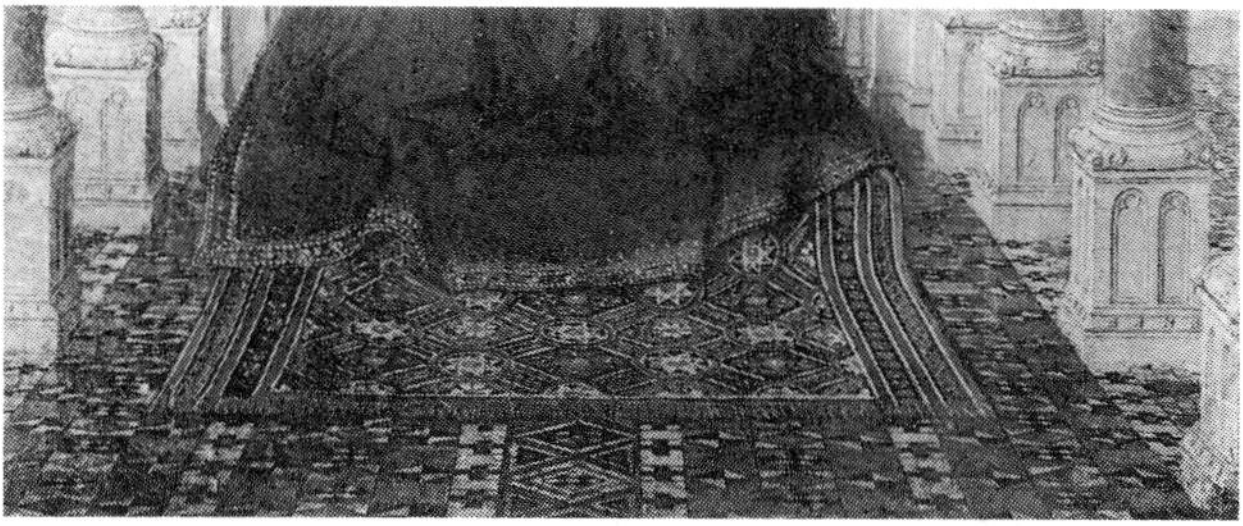

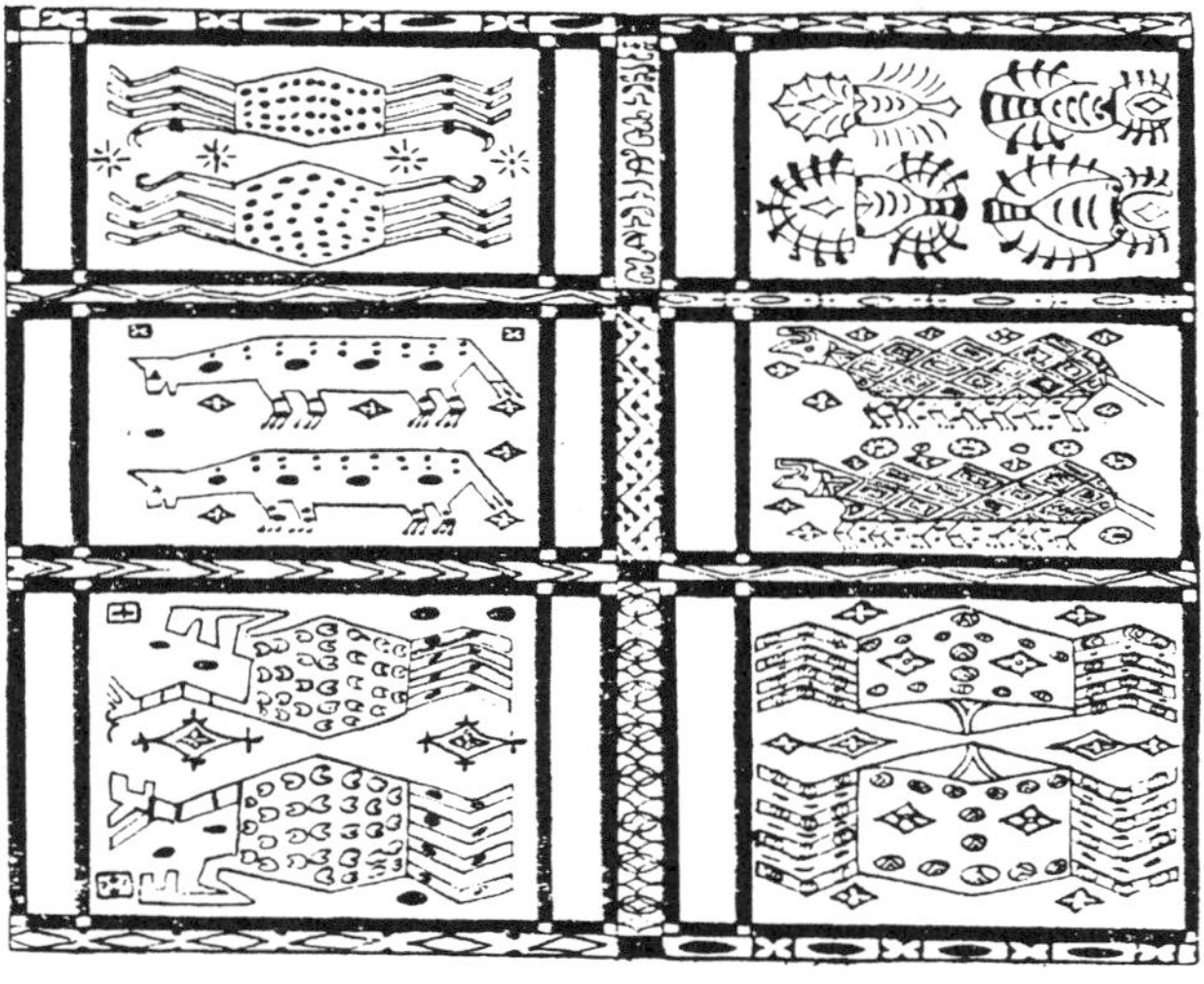

●図53(上)——フランドル絵画のなかのオリエント絨毯｜ヤン・ファン・エイク《聖母子》(部分) 1433年 ドレスデン美術館
●図54(下)——イタリア絵画のなかのオリエント絨毯｜フラ・アンジェリコ《諸聖人に囲まれた聖母》に基づく フィレンツェ サン・マルコ修道院

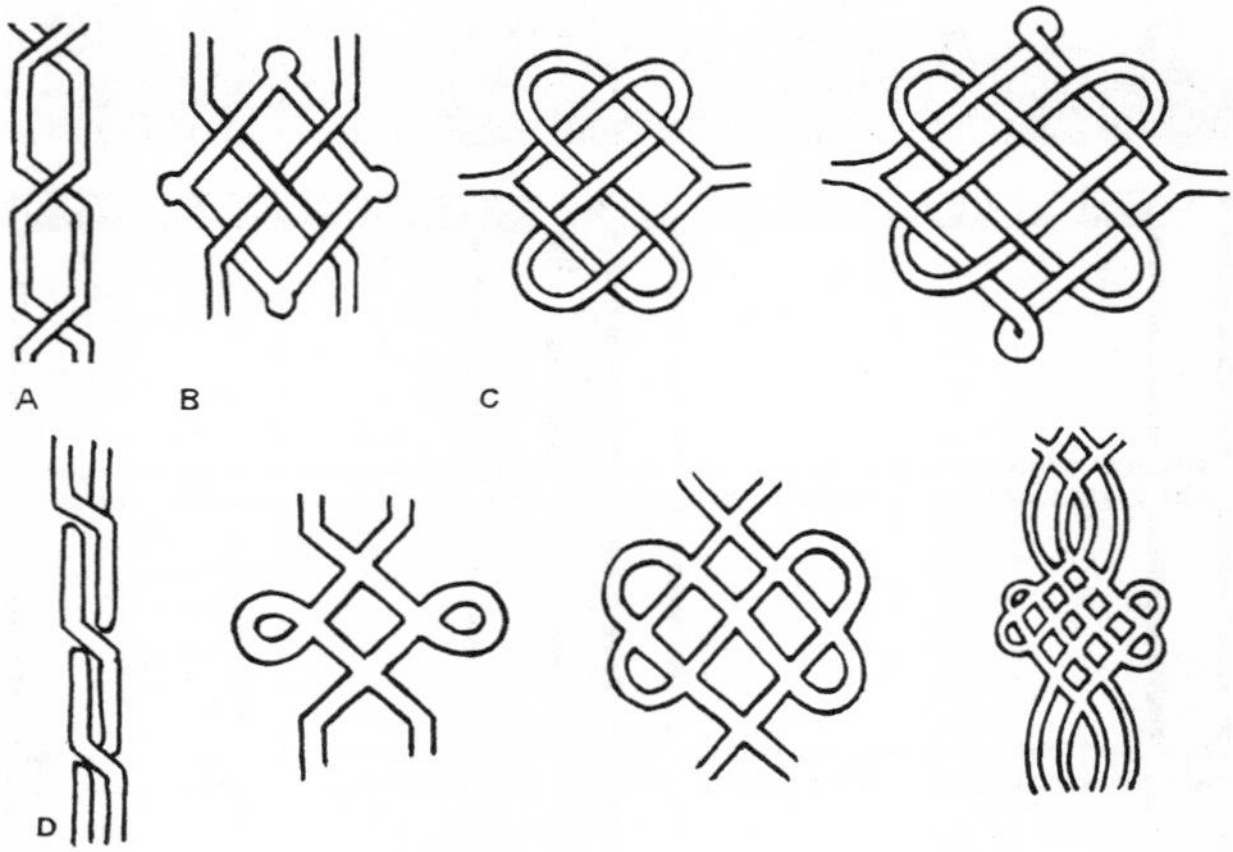

●図55(上)——クーフィー飾帯｜上：聖王ルイの『詩篇集』 1254-70年／下：サン＝スヴェールの『黙示録』 1028-72年頃

●図56(下)——ゴシックおよびイスラームの組紐｜A：ボハンの『詩篇集』 1370年頃／B：『テニソン詩篇集』 1284年／C：カンタベリーのリチャードの『詩篇集』 14世紀初頭／D：シリア＝メソポタミアの陶器　8-9世紀

●図57――ゴシックおよびイスラームの組紐｜A：フランドルの『聖書』 14世紀初頭／BとC：ゴーレストンの『詩篇集』 イースト・アングリア 14世紀初頭／D（中央）：ペルシアの果物皿 11世紀（？） シカゴ美術研究所

●図58——組紐＝円華飾り｜上から下に左から右へ：カシャーン産の椀　13世紀　個人蔵／モーレイ・ズィダンのマグレブの『コーラン』／オームズビーの『詩篇集』　14世紀初頭／マルグリット・ド・バールの『聖務日課書』　14世紀初頭／レオナルド・ダ・ヴィンチ／アルブレヒト・デューラー

●図59——樹による組紐｜レオナルド・ダ・ヴィンチ　ミラノにあるスフォルツァ城の壁面　1498年頃

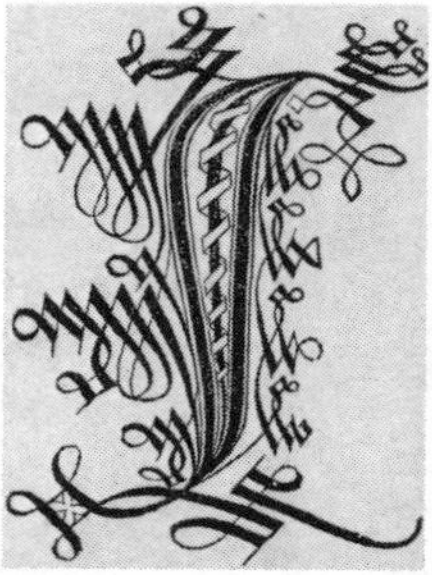

●図60——手書き組紐｜上：アントワーヌ・ヴェラールのもとで印刷された本の文字 1500年／下：ドイツの本の扉 1572年

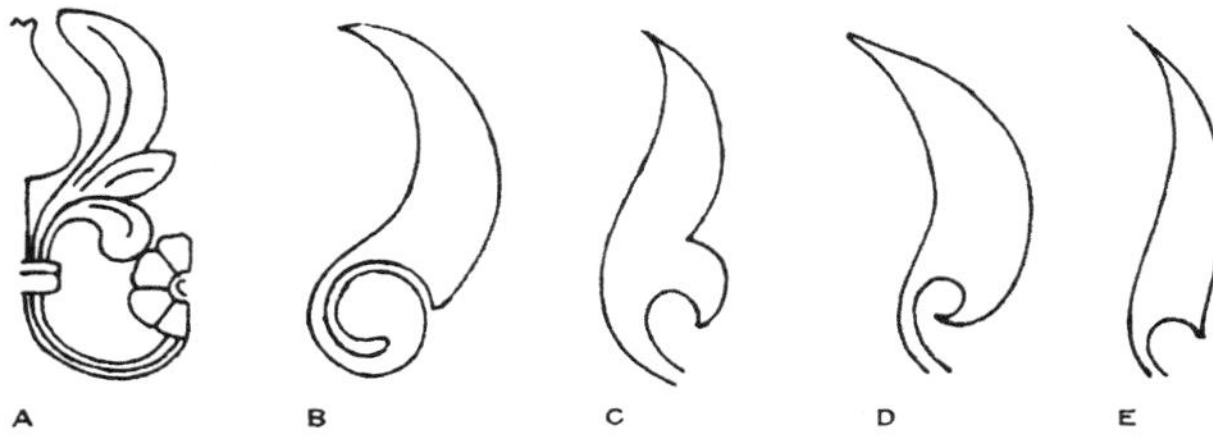

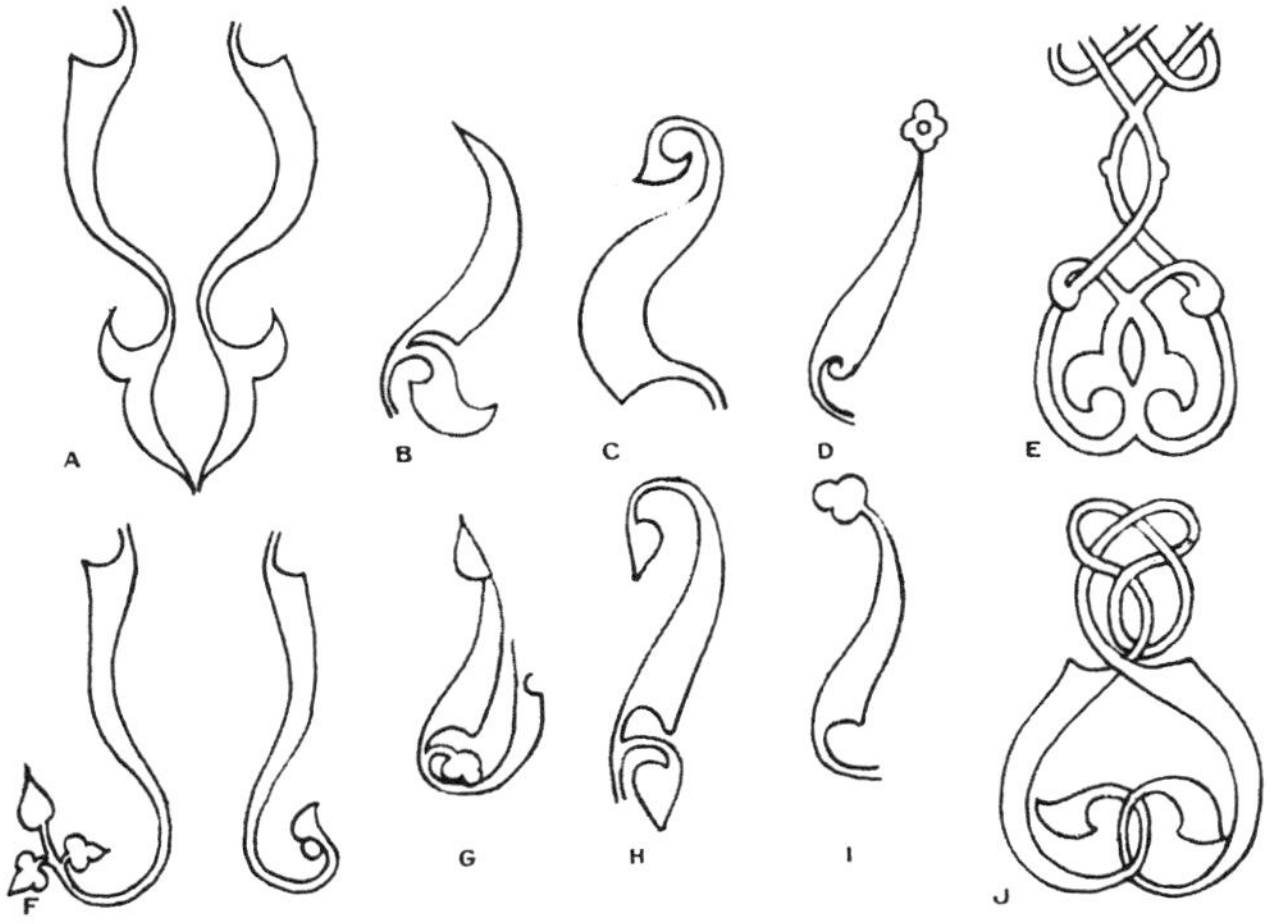

●図61（上）——半葉ルーミーの形成｜A：キシュのササン朝スタッコ　4世紀／B：サーマッラーのアッバース朝スタッコ　836-839年／C：ベニ・ハンマド族の城のファーティマ朝スタッコ　11世紀／D：古代風のペルシア陶器／E：文様型
●図62（下）——半葉ルーミー｜A：ペルシアの写本　1300年頃／BとC：ラゲス陶器　1221年以前／D：コルドバの象牙彫り　11世紀／E：シチリアの象牙彫り　11-12世紀／F：カンブレの聖セピュルクルの『聖務日課書』　13世紀末／G：レニングラードのフランス語写本　1230年／HとI：メッスの『聖務日課書』　13世紀末／J：アミアンの写本　1275-1300年

●図63——レース飾りの文様｜左：リュソンの『ミサ典書』 14世紀末／中：ジャン・ピュセルによるベルヴィルの『聖務日課書』 1330-40年／右：1186年に書かれた挿絵付コーラン

●図64——多弁状嵌枠｜左上：メソポタミアあるいはエジプトの織物　11世紀　ダラム／右上：サンス大聖堂　〈鷹揚〉／下：ドイツの織物　13世紀後半　イーゼンハーゲン大修道院

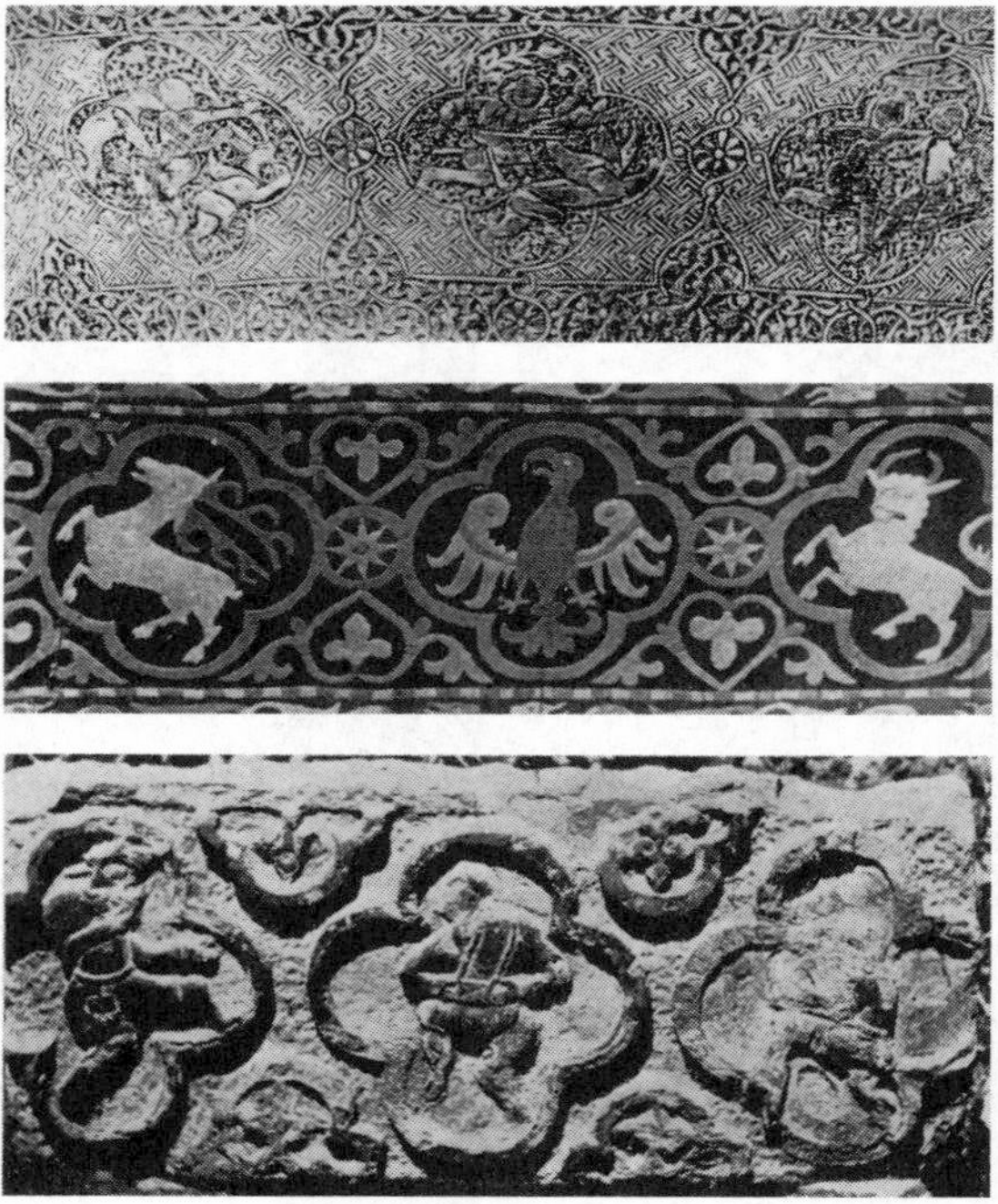

●図65——四弁状嵌枠｜上から下へ：象嵌銅器　モースル　1238-40年／ドイツの織物　13-14世紀　エプスドルフ大修道院／クーバチ（ダゲスタン地方）　フーナッラーのモスク　12世紀／アミアン　大聖堂基壇

●図66——四弁状矩形嵌枠｜上：カイロ小宮殿から出たファーティマ朝の梁　10世紀末-1058年／下：ルーアン大聖堂　書籍商の扉口　1290-1300年頃

●図67(上)——嵌枠の組み合わせを図柄とした織物｜左：イタリア＝モリスコの布地　13世紀／右：〈エッサイの樹〉　イギリスの『詩篇集』　14世紀初頭
●図68(下)——「アラベスク」装飾｜フランソワ・ペルグラン　1530年

第四章　幻想的アラベスク

第一節　獣文の回帰

オリエントの寄与はアラベスクや嵌枠縁だけに限らない。図像体系にも貢献があった。普段ならゴシックの典型的な主題が彫刻されるはずの四弁状嵌枠のなかにまでアジアの幻獣が姿を現す。ルーアン大聖堂のカランドの扉口では十三世紀の最後の十年間においてもなお本の頁とパラレルに宗教的・教化的な場面が連続しているのに対し、十年ほど後の反対側の「書籍商の扉口」（一二九〇—一三〇〇年頃）の四弁状嵌枠は異形と幻想的な生き物の侵略を受けている。[*1]おそらくわれわれは、写本の場合がそうであったように、「ゴシック的古典主義」の衰退の後に起こる、ロマネスク的基調と装飾的気紛れの覚醒に立ち合わされているのだろうが、しかしそこには四足獣の対文、寄せ木細工的な生き物、格闘文、すなわちイスラームならではのレパートリーもまた見られるのだ。

枠の内側にはファーティマ朝の梁におけるのとまったく同じやり方でセイレン鳥が嵌め込まれている。人像の列はもはや安穏としていない。アラビア的四弁状嵌枠における場合がそうであったように、花弁状嵌枠のあいだで引き裂かれ、激しい動揺に身を晒しているのだ【図66】。次の時代には影響がいちだんと強まった。リヨン大聖堂の基壇[*2]（一三一〇—二〇年）とケルンの聖職者席[*3]（十四世紀中葉）にはこうしたオリエント情緒が溢れている。鳥に襲われる野兎、対獣、狩猟場面、格闘場面、はては単頭四胴の獅子まで、十七世紀になってもなおペルシアのミニアチュールに再現されることになるものが、四弁状小枠内に場所を得ている。[*4]

絵画においては織物からこれらの主題の持ち込まれることがよくあった。彫刻に比べ、織物の影響を受けやすいからかもしれない。ディジョンでは聖堂の三つの楣のフレスコ画で知られているもの（十三世紀末）に多角形と、八星形と、四弁形と、環からなる格子枠が見られ、四足獣文、左右相称の禽文、一頭二胴の獅子文がそれらに嵌め込まれている。[*5] マイエンスのシャトー＝ゴンティエでもほぼ同じ時期に似たような題材が取り上げられている。[*6] この美術は紀元一千年紀的な形体をおよそゴシック的でない精神において復元してみせていることから、「ローカルな擬古趣味」としてそれを説明しようとする向きもある。しかしながらそれはイスラーム的潮流の新しい伝播に呼応する最新流行を代表していたのだ。柄はメッスやパリの浅浮彫りと同じく「サラセンの裂布」に倣っているが、しかし今度は全面的な模倣である。幾何学的な骨組だけでなく、裂布が怪物ともどもまるごとみごとに再現されているから。ドイツではケルンに模造工場が設立され、一四〇〇年頃これらの動物が紋章におけるように動きのない姿勢で描かれている[*7]（シュレスヴィヒ大聖堂）。同じモティーフは釉薬敷石にも広がるが、この技法もまた東方からもたらされている。ルーアンのサント＝カトリーヌ＝デュ＝モン大修道院（十三世紀後半）では円華文によって割封された敷石の環文の内側に獅子の対像が見られるが、これなど織物ならではのものである【図69】。

織物による伝達はロマネスク美術にも大きく貢献しており、そのときと同じことが起こっている[*8]。それは同じ産業のなかで幾世紀も前から安定化させられてきた同じ構図への回帰にほかならなかった。循環が再開したと言ってもよい。しかし、オリエントのレパートリーはいまや多様な道を介して、しかも奇妙なことに豊かさを増してやって来る。

第二節　アラビア的オーナメントの変身

生きている組紐文。動物のかたちをしたルーミー、四肢を欠いた獣。

イスラーム装飾の組紐文や半葉文もまた抽象的・植物的な形体とともにいくつかの獣形描法

に霊感を与えた。

組紐文は東方文明における最初の出現このかたつねに生き物の外観をまとっていた。[*9] そのため、もとを辿るなら蛇の結び目に帰り着くのではないかと考えたくなる。イスラームは古いアジア的基調との接触を断ったことがなく、組紐の主題を規則正しく再現してみせていた。十一世紀ないし十二世紀のラッカの鉢には組紐文が見出されるし、またセルジューク朝のメソポタミアやシリアではもっと頻繁にそれが見出された。[*10] ヴァン・ベルシェムによると、十三世紀には組紐のモティーフがオルトゥーク朝の紋章となる。アレッポ（シタデル門、一二〇九年）とバグダード（護符門、一一八〇―一二二五年）では爬虫類が龍であり、月と太陽すなわち天上の力によって捕捉された地上の怪物を象徴的に表している。[*11] それらはいまだ多様にして知的な結び目を持つ組紐文であった。

組紐のシステムは東地中海世界でのこうした広範な伝播から時を経ぬ間にゴシック美術のなかに再生してきた。イギリスの写本（一二八三―一三〇〇年）では獣が二本枝の組紐を描き出してみせる。[*12] オームズビーのイースト・アングリア系『詩篇集』（十四世紀初頭）では頭でっかちの爬虫類が二四、角の折れた、環をいくつも持った組紐文をかたちづくっている。[*13] ライン画派の『交誦聖歌集』（一三五〇年頃）ではそうした爬虫類が8字形をなし菱形に重ね合わされている。[*14] 組紐文の幾何学は糸のように脆弱な、しかし動作においては明晰にして潑溂とした生き物の姿をそこで画定している【図70】。

フランスではこの動物がさらに繊細にして神経質なものとなった。聖王ルイの姉妹の『詩篇集』の行末の小動物は二重8字形に編まれ、折れた曲線と弧形とで錯綜した数字のかたちをなしている。[*15] サント＝シャペルの『福音書抄本』では、龍が、といっても昆虫のごときものなのだが、メソポタミアの鉢の蛇のように首のところで組み合わされている。[*16] それらの龍は多辺形主義者によって構築されたがため折り畳まれているが、造形としてこれまでにない優美さを持つようになっている。

動物は抽象化されるからといって無に帰せられたわけではない。むしろその逆で、角《かど》も曲線もそれに躍動感を与えているように見える。獣もまた早々とこうした規則的な曲折から逃れ、自らの由って来たる組紐を解き始めた。

抽象的な組紐が「円華文」によって結び目を解かれるのは十五世紀になってからのことである。それらは生き物に姿を変え、結ばれては解かれる。ときには、同じ余白の上で。[*17] 爬虫類は四方八方に飛び散り、枝を生む。あるときは大きくうねりながら枝を展開させ、またあるときは枝を絡み合わせる。解こうとしても容易には解けぬように。その物狂いはケルトの錯乱《デマンス》にも通じる。これこそアイルランドの修道士たちの、カロリング朝時代の写字生すなわちスコッティ（scotti）たちの度を超した狂気への回帰にほかならない。誕生しつつある中世の屈折した幻夢は、西洋的な土壌の上で、かかるイスラーム的幾何学の思弁のなかに権利を回復したのだった。

かくして、組紐は動物的なものに変身する術《すべ》を見出し、生きた、およそ奔放な動物とともに発展していった。半葉ルーミーも同じ変化を辿った。十二世紀と十三世紀のペルシアの象嵌銅器[*18]でも、またオシン元帥の（一二七四年にシスで制作された）アルメニア語の『福音書抄本』[*19]でも、半葉ルーミーが長帽子を戴く人頭をかたちづくっているし、ホラーサーンの写本（一四一〇年）でも魚に姿を変えている。[*20]スペイン＝モリスコの釉薬装飾板には葉の端と中央にそれぞれ頭を有する同じオーナメントが見られ、それは先の尖った滑らかな躰の無足動物のかたちをとっている。[*21]

西欧ではこのような動物形体に半抽象的植物文様を組み合わせたもののほうが多い。あるときは頭がルーミーの先にくっつき、そこで頂華としてバランスを保っている。[*22]またあるときは、獣の尻尾がルーミーに化けている。[*23]またあるときは、ルーミーがオリエントの場合と同じ先の尖った長帽子となっている。[*24]しかし、それは怪獣にもなった。足がなく、頭が半葉からそのまはえ出た獣がゴシック写本の植物文様のなかに溢れている【図71】。ルーミーは剣のように交差する。[*25]一つの同じ頭につながることでアラベスクを描くところも見られる。[*26]こうした植物文につきものの蔓草に混じって彷徨しているところも見られる。[*27]マルグリット・ド・バールとベルヴィルの『聖務日課書』にはこの種の小さな無足動物が群がっている。[*28] 躰の色々な場所に固定された頭と一緒に一重、二重、三重のルーミーがリボンのごときしなやかな動きをもって展開する。初めは花の咲く枝と純粋な線しか展開させぬように見えたこの飾りのなかに、敏捷で悪戯好きの動物が群れ集う。ゴシック的中世はロマネスクの特質をなす、動物のかたちをしたオーナメントを放棄するのでなく、自然のなかにそれらを取り込み、洗練させながら復興させた。動物は抽象装飾のなかで、よりいっそう柔軟に、よりいっそう脆弱に、よりいっそう厳格になったが、それはオリエントでも同様に進化してきた同一の思弁のなせる業だったのだ。

第三節　人頭・軀幹唐草

オリエントにおいて。西欧において。無脚人。人のかたちをしたナスヒー体。

この植物にはまた別な主題も属している。すなわち、花に化けた獣、もしくは人間の頭部を、あるいはまたなんと軀幹を有する唐草、さもなければ単なる枝の主題がそれである。

モティーフは古代地中海世界で知られていた。彫刻（スプリトの四世紀のディオクレティアヌス帝墓廟、およびトリポリタニアのアムルーニーの墓廟）[*29] や、絵画（ヴィラ・アドリアーナ、ティヴォリ）

にそれが見られる[*30]【図72】。しかし、システムがアジア起源だったこともあり、一般にはオリエント的形体と一緒に流布している。動物の姿に花開く植物は紀元前三千年紀初頭のインダス河流域のモヘンジョ・ダロの印章に早くも登場していた[*31]。ドニエプル河流域から発見されたアケメネス朝時代の黄金装飾板に見られる、先端が獅子、有翼獣、蛇などのかたちをしたパルメットは、この古い伝統との関係を復活させたものだとアッカーマンは指摘している[*32]。シベリアから出た同時代の黄金壺には鳥頭唐草がついている[*33]。頭を実らせた植物類はコプトの織物や写本類にもよく見られ[*34]、その過去を蘇らせた中世的オリエントの形象のなかに広く登場する。九—十世紀のイラクの織物（マーストリヒトの宝物）にも一本の樹から伸びたものが見られる[*35]。ロンバルディアの彫刻（パヴィアにあるテオドッタの石棺、七二〇年頃、チヴィダーレにあるシクアルド総大司教の祭壇前布、七六二—七八四年）ではそうした織物から同一のモティーフの想を直接得ていたのだろう[*36]【図73】。しかし、象嵌銅器の文様[*37]、織物[*38]、陶器では十二—十三世紀にもっと強力な伝播が起こった。一二一〇年、一二二〇年、一二四〇年、一二五〇年、一二八一年の遺品がとくに、その規模の大きさと連続性を物語っている[*39]。髯面の頭、角をはやした頭、野兎の長耳を持つ頭、驢馬、狐、犬、牛の頭、蛇や魚の頭、人の頭など、実に多種多様な頭が茎からはえ出ているからである。それらは、柔らかな枝に固定され、そこで果物のお化けのように平衡を保っている。たしかに、花が咲くにしては異様である。しかし、それはあくまで植物であって唐草動物や半葉動物の類ではけっしてなかった。

軀幹がまるごと植物の枝から吊り下がっている。下半身を欠いた人間、後半身のない四足獣、足のない鳥などが、渦巻文から直接跳び出てくる。[*40] それらは、すっぱりと切断されているにもかかわらず、植物をいきいきとしたものに見せている【図74】。一二四八年のモースルのある銅器では、〈双児宮〉が一つの茎から伸び出た二人の人像によって表されている。[*41] 枝という枝が芽を吹いているのだ。顔は数が増え、ひしめきあっている。マルケ・ド・ヴァスロ・コレクションにある筆箱では二本の唐草群で二十個の顔が数えられ、アイユーブ朝時代のスルタンの皿鉢（一二四九年）では一個の多辺形円華飾りに二十六個もの顔がついている。かくも野放図な開花はついぞ見られたためしがなかった。

これら交配種の復活にはオリエントのキリスト教徒たち、とりわけアルメニア人が一役買ったのではないかとサキジアンは考えている。[*42] 唯一、十一世紀以降のアルメニア彩飾写本に人頭唐草が姿を見せているが、しかしその画法がイスラームの文様体系と肩を並べられるようになったのは十二世紀末以前ではないし、ましてや十三世紀ではない[*43]【図75と図76】。とすれば、同一の源泉から一連のものが生じ、それらが並行して伝播していったと考えるべきだろう。

写本画において次にそうしたオーナメントが発展したのはホラーサーンのヘラート派においてであった。[*44] 顔と葉とを交互につけた渦巻文様は写本の画面全体にも、[*45] また欄外にも広がった。[*46]

装丁にも見られた。[*47] ミニアチュールを見ると、それが建物、[*48] 天幕、[*49] 絨毯を飾っていたこともわかる。[*50] パリの装飾美術館の写本も鹿、獅子、象などのいる同一モティーフを取り上げている。[*51] 中央にある人間の顔から茎が伸び出るそれらの構成の大部分と、銅器類の主題との一致、それはしっかりとして揺るぎない伝統の存在を物語っている。

西欧では人頭唐草の主題がその最初の伝播のときから早々と持ち込まれていた。八世紀のイタリアではメソポタミアやイランの織物からもたらされた主題が見られるし、またケルト美術でもコプトの織物からもたらされた主題に出会える。[*52] 人頭唐草はモンテ・カッシーノの装飾文字と初期ウィンチェスター派に受け継がれた。[*53][*54] フランス北西部の写本群全体では十二世紀初頭まで存続している。

十二世紀後半にはライン河とムーズ河の両流域の工房に新しい系統が成立し、それが初期ゴシック建築に広まった。ドゥーズの聖エリベールの聖遺物箱とケルンの聖アルビンの聖遺物箱には、そうした新型の人頭唐草の典型的な例が見られる。[*55] サン＝ドニのファサード、シャルトル（聖堂西側ファサード）、パリのノートル＝ダム（サン＝タンヌの扉口）、サン＝ルー＝デスランにも同じ組み合わせが現れる。マントでは扉口両端から伸び出る茎の先が鷹、猫獣、黒人の頭部に化けており、この茎も一匹のオリエント風の獣の口から吐き出されている。

人頭唐草の彫刻モティーフのなかには、アカンサスの上へ移植されたことで古代風の色合いを帯びているものもある。したがって、それらをヘレニズムの残存と考えることもあながち不可能ではない。ただし、ビザンティン世界と交渉を持ちながら発展したイタリア南部のロマネスク美術（十二世紀末のブリンディジのサン・ジョヴァンニ教会、一二二九年のビトントの説教壇）にもアカンサスの人頭唐草が使われていること[*56]から、オリエントの諸潮流と結びつけて考えることもできる。

しかしながら、西欧において純粋な人頭唐草がその主題から派生したすべてのヴァリアントとともに全面開花したのは、十三世紀後半から十四世紀にかけての写本においてであった。聖王ルイの『詩篇集』では、クーフィー飾帯によって縁取られた大型イニシャルの瘤を削る渦巻文様に顔がひっかかっている。[*57]スペインでは、アラビアの天分がいかんなく発揮された賢王アルフォンソ十世の『金石誌』の二重唐草にそれが見られる。[*58]ヨハネス・ポンハの『聖書』には、象嵌銅器の場合と同様、犬の頭をつけた植物の枝が走っている[*59]【図77】。モティーフは電光石火のごとくに広まった。長い茎の先では帽子を被った頭、巻毛や禿の頭、[*60]動物の頭——野獣、鹿、野兎[*61]——が揺らめいており、葉の混入していることも多い。[*62]それらの多くはオリエントの手本、しかもほとんどの場合はイスラームの手本とまったく同じである。ベルナルド・デ・テラーモのものとされる写本（アブルッツィ、十四世紀中葉）にはそれのアルメニア版が見られる[*63]【図78】。

軀幹唐草も同様に、写本装飾はもちろんのこと彫刻にまで取り上げられた。[*64] この植物装飾のなかからは後半身を欠いた生き物全体が再生してくる。デヴォンのウィリアムの『聖書』から十五世紀に至るまで、無脚人像は途切れることなく描かれ続けている[*65]【図79】。植物と一緒に穏やかな均衡を保っていることもあれば、[*66] 小枝の先に実る動物を襲うべく、楯、剣を振り上げ、弓を射ていることもある。[*67] 投網で狩りをし、渦巻文様の上をバネのように跳ね回る。音楽も演奏する。[*68] ミラノの『時禱書』でも「キリスト降誕」の星を手にした天使が茎から身を乗り出している。[*69] オランダ語の『聖書』（一四五〇―五三年）では、モースルの象嵌銅器にあった〈双児宮〉のように一本の枝から二つの上半身がはえ出ている[*70]【図80】。

こうした下肢のない生き物は、場合によると支柱を離れ、自由に闊歩し始める。いわゆるジャン・ピュセルの『時禱書』ではそれらが行末を埋めつくしている。[*71] 他の例でも、手足の代わりに尻尾を持った人物が欄外に沿ってひらひら舞っている。[*72] ときには、まったく別の躰に植え付けられていることもある。メッスの『司教典礼書』（一三〇二―一六年）では獣の首が、人の胴体をつけた小枝からなっている。[*73]

棒の先に上半身をくっつけた異版もある。竹馬の先にかつぎ上げられた躄《いざり》は、十三世紀の同じ時期、すなわち後半から末頃にかけ姿を現し、十四世紀に広められた。[*74] イースト・アングリア系と大陸系の写本類にはそれが数多く見られる。[*75] ジャン・ピュセルと彼の一派はそうした一本足の一団を立ち上がらせてみせた。[*76] 針の先の昆虫のように細長い棒の先端に取り付けられたそれは、驚くばかりの敏捷性を持っている。こうしたものはイタリアでも、スペインでも見られる。[*77]『アラゴン法典』（十三世紀末）では二系列が一つの躰の上で組み合わされている。[*78] 人間唐草は渉禽類とも重なり合う。生き物には二つの軀幹と四本の腕があり、下肢がない。

この種の軀幹は真っすぐ伸びた枝の先につけられることで植物性動物の仲間入りを果した。しかし、それが結びついた相手はアラベスクでなく、人をかたどったナスヒー体だった。

象嵌銅器の碑銘飾りには植物主題が取り上げられる。そこでは動物の頭部をともなう曲線と人頭――軀幹全体――をともなう槍の柄とが一つになる。[*79] ヘラートの工匠が作った一一六三年の年記のある銅製皿鉢ではそれが帯状に長く延びている。[*80] 西欧に見出されるのも、まさに寄って立つ杭の上で手を動かしているそうした無脚族なのだ【図81】。クーフィー文様は抽象的なまま変わらずにあるのに対し、ナスヒー体の銘文の方は、そこに動物と異形人を採り入れている。

第四節　「ワクワク樹」

人頭樹。イスラームの伝承・図像における、動物のかたちをした植物と言葉をしゃべる植物。西欧的メタモルフォーズ——頭をつけた〈生命の樹〉とライン河一帯でのその作例群、中世植物学におけるオリエント的寓話、〈日輪樹〉と〈月輪樹〉、紋章としての〈悪の樹〉、〈錬金術の樹〉、〈エッサイの樹〉と〈魂の闘いの樹〉。

動物を実らせる植物は装飾文様と伝承の二重の伝統に依存している。この植物はもとを辿ればば〈生命の樹〉であり、その生命力があまりに強く荒々しいがため植物の枠から逸脱してしまったのだ。これまで取り上げてきた構成（モヘンジョ・ダロ、マーストリヒトのメソポタミア産織物、イタリアのロンバルディア地方に見られるオリエント風彫刻）のなかには、人頭樹の姿をした植物があった。動物を実らせる植物はビザンティンの図像学にも入り込んでいる。九世紀という時代はイメージ・システムが古典的な霊感と絶縁し、民衆的で荒々しいオリエントの上潮とともに再生してきた偶像破壊時代であった。その頃に制作された『クルドフの詩篇集』にも動物を実らせる植物が描かれている。[*81] ティッカネンによれば、「こはエホバの門なり、ただしきものはその内にいるべし」という「詩篇」第一一八篇二〇節に呼応する天国図には人頭をつけた柴が出てくる。このヴィジョンは、八世紀以降アラビアに流布した、生き物を産む樹木についての小話と関連がありそうだ。

物語にはいくつもの異本が存在する。[*82] ある本によるとこうだ。この驚くべき樹ははるかかなたの島からもたらされたものであり、梢にアダムの息子の頭を実らせていた。それらの頭は、朝な夕なに「ワクワク」との叫び声をあげ、造物主への讃歌を唱うという。別の本によれば、樹は女性の躰をまるごと実らせ、その「ワクワク」という呼び声は凶兆とされた。伝承は十世紀に書かれた『インドの驚異に関する書』のなかで語られており、そこでは人の顔にも似た、南瓜のような実をつける樹とされている。しかし、人頭樹に関する最古の記述は、七五一年のタラスの戦いでアラビア人に捕えられた中国人杜佑が後に撰した『通典《つてん》』のなかにある。テクストはその典拠まで正確に記している。

大食（アラビア人）の王は、一隻の船に人々を乗せ、衣類と食糧を積み込ませ、海のかなたへ遣わした。八年の船旅の後に、人々は方形の岩礁を眼にとめた。その上には赤い枝に緑の葉のついた樹がはえていた。梢には小さな子供がびっしり実っていた。彼らはみな、身の丈六、七寸で、言葉はしゃべらなくとも、人を見ると笑い、身を動かすことができた。

彼らの手、足、頭は、枝にしっかりとくっついていた。もぎ取って、手のなかに入れるが早いか、枯れて黒くなった。遣わされた人々は、その枝を一本持ち帰り、これは現在大食の王の館にある。

ジャーヒズの『動物誌』（八五九年）にもまた異版がある。曰く、ワクワク樹から動物と女が生まれ、それらが毛髪で枝から吊り下がっている。女たちは色づいており、「ワクワク」と言うのをやめない。枝からもがれるとしゃべるのをやめ、死んでしまう。十二世紀のアルメリアの逸名地理学者の『地理誌』によれば、これらの驚くべき植物はシナ海に浮かぶワクワク島にはえているという。葉は無花果のそれに似ている。三月初旬には結実が始まり、乙女の足がはえ出すのを見ることができる。胴体は四月、頭は五月に現れる。娘たちは素晴らしく、可愛らしい。六月初旬には地面に落ち始め、中旬には全部なくなる。落ちながらそれは「ワクワク」と叫ぶのだという。

十三世紀には寓話がカズウィーニーの『宇宙誌』（『被造物の驚異と存在の奇跡の書』）を通して広められた。アラビアの見聞録のなかでも寓話が繰り返し取り上げられている。[*83] ワクワク樹の伝承は、ある時期を境に、フィルドゥーシー（一〇一〇年）やニザーミー（一一九一年）の訳になるアレクサンドロス大王（イスカンダル）物語と結びつけられるようになる。[*84] インドに入ろうとする大王を歓迎する〈日輪樹〉と〈月輪樹〉――大王に向かって、かたやギリシア語で彼が世界を征服することを、かたやヒンドゥー語で彼がバビロンで死を迎えることをそれぞれ予言した――はイスラーム教徒の精神からすればごく自然に、言葉をしゃべる植物と合体したのだ。ワクワク樹のことは夜叉〔女〕の国における白馬の物語〔『雲馬本生』一九六番〕にも登場する。[*85]

伝承として世に広められた奇譚はまだほかにもあった。東洋には動物と一つになる植物が満ち溢れていた。ヒンドゥー教の庭園では石榴が花咲き、そこから多色鳥が生まれる。[*86] 地面に落ちた枝に生命が宿り、それが蛇のように這って進む、といった類の樹も存在する。逆に動物の方も、野菜かなにかのように地面に植えられる。「牝羊の臍を地中に埋め、それに水をやれば、そこから仔羊が生まれる。動物は雷鳴で芽を出す」。これは中国伝来の、タタール人の物語である。中国では唐の『史記』を通じてすでにそれが知られていた。『エルサレム・タルムード』はまた別な異本を提供してくれる。サンスのラビ、シメオンの註解書（一二三五年）によると、ヤドゥアと呼ばれる半人半獣の被造物は、山奥で成長し、臍の緒で根とつながっているという。周囲の草を貪り食い、近づくものなら何人にも襲いかかる。それを退治するには地面とつながった緒を断ち切るしかない。[*87] 同じ十二世紀末には、ラティスボナのラビ、ペタヒアも、人の姿をしていて、しかも葉が大きいデュダイムなる植物について言及している。[*88] 他の果実に混じってそれが育てられていた果樹園はニネヴェとバグダードのあいだにあった。すなわち、いくつかの象嵌銅器が植物と動物を一つに結びつけた場所と時代にあったということだ。言葉をしゃべる植物について言及する著述家はまだほかにもたくさんいた。たとえば、マイモニデス（一一三四—一二〇四年）はナバテア人の『農書』[*89]に関する文章のなかで、インドには幹に頭を実らせその髪を根として持つ樹があり、やはり同じ東洋起源のものと思われるマンドラゴラ[*90]と同様に人語をしゃべったと書いている。同様に、イブン・アルバイタル（一一九七—一二四八年）もその『本草学』のなかで、祭の日に叫び声を発するサラーッカに言及している。その叫び声を耳にした者は年内に死ぬ。人間、四足獣、鳥の姿に開花する植物はいずれの種類も、人頭をともなう装飾文様と一緒に同じ時期、同じ工房へ流布し、信仰や寓話のなかに登場してくる。これは装飾文様におけるのと同じ交配種の世界なのだ。

　装飾主題ももとを辿れば伝承と関連があったはずである。それが今度は、新しい小話の方へ示唆を与える、より自由な組み合わせによってそれらのファンタジーを多様化させたというわけだ。

　ペルシアのミニアチュールに見られるワクワク樹の形象は、装飾的伝統と寓話的伝統のかかる混淆を例証してみせている。われわれの許にもたらされたもののなかでもっとも古い例は、象嵌金属器や陶器に見られる人頭枝の伝播からさらに一世紀以上も後のものであり、それらの人頭枝の形体がミニアチュールのなかにも少しずつ取り込まれている。

タブリーズ派の『王書』（十四世紀初頭）には人頭をつけ、ワクワク樹のように言葉を発するイスカンダルの樹が表されているが、雄鶏、雄山羊、狐、兎等々の頭などオーナメントのときと同じものもそこに見られる[※91]【図82】。一四六〇―八〇年頃に描かれた植物の場合には獅子、豹、龍等の動物の鼻面だけ[※92]。カズウィーニーから想を得て、ジャラーイル朝の君侯アフマド・ハーンのバグダード図書館のため一三八八年に制作された逸名作家の『自然の驚異と造化の奇観』では、「頭楯によく似た葉と人間の頭と瓜ふたつの実」をつけたワクワク樹がテクストとおよそ無関係な構成によって表されている[※93]。その枝は唐草のように左右対称に伸びている。註釈と対応しているのは長い髪をした三人の女の顔だけ。が、ほかに馬、狼、猿、家禽、雄羊の頭も見える。それらは果実の代用品ではない。樹の幹も根もともに頭の寄せ木細工であって、会話さえできそうだ【図83】。カズウィーニー自身の『天地創造の驚異』（十五世紀ないし十六世紀初頭の写本）の、「不思議な声を発する」というワクワク島の樹も、象、鹿、雄羊などおよそ想像を超えた動物の頭を実らせている[※94]。図像は装飾システムによって完全に構成し直され、装いも新たになった。それはまさに統合であり、あらゆる神話、その原型がおそらく『クルドフの詩篇集』に見られるところの最古のアラビア版本以来発達してきた動植物のオーナメントすべての寄せ集めだった。

架空の樹も西欧へ移植され同じ変化を辿る。動物をかたどった古代アジアの人頭樹の流れを汲む前ロマネスクの図像の後、イスラームの異本で人頭と一緒に姿を現し、ついでほかからの寄与によっていちだんと豊かさを増した。最初のグループは十三世紀にラインラントとゲルマン系工房で成立している。ランズベルクのヘラートの『愉楽の園』（十二世紀末―一二〇五年頃）は、ベネヴェント写本、ビザンティン図像学、イスラーム世界に見られる宇宙誌についての思弁、これら三つの要素を一つにまとめ上げたものだが、そこでは天国が『クルドフの詩篇集』に見られるような人頭樹によって表されている。[*95] その素描の一つでは、オリエントからキリスト教世界へのその転調の一つと直接関係づけられそうなワクワク樹の近くにアダムが眠っている【図84】。他方のエバは父なる神の手のなかにあって、軀幹唐草の姿をしている。これなどまさに人のかたちをしたアラベスクである。そのかたちは人間から抽出されたもの、というよりむしろ枝から取られたものなのだ。創造主はエバを実のついた小枝かなにかのように刈り取っている。図像は婦女子を産む樹の小話の絵解きといえる。それは動物を増殖させながら外観を変えてきたペルシアの挿絵より、むしろアラビア語の文献に忠実である。

このラインラント一帯には異象を描いた作例がいくつもあった。チューリンゲンのヘルマン（一二一七年歿）の『詩篇集』には、永遠《とわ》の生命の実を配る族長アブラハムの姿があり、その下に異象が見出される。[*96] ヴォルフェンビュッテルのある写本の『天国』（一二五〇年頃）では族長が二本のワクワク樹のあいだにいて、その子らが先を競うように樹の実を手に入れようとしている。[*97] ヒルデスハイムの天井画（一二三〇年頃）では蛇に誘惑されるアダムとエバの右側に樹がはえている。[*98] トリーア大司教フェスティンゲンのハインリヒ（一二八六年歿）の墓碑[*99]では〈生命の樹〉がまた同時に〈死の樹〉でもある。そこでは葉を鬱蒼と繁らせた二本の枝が同じ幹からはえ出ている。先ほどのタブリーズ派の『王書』の場合と同様、果実の代用品としての頭、すなわち両翼のあいだでほほえみかける天使の頭と死者の頭がもしなければ、全体はなんの変哲もないものに見えるかもしれない。左側の頭は舞い上がるように見えるのに対し、右側の頭は地面に身をかがめている。これは時計の針の回る向きだ。生命は日の出とともに天へ昇り夕方になると再び地上へ舞い戻る。夜明けと日暮れに創造主への讃歌を唱う、アダムの息子たちの頭をつけた樹の寓話が、この形象に反響しているのかもしれない。それは、他所でもまた別なテクストと正確に合体している。

シディ・アリ・チェレビでは人間の頭蓋が樹上に熟すところが見られる。果実はほどよく熟すともげて落ち、散りぎわに「ワクワク」と叫ぶ。[*100]

おそらく、中世にはオリエントの伝承がアラビア人やユダヤ人の書物（コルドバのマイモニデス、サンスのラビ、シメオン、ラティスボナのラビ、ペタヒア）を通じて知られていたはずであり、事実、西欧人旅行者の見聞録のなかでもそれが取り上げられている。オドリーコ・ダ・ポルデノーネ（一三三一年）は、果実の代わりに身の丈わずか一腕尺そこそこの男女を産む樹について書きしるしている。[*101] 彼らは下端が幹につながっている。風の吹いているときには躰に生気があるが、空気の動きが止まると干あがってしまう。修道士オドリーコはこの記述をマラバルのある証人の口から採集したという。たとえば、リューベックの『健康の園』のような植物図譜では、ナルキッソスがこうした異象の一つとして表されている【図85】。アラビア人にすればワクワク樹はつねにインド起源ないし東アジア起源のものであった。フランシスコ会士はカディリ国で育つ羊樹についても言及している。四足獣がメロンのなかに熟すので、果肉と獣肉が同時に得られる。「多くの人は信じようとしないが、これもアイルランドの樹にはえる鵞鳥と同じくほんとうなのだ」[*102]。アイルランド、イギリス、フランドルは、しばらく前から鳥樹があるとされていた場所であった。[*103] 同様にジョン・マンデヴィル（一三六〇年頃）も二種類の鳥樹について報告している。[*104] 一四一三年、ジャン無畏公がベリー公に贈ったとされる『驚異の書』のミニアチュール[*105]には、鳥の姿をした実のなる枝を一本手にした西欧人に、ユダヤ人とアラビア人（?）の東方人が二人で「仔羊」（aignelet）の入ったメロンを贈ろうとしているところが表される。メロンは樹に実る、というわけだ【図86と図87】。十五世紀の版画でもこの有角獣は、ワクワク樹の雄羊と同様、その支柱と直《じか》につながっている。[*106] ボーヴェのウィンケンティウスでは物語がサンスのラビ、シメオンの版本と一致している。そこでは「スキタイの仔羊」（agnus scythicus）が黄色っぽい毛に覆われ、一本の長い小枝で地面と結ばれている。[*107] 一五一一年から一五二六年にかけてモスクワに遣わされたヘルバーシュタイン[*108]も動物のことに言及している。彼曰く、「イスラーム教徒は誰一人として毛皮の代用として帽子の裏あてに役立てようとしない、かの地〔サマルカンド〕に育つある樹木から剝いだ皮をヴェネツィアへ運ばせた。この樹木はサマルカンデオス（Samarcandeos）と呼ばれる。これは植虫類つまり動物性植物だと彼らは言った」。最後に、トゥヒャーも一四八二年に色々な動物を産む樹というのを紹介し[*109]、マンデヴィルの伝統をメロンではなく花に棲息する四足獣で踏襲している。[*110] それは、著者が一四七九年の旅行のさいにパレスティナで見つけることのできた伝承の曲解、というか改竄にほかならなかった。

ゴシックの植物のなかには、生命の宿る根として、「摘まれると、泣き、喚き、叫ぶ」マンドラゴラのほかに、ペルシアのワクワク樹のように人間や動物の頭からはえ出る植物というのもあった。十四世紀の『植物図譜』には、ごつごつした瘤のなかに横顔を浮かび上がらせる姿が見られる。[*111] ルッカのある織物は、マイモニデスのテクストにある通り、樹の根元に頭があり、その頭髪が地面に根を張る、そうしたモティーフを図柄としている。[*112] この植物文様のヴァリエーションはどれも西欧でつとに知られていた。

言葉をしゃべる樹は『アレクサンドロス物語』とともに再び登場してきた。偽カリステネスの伝統を汲む古典的ヴァージョンが最初であるが、そこではまだ頭のことが問題にされていない。〈日輪樹〉と〈月輪樹〉が不思議なことに口もないのに言葉をしゃべっているから。物語はボーヴェのウィンケンティウスの『歴史の鑑』（四章、五六節）に採り込まれた。最初のうちは挿絵もテクストに忠実であった。武勲譚の英語版であるケントのエウスタキウスの『騎士道大全』では、果実こそつけておらぬものの、枝がイスラーム色を横溢させた組紐文様を構成している。[*113] 予言する樹の表現は一歩一歩完成に近づいていった。ベリー公の『驚異の書』でも、インドに関するジョン・マンデヴィルの見聞録のなかにそれが見られ、こんもり繁った葉のなかから人間の顔立ちをした日輪と月輪が現れている。[*114] 著者マンデヴィルによると、そうした樹は野獣、大龍、大蛇のうようよいる島の砂漠にまだはえており、その実を食べ、「そこから立ちのぼる芳香」を嗅ぐと、三百年も五百年も命を永らえるが、距離ならびに危険な場所柄を考えるとてもそこへ近づくことなどできないのだという。[*115] 版画の挿絵になると、天体を思わせる顔立ちのこれら奇跡の実もその数を増す[*116]【図88】。しかし、いかに古代の伝承と結びついたにせよ、西欧ではワクワク樹が鳥や四足獣の頭を持つことなどありえなかった。

オリエント的形体を歓迎したとはいえ、中世はそれらの特徴、それらの外観をまったく別なものに変えてしまうことがよくあった。中世は自分たちの宗教的・象徴的体系にそれらを適合させようとしたのである。動物を産む樹は紋章としての〈悪の樹〉に姿を変えた。人頭樹は錬金術から道徳的エンブレムまで、その意味内容をたえず変化させていたのだ。

紋章としての〈悪の樹〉はまず図式的に描き出された。サン＝ヴィクトルのフーゴーの『精神と肉体の果実について』では、この、いわゆる〈古きアダム〉の樹も、〈傲慢〉が幹をかたちづくり、そこからはえ出た七本の小枝の先に〈羨望〉〈虚栄〉〈忿怒〉〈悲嘆〉〈吝嗇〉〈怠惰〉〈淫欲〉のメダイヨンが順に並ぶ七つの大罪の図解すなわち観念の寄せ木細工にすぎない。十三世紀にもドミニコ会士ラウレンティウスがフィリップ豪胆公のために書いた『王の大全』でこの樹形図が取り上げられている。そのなかの別なところでは、七つの大罪が黙示録の獣の七つの頭によって表されている。[*117] サフォークにあるホクスンのフレスコ画（十四世紀）では樹形図が七匹の龍の姿に花開いている。[*118] 怪獣は幹の先で口腔を広げ、枝が擬人化された悪徳を口から吐き出す獣と化している。凄まじい戦慄が咆哮も聞こえんばかりに樹を貫く。動物への変化の様は、葉と枝が手つかずのままになったオリエントの、動物の姿をした植物より完全であるとはいえ、しかし、変化の原理そのものはよく似通っている【図89と図90】。

一二六六年ロベール・ド・ロームによって書かれた『生と死の鏡』は、十五世紀にヴァロン地方の教訓劇の原型となったものだが、そこでは動物に変身するのが樹の枝でなくその根の方である。[*119]

なぜなら、彼女〔生〕がその上に腰掛けていたその木から、
死にも値する七つの大罪が生まれていた。
七本の根が七匹の蛇から
生まれていた、とたしかそのように思う。

寓意《アレゴリー》は一二七七年頃にフランス北部で作られた、*120 学問と詩の文献集成『スーラスの果樹園』（十四世紀初頭）に再現されている。*121 ヴァティカン図書館のある写本では、写本彩飾師用欄外書込みに混じってこの未完のスケッチが見られる。*122 楽師たちと一匹の悪魔にとりまかれた一人の女王すなわち〈反マリア〉を戴いた樹からは、先端が龍に化けた七本の根がはえ出ている。龍の尻尾の先には悪徳の化身である半身像が芽をふいている。〈悪の樹〉もワクワク樹と同じく雪崩うつ怪物によって震撼させられているのだ。しかし、これらの生ける根（淫欲の根［radix luxuriae］、吝嗇の根［radix avaritae］等々でありこそすれ、けっして個々に独立した獣ではない）は地中で大樹のごとく扇状に伸びている。写本の裏を返せば、それ自身が動物へ姿を変え、人間の軀幹を実としてつけている樹も別に見られる。先が小枝のようになった人物像は『愉楽の園』の「摘まれた」エバ像と同じくペルシアの唐草によく似ている【図91】。

人間を実らせる植物は中世以降後々までずっと生き続けた。一六〇〇年頃のリヨンの版画に

はクレーヴパンス島が次のような伝承とともに表されており、そこにもこの種の植物が見られる【図92】。

しかしもっと奇妙に思われるもの、
（話を潤色するつもりはないが）
それはある種の人々にとって新奇至極の魔法の樹。
かくも肥沃なこの土地の四方八方、
樹という樹にはどれにも、
千余人の人間が
実の代わりに枝からぶらさがっている、
トゥールの乾季の大樹に見られるように。

カルロ・ゴッツィ（一七二〇―一八〇六年）も、その『三つのオレンジの恋』のなかで、生き物（仔羊）を孕む果実（メロン）の話を取り上げている。タルタリアの王子は、砂漠で最初の二つのオレンジの皮をむき、そこから二人の可愛い姫君を取り出すが、彼女たちはたちまちのうちに乾涸びて死んでしまった。しかし、三番目のオレンジから出てきた姫君は救われ、王子に嫁ぐよう運命づけられた人となる。西洋へ移植された東洋の植物はたえず意味内容を変化させている。イスカンダルの樹はその果実を増やし、〈錬金術の樹〉に姿を変えた。一四二〇年以前に作られたライン派の写本『聖三位一体の書』には、人間の顔立ちをした月と太陽の顔をそれぞれにつけている古代風双面レビス像が二つ見られる。[*123] 〈月輪樹〉はいかがわしい衒学者を表す。その白い〈賢者の石〉は金属を銀に変える力しかないのに対し、〈日輪樹〉は真正な赤色の〈賢者の石〉、すなわち金を産む〈賢者の石〉をもたらす【図88】。インドの征服者と諸々の驚異の記憶が、秘められた生と俗世の富とを象徴的に表すこのヴィジョンに反響しているのだ。金はつねに太陽であり、銀はいまだ言葉をしゃべる植物となりきっていない。数年後のオランダ語版『聖書』(一四二五年頃)では躰を横たえた人間から樹が芽を出している。[*124] 十二個の妙にいきいきとした頭が、眼に見えぬ蔓棚に支えられてでもいるかのように細い小枝の先で揺れている。頭はどれも王冠を被っている。これなどはまさしく〈エッサイの樹〉である。ユダの諸王が梢の先で言葉をかわしている光景ほど、人を魅きつけるものがあろうか【図93】。

一五一五年頃にH・ブルクマイアーか、あるいはその画派の一人によって挿絵が描かれたペトラルカの『善悪の運命の処方箋』のなかに、さらに奇異な感じのする図像がある。われわれの手許にあるのは後代の版本だが、それも先ほどの構成と関係づけることができる。[*125] ここでも生命の宿る実をつけた樹が人間からはえ出ているのが見られる。しかし、今回は人像が横たわるのでなく立っている。男の懐からは、光輪に包まれ、彼に顔立ちの似た裸像と心臓とをつけた枝がはえ出ており、男はそれを鋸で引いている【図93】。このようなかたちで翻案されているものの、それは内面的な葛藤であり、魂の裡で起こっているだけに現実の抗争よりはるかに苦痛も大きい。哲学者はこの魂を三つの部分に分けている。まずは高い位置に置かれているもの、すなわち頭である。それは生を統べ、天上的で、静謐で、つねに神の近くにある。優しさと誠実という性向がそこに宿る。残る二つは、かたや怒りをはじめとする荒々しい感情（〈憤激〉〈熱狂〉〈迅速〉）が熱を帯び、発生するところの胸部（心）、かたや〈貪欲〉と〈汚物〉が定期的にかたちづくられるところの〈臓腑〉の下にそれぞれ宿る。こうした対抗力を説明するのに著作家なら嵐が二つ重なったときの海をイメージとして喚起しようが、版画家は人間に根を張った樹でそれらを具体化してみせる。光輪に包まれた小裸像は、その汚れた部分が腰帯の下に隠されている樹の全体の意味を明らかにしている。鋸の攻撃を受けているのは魂である。「魂が砕け散る」、そうした自己との闘いを男の動作が、それにともなう苦悩と苦痛を鋸がそれぞれ示している。[*126]

第五節　その他の主題

月の顔《かんばせ》。尻尾との闘い。もつれ合った構成――身体各部の入れ替えが可能な野兎、魚、馬、人、猿。

月の顔《かんばせ》、尻尾との闘い、入れ替え遊びの像、これら三つの主題もゴシック的イマジュリへのオリエントの寄与を示している。人の顔に見立てた月輪はイスラーム教徒の絵画にしばしば登場する。[*127] 一二七二年のナーシル・アッディーン・アットゥーシーの『真理の精妙』では、一三八八年の『自然の驚異』と同様、眼が有翼霊によって小箱のなかへ運び込まれている。[*128] 一三九六年バグダードの銘記のある一写本では二柱の天使がそれを空中で支え持っているところが見られる。[*129] しかし、それは単なる天上的肉体ではない。フィルドゥーシーこのかた、ペルシアの詩人はみな月のことを女性的魅力の至高なる権化と讃えてきた。「月の顔《かんばせ》をしたこの美女はグルナールと呼ばれていた。まるで金銀宝石、色彩、香水につつまれた絵のようであった……」。[*130]「月のごとく明るく……月の妹……満月にも似て……」。アルメニアにおいても同様に、月は美の一規範とされていた。だからこそ、それは装飾として役立つのだ。月光と優雅さの象徴である月の顔《かんばせ》は、オーナメントのなかにあっても美しさがひときわ輝いている。

十三—十四世紀のアルメニアの写本彩飾術は月の顔《かんばせ》を規則的に使っていた。顔は組紐文と一体化しながら、文字の縦線のなかに飾り釘として象嵌されている。[*131] 一三三一年にサルギス・ピザクによって彩飾された『福音書抄本』の口絵では、七つの顔が多辺形の内側へ二列に並べられている。[*132] ペルシアでは人頭唐草のなかに月輪が見出される。[*133] 十五世紀末のヘラート派の装丁では、十個の顔が様式化された葉柄の織物に重ね合わされている。[*134] それは淡い光を放っており、金銀細工にちりばめられた大粒の真珠を思わせる。

一三九〇年のゴシックの『司教典礼書』でも同じように異形の顔が環状に列をなす。[*135] だが丸顔の美しさは西欧でもペルシアと同様に讃えられていたのだ。

月の宮に生まれた者は、
恵まれた者であることを知る。
丸い顔立ちを持つこととなり、
かくも美しい容貌《かんばせ》は他所にない。

（『牧者の暦』、一四九一年）

ヴィラール・ド・オヌクールでは丸顔が人像をめぐる一連の幾何学的形象の一部に属してい

る。しかし、それは同時に、他のイスラーム的構成も見られる画帖の月の顔《かんばせ》でもあった。[*136] 十四世紀（?）のイタリアの写本、マンド司教ギヨーム・デュランの『司教典礼書』では、葉とルーミーの縁飾りのなかにこうした頭部が組み込まれている。[*137] これは赤や青で何頁にもわたって繰り返されている。あるデッサンでは動物の形体と結びつき、足と尻尾をもらい受けている。しかし普通は装飾品や宝石のごときものとして装飾のなかへちりばめられる。組み合わせはアルメニア文字のそれとよく似ている。アルフォンソ賢王の『金石誌』（エル・エスコリアル修道院蔵）では、先端が怪物の尻尾に化けた唐草のなかに日輪の嵌め込まれているのが見られる[*138]【図94】。が、それは単なる思いつきではなかった。天体は月食や日食のさい、龍に食べられるから。そうした光景はイスラームの構成のなかによく表されている。バグダード（護符門、一一八〇―一二二五年）では、子供に見立てられた新月を爬虫類が両側から脅している。アレッポ（シタデル門、一二〇九年）では、エル・エスコリアル写本の月の顔《かんばせ》のように日輪が尻尾に巻き取られている。[*139]

天の光明と地上の龍との抗争という伝承もまたオリエントに一つの複合体を生み出し、やがてヨーロッパ世界にもそれが登場することになった。敵対する者どうしが一つの存在と化す。地上の怪獣は星や星座を象徴する生き物の尻尾となる。あるいはそれが自分の軀幹を足とともに保持し、あるいはそれが頭のお化けを持った蛇となる。[*140] それがもっとも頻繁に登場するのは

〈人馬宮〉である。尻尾は矢を放ってくる射手を襲う。十二—十三世紀の象嵌銅器[*141]、オルトゥーク朝貨幣[*142]（一一八五—一二〇三年）などでこの図像がよく見られる。黄道十二宮の宮が、四足獣でなくして、すでに自分の身体の一部と化した龍と闘う人間であることもある[*143]。

こうした、自分自身との闘いの主題は西欧でも取り上げられた。ただし、ドロレリーの姿としてである。十二世紀末から十五世紀にかけてのフランス、フランドル、イギリスの写本にはこの一集団がこぞって見られる[*144]。半人半馬や人間が、その先端が怪獣の頭に化けた自分の尻尾と闘う。一般には弓でなく剣を手にして楯で身を護っているが、これもまた孤独な闘いではある【図95】。

これから検討していく最後の系列の方が、表現の技術においても、構成の効果においてもいちだんと異様である。身体の一部を、あるいは一方に、あるいは他方に属するもののごとく見せるというやり方でもって、いくつかの像を一つにまとめ上げようというのだ。リヨン大聖堂にある四弁状嵌枠（右側扉口の基壇、一三一〇—二〇年）には、輪になって九十度ごとに回転する四匹の野兎が見られる[*145]。野兎の耳は連鎖して中心に方形をかたちづくっている。八つの耳のうち四つしかない。しかし視覚の戯れからか、どの野兎もなるほど耳を二つずつ持っているように見える。

図像は文句のない成功を収めた【図96】。十五世紀ではサン＝モーリス・ド・ヴィエンヌ[*146]、パリのクリュニー館の礼拝堂、サン＝ブノワ＝ル＝シャトー（ロワール県）に彫刻されたものが見られる。とくにフランス東部（ティエルーズ、セルティニ）、スイス（ムオトタル大修道院）、ドイツ（ミュンスター・イン・ヴェストファーレン、パーダーボルン）に多い。[*147] 兎が三匹しかいないことも多く、その場合には耳が正三角形をかたちづくる。そこに三位一体の象徴を見ようとする向きもある。[*148] が、それは単なる気紛れにすぎない。というのも、同じ組み合わせが長方形の上にまた別な数でかたちづくられ、異形族と一体化していることもよくあるからだ。十六世紀初頭には印刷業者ジャック・アルノレが額飾りのなかでそれを使用している。[*149] そして、はては〈三兎亭〉なる旅籠の看板にまでなった。[*150] この種の回転像は十六―十七世紀になってもなお版画でよく見られる【図97】。ある文献に曰く、

まわせや、まわせ、我らもまわろう、
されば、一人ひとりに楽しみあげよう。
そして、まわったあとで、かぞえてごらん、我らの数を、
さあ、うそ偽りなしに仰天するよ……

もっとも古い作例が見られるのは、どうやら、中国領トルキスタン〔東トルキスタン〕にある、

六世紀から十一世紀にかけ岩壁に窟をうがち、装飾を施した敦煌仏教寺院の石窟の一つのようだ。そこでも同じ三匹の兎が天井中央の円枠のなかで、耳のかたちづくる正三角形の周りを回転している。[*151] これは宗教的な宇宙誌のエンブレム・レパートリーに属していたのかもしれない。主題はイスラームに踏襲された。ペルム地方から出た十二―十三世紀のある銀製壺でも、まったく同じ図柄がクーフィー体銘文とともに再現されている。[*152] ゴシックの画工は、ヨーロッパのみならずはるかウラル地方まで伝播した、この種の工芸品類の一つからそれを写し取ったのだろう。構成はイスラーム世界の芸術家のあいだでも少なからず流行していたようだ。[*153] モンゴルのミニアチュール（アクバル派）には十六―十七世紀になってもそれが描かれている。

入れ替えのきく三像の主題には魚を使ったヴァリアントもある。三匹の魚を、頭が共通になるよう、眼を中心に三角形に集めたものがそれだ。個々に見ればどの魚も然るべき姿をしており、頭も一つひとつ正確についている。眼の位置によって示される軸で回転させても、それぞれはやはり同じ魚である。これなどもまた三叉動物である。オリエント文明の両端、すなわちエジプトの第十八―二十王朝の赤色素焼とイスラームの影響を受けたイタリアやスペインの陶器にもそれは見出される。[*154] バレンシア近郊のパテルナの皿（十三―十四世紀）でもモティーフはその幾何学性を失っておらず、唯一、エジプトの蓮華だけがアラビア風文様に置き替えられている[*155]【図98】。オルヴィエトの盃（十四世紀）は、同じ骨組に嵌め込まれた、星形をなす鮪によって飾られている。[*156] フランスでは、一頭三叉魚がヴィラール・ド・オヌクール[*157]、エリヴォの敷石[*158]（十三世紀）、リュクスーユの要石[*159]に描かれている。イギリスでは、十三世紀末のピーターバラの『詩篇集』で、三叉魚がその匂いを嗅ぎつけた猪の鼻先で回転している。[*160] 二頭の馬も相互に対をなすように配される。二頭は互いに逆方向を向き、しかも相方の蹄が触れ合っている。上になった四足獣の薦骨部が下になった方の胸前とくっつき、またその逆にもなる。水平方向に走る代わりに、かたやひっくりかえり、かたや後肢で立った、二頭の馬を見ることができる。これは外形を変えなくとも視点を変えるだけで位置がひっくりかえる、二頭の馬の姿を借りた四頭の馬の組み合わせである。ファーティマ朝の梁の像と同様、図像は多弁状枠のなかに嵌め込まれる。ペルシアにもまったく同じものが見られる。[*161] われわれの許に届けられたイランの構成はもっとずっと新しいものだが、それらもクーマラスワーミーによるとごく古い伝統に依存しており、ためにそれらとイギリスの写本挿絵との同族性を容易に否定しがたいのだという。もしイスラームの形体の直接的寄与を中世のイマジュリのなかに認めようとするなら、これなどはまさに格好の事例であろう【図99】。

同じような回転図法は人像からも作り出された。ルーアン大聖堂（書籍商の扉口、一二九〇―一三〇〇年頃）では、同時代の、英仏海峡の向こうの写本の二頭の馬と同様、二人の人物が四弁状嵌枠のなかで背中合わせになっている。膝を曲げ、かたや俯伏せかたや仰向けに、しかもあべこべの方向を向いて横になっているのだが、腰帯を境にその上下の部分が垂直的にも一体化しているため、シルエットを天地逆さまにすることもできる。こうした形象は同大聖堂の聖職者席のミゼリコルディア[*162]、同じ街の裁判所にも再現されている[*163]。ロズニーの教会（オーブ県、十五世紀）、ヴァンドーム[*164]、オックスフォード[*165]にもそれが見られる。

十五世紀の版画にも猿の楽師で同じ効果を狙ったものがいくつかある。サーカスの曲馬のようないでたちの馬の背に猿が乗っている、というのがそれだ[*166]。片方は、馬上で、あるいは跨りあるいは横になり、もう片方は水平ないし逆さまに棒から吊り下がっている。中央に紙片をあて、それを回せば身体をつなぎ合わせることができる。軸をずらすだけで動かせる遊び、この図像はそうしたものとして考え出されている【図100、図101、図102】。

回転する双像は錬金術の象徴にもなった。鴉と不死鳥をともなう赤い男は〈非揮発性〉と〈硫黄〉を表し、白鳥と孔雀をともなう白い女は〈揮発性〉と〈水銀〉を表す。バシリウス・ヴァレンティヌスの書物（一四一三年頃）では、それらが一つの輪のなかにあるかのごとく、同一軸——水平軸と垂直軸——を中心に一方は仰向けになり、もう一方は俯伏せになっている[*167]【図103】。コルネリウス・レーンの銅版画（一五六一年頃）では二柱のケルビムの上半身と下半身が入れ替わるように表されている【図104】。しかしながら、モティーフはもっぱら技術の妙、おどけ、純然たる遊びとして広まった。十六世紀の構成では立像と倒立像のそれぞれが各々の大地に立っている【図105】。

ブロンズ製の、ただしオリエントの、まったく同じ像がワシントンのナショナル・ギャラリーに保存されている。正確な出自が未詳のうえ年代も不確かなものだが、これなども間違いなく同じ源に連なっている。そこから、イスラームの形体と一緒に中世へ広まった野兎、魚、馬の、相互入れ替えのきく要素でできた構成などすべてが流出したのだ。

ゴシックの図像体系がイスラームの仲立ちによって迎え入れた洗練と驚異のなかで、技術が事物を凌駕した、かかる技巧の実践、かかる芸術至上主義の誇示には、イスラーム精神が真正直に映し出されている。しかしながら、それらの源はいずれも、象徴と記号によって支配されたアジア的レパートリーに遡る。アッシリアのある水晶印章に、中央で脚をからみながら輪になった四人組像が見られるではないか[*168]【図106】。それはおそらく宇宙開闢の典型的な一主題を表していたのだろう。

第六節　ムザッーヒーブとゴシックの写本彩飾師

生成しつつある新しき西欧は、人間と生命のイメージを復興したからといって、それに先立つ時代の一側面全体を規定してきた幻想的オリエント中世を等閑にしたわけではなかった。その影響が強まったのは、ゴシック美術がその方法を自家薬籠中のものとし、まさに成熟を迎えんとする頃であった。ゴシック美術の眼を玉石彫刻へ向かわせてきた様式の弱体化と気取りも、この影響の浸透の助けになったのだろう。オリエントの諸工房の西方への移動、模倣芸術の発展も、趣味の進化のまさしくこの時期に起こった。それらの諸工房がまずもって貢献したのは、技巧面での練達、細工という点においてであった。アラビア式の多弁状小嵌枠のなかにゴシック式の小像が場所を得たこと自体、秘められた憧憬と明白な計画性をはっきりと示しているのではないだろうか。しかしそれと同時に、オリエントは、西欧の画工たちを装飾的思弁とオリエントの異形族へ立ち戻らさせ、幾何学的な幻夢、非現実的な存在、世界の驚異を中世に復活させた。すでに何度かにわたってヨーロッパ世界を征服してきたのは組紐文や動物誌の蘇生である。格闘する四足獣と鳥、双像、混成動物、多体の生き物は円形嵌枠へ復帰した。東地中海世界の文様的基調はゴシック時代の真只中に再生したが、しかしそれとともにいまや新しい洗練も持ち込まれてきた。

組紐は、多辺形を配した図柄、無数の結び目からなる円華飾りに組み直された。葉は先が尖る。これらのアラベスクにはいっそう繊細で、いっそう乾いた筆使いが気取った調子を与えている。彫金術の精確さもそこにはしばしば見出される。オーナメントは動物にもなる。ルーミーは無足獣を孕み、組紐文は紐状の生き物を孕む。ロマネスク美術を支配していたオーナメント様式も、十三―十四世紀の写本に見られるこうしたきゃしゃな動物と一緒に再興してきた。新たな生気がほとばしる。唐草は恐ろしい実を結ぶ。竿の先にはナスヒー体風の人間がつく。生《なま》の植物は異常な草花で身を飾る。中世の幻視や寓意にアラビアの小話が移植された。フィルドゥーシーによって歌い上げられた月の顔《かんばせ》、顔が連なる円環帯、自分の尻尾と闘う異形、そして一連の回転形体と転倒の奇観、これらは言葉をしゃべる植物とともに広まった。

こうした主題は、しばしば驚くばかりの忠実さをもって再現され、また西欧との接触を通して豊かになることもよくあった。西欧の装飾的天分はこれらの寄与によって息を吹きかえし、生き物と植物や抽象文様との混淆を多様化してみせた。ゴシックの混成動物はそれを予示していたイスラームの動物よりいちだんと変化に富んでおり、他方でまた全体が新しい熱狂をもって変わる。ルーミーは蔓草と一体化した。唐草の先端に実る人間の軀幹は支柱を離れ、後半身なしに彷徨《さまよ》い歩く。組紐はそこから生まれてきた爬虫類によって結び目を解かれ、「花文字」として結び直された。しかし、これらはどれもいまだ魔術を拠りどころとしており、ゴシック美術のなかに起こる、図像と装飾の分裂に貢献していたのだ。

現象は彫刻において確かめられる。彫刻では、十三世紀に入り、現実の方に向かって進化してゆく場面や像の傍らで、次第に自然と相容れがたくなるファンタジーが地歩を得るようになった。そのことは写本彩飾において、いっそうはっきりしている。文字通りのミニアチュールである挿絵様式と、彩飾術である欄外装飾とのあいだの区分が明確化するのが看て取れるからだ。デュリューはこの区分に注目し、その違いが当時使用されていた用語そのものによってどのように翻訳されているのかを明らかにしてみせた。[*169]「彩飾されたもの」(enluminé) という語は、欄外の奇想が出現し、まさに展開せんとする時期に使われだしたのに対し、ミニアチュールには「主題が飾られる」(historié) という言葉が用いられていた。十四世紀中頃まではこれらの形容詞が二つの独立したプログラムと対応していたようだが、しかし結局は二人の人間、二つの分明な職種、すなわち一冊の本のために協同することもよくあった彩飾師 (enlumineur) と主題画師 (historieur) を指すようになった。[*170] 様式と技術の対立は芸術家のあいだでの用語や分業の歴史から裏づけられる。すべてが生きている世界の方に向かう小さな絵のすぐ隣で繰り広げられる、装飾的技巧のかくも豊かな発展を助け、またそれと同時に、とりわけ西欧的な土壌への異国的形体の移植を助けたもの、それもまさに主題画と彩飾のかかる乖離だった。この点に関しては、ペルシアやアルメニアの用語法が、主題画師と文様師のあいだに、やはり同じ区別を設けていたことにも注意しよう。

サキジアンもオリエントの装本美術について、ポール・デュリューが西欧の実践に対してなしたのと同じ観察を行っている。[*171] アルメニアでは彩飾師という語に花 (dzaghig) の語源を持つザグゴグ（dzaghgogh）という言葉が対応しており、木草的な性格が古い写本彩飾の大部分を支配していた。イスラーム的言語では、金地、すなわち文字通りには金箔師を指すムザッーヒーブ（mudhahhib）という表現がそれに対応している。ためにそれはペルシアをはじめとするイスラーム世界に広く見られる装飾頁の、群青と隣り合った金地を直接に連想させる。同様に、写本頁、装飾欄外、ヴィネット飾りにもタザヒーブ（tadhhib）という特殊な言葉があった。中世も、こうしたジャンル区分を強調することによって、イスラーム的用法に多少なりと倣おうとしていたのではないだろうか。金地そのものは、中世においてもまたオリエントにおけるのと同じように、多くの写本のなかで光彩を放っており、しばしば写本彩飾美術と、またなんと技術的記載のなかにおいてすら結びついていた。それゆえシャルル五世の財産目録にも、「聖王ルイの大詩篇集」は「金地で華麗に彩飾され（enlumyné）、旧い図像によって物語られている（ystorié）」とあり、「同上、別のもっと小さな二巻本聖務日課書は二冊とも飾られ、金地で彩飾され（enluminez d'or）、白黒二色で物語られている（ystoriez）」とある。[*172] ペルシア人であれば、ムザッーヒーブの仕事、すなわち金箔師のそれと翻訳したに相違ない。いずれにせよ、ゴシックの縁飾り、剣状半葉文、星形組紐文、総縁飾りに現れるオーナメントのいくつかはタザヒーブと呼ぶことができるのだ。

しかし、このオリエントだけでもってすべてを説明できるわけではない。十三世紀には西欧の前にもっと広大で、もっとずっと異国的な世界が立ち現れ、視界に入ってきた。蝙蝠の翼手と鬼神について調べることで、その世界の性格や伝播の方法を明確にできるだろう。

原註

*1——L. Pillon, *Les Portails latéraux de la cathédrale de Rouen*, Paris, 1907, p. 59 以下。

*2——L. Bégule, *Monographie de la cathédrale de Lyon*, Lyon, 1886, 2e série, pl. III, IV. 3e série, pl. I, III, IV.

*3——B. von Terschowitz, *Das Chorgestühl des Kölner Domes*, Marburg, 1930, pl. 39, 80, 86.

*4——F. R. Martin, *The Miniature Painting and Painters of Persia, India and Turkey*, London, 1912, p. 164. 体を四つ持っている獣は、ヴェネツィアのサン・マルコ大聖堂に彫られているメダイヨンの内側にも同じものが見られる。

*5——P. Gélis-Didot et H. Laffilée, *La Peinture décorative en France du XIe au XVIe siècle*, Paris, s. d., pl. 31.

*6——M. Thibout, *Découverts de peintures murales dans l'église de Saint-Jean-Baptiste de Château-Gontier*, *Bulletin monumental*, 1942, p. 13.

*7——R. Borrmann, *Aufnahmen Mittelaterlicher Wand-und Deckmalereien in Deutschland*, Berlin, s. d., I, p. 35.

*8——L. Bréhier, *Les Thèmes des tissus d'Orient et leur imitation dans la sculpture romane*, *Études* *d'art du musée d'Alger*, 1945.

*9——前ファラオ時代のエジプト。スーサの装飾、前三〇〇〇年。グデアの灌奠壺、前二五〇〇年頃。

*10——M. Pézard, *La Céramique archaïque de l'Islam et ses origines*, Paris, 1920, pl. CXLIX. 年代については M. S. Dimand, *Mohammedan Decorative Arts*, New York, 1930, p. 157 を見よ。

*11——W. Hartner, *The Pseudoplanetary Nodes of the Moon's Orbit in Hindou and Islamic Iconography*, *Ars Islamica*, 1938, fig. 26 と 29.

*12——大英博物館 Roy. ms. 3D VI, O. Saunders, *English Illumination*, II, Panthéon, 1928, pl. 77.

*13——*Ibid.*, II, pl. 110.

*14——C. H. Weigelt, *Rheinische Miniaturen*, *Wallraf-Richartz*, *Jahrbuch*, 1924, I, fig. 5.

*15——S. C. Cockerell, *A Psalter and Hours Executed before 1270*, London, 1905, pl. VI と VII.

*16——H. Martin, *La Miniature française du XIIIe siècle*, Paris, 1923, pl. 5.

*17——H. Martin, *La Miniature française*, pl. 6 と 7 ; G. Warner, *Illuminated Manuscripts in the British Museum*, London, 1904, 1re série, Add. ms. 17341.

*18——マルケ・ド・ヴァスロ・コレクション *Survey of Persian Art*, Oxford, 1938, pl. 1317 および p. 93.

*19——A. Sakisian, *Thèmes et motifs d'enluminure et de décoration arméniennes et muslmanes*, *Ars Islamica*, 1939, fig. 24. F. Macler, *Quelques feuillets éopars d'un téltraévangile arménien*,

Revues des études arméniennes, 1926, pp. 169-176 参照。

＊20——Ph. W. Schutz, *Die persisch-islamische Miniaturmalerei*, Leipzig, 1914, pl. 35.

＊21——マラガないしグラナダのもので、アブー・ユースフ・ハッジの名が付けられている。サーレによれば、この人物はアルハンブラのユースフ（一三三四—五四年）でなく、ユースフ三世（一四〇七—一七年）だろうという。似たような断片はルーヴルにも見出される。H. Rivière, *La Céramique dans l'art musulman*, Paris, 1913, pl. 92 と fig. 8 ; G. Migeon, *Musée du Louvre : Orient musulman*, II, Paris, 1922, n° 152, pl. XLIV.

＊22——C. Gasper et F. Lyna, *Les Manuscrits de la Bibliothèque royale de Belgique*, Paris, 1937, pl. LIII a, ms. 5670 十四世紀初頭。A. W. Byvanck et G. J. Hoogewerff, *La Miniature hollandaise dans les manuscrits des XIVe, XVe et XVIe siècles*, I, Haag, 1922, pl. 49, 1450-52.

＊23——Abbé V. Leroquais, *Les Pontificaux des bibliothèques de France*, Paris, 1937, pl. XLVII, パリ国立図書館 ms. lat. 17336『ブザンソン使用司教典礼書』、十四世紀前半。

＊24——*The New Palaeographical Society*, VI, 1908, pl. 141 スペインの写本、十三世紀前半。E. Millar, *La Miniature anglaise du Xe au XIIIe siècle*, Paris, 1926, pl. 77 デヴォンの『聖書』。

＊25——E. Millar, *Exposition de manuscrits français au British Museum*, *Publications de la S. F. R. M. P.*, 1931-32, pl. XII, 大英博物館 Add. ms. 38144.

＊26——Abbé V. Leroquais, *Les Pontificaux*, pl. XLII, XLIII, XLV, パリ国立図書館 ms. lat. 17336.

＊27——E. Guillot, *Ornementation des manuscrits au Moyen Age*, Paris, s. d., pl. 15, パリ国立図書館

lat. 17326.

＊28——Abbé V. Leroquais, *Les Bréviaires des bibliothèques de France*, Paris, 1933, pl. XXII, XXIII, XXIV, XXIX.

＊29——G. Niemann, *Der Palast Diokletians in Spalato*, Wien, 1910, fig. 81 ; Ph. Berger, *Le mausolée d'El-Amrouni*, *Revue archéologique*, 1895, fig. 6.

＊30——P. S. Bartoli, *Recueil de peintures antiques trouvées à Rome*, Paris, 1783, fig. XXVIII.

＊31——J. Marshall, *Mohenjo-Daro and the Indus Civilization*, London, 1931, pl. CXII, n° 387.

＊32——Ph. Ackerman, *The Talking Tree*, *Bulletin of American Institute for Persian Art and Archaeology*, 1935, pp. 67-72. モティーフは A. Sakisian, *La Miniature Persane du XII*^{e} *au XVII*^{e} *siècle*, Paris, 1929, pp. 58-59 および *Thèmes et motifs d'enluminure*, pp. 80-81 と C. J. Lamm et A. Geijer, *En Miniatyroch en Matta, en studie over sentimuridiska groteskmatter fran Herat*, *Nationalmusei arsbok*, Ny Serie, Stockholm, 1930-31, pp. 26-51 とによっても研究されている。主題の展開については J. Baltrušaitis, *Une survivance médiévale, la plante à têtes*, *La Revue des Arts*, 1954, pp. 81-92 を見よ。

＊33——V. Smirnov, *Orfèverie orientale*, Sankt-Peterburg, 1909, pl. IX, n° 24.

＊34——W. Volbach, *Spätantike und Koptische Stoffe*, Berlin, 1926, pl. 28 ; W. de Grüneisen, *Les Caractéristiques de l'art copte*, Firenze, 1929, pl. XLIX.

＊35——J. Lessing, *Die Gewebe-Sammlung des K. Kunstgewerbemuseums zu Berlin*, Berlin, 1900, pl.

52 B.

*36——J. Baum, *La Sculpture figurale en Europe à l'époque mérovingienne*, Paris, 1937, pl. 73, fig. 195 および pl. LXXV, fig. 199.

*37——マルケ・ド・ヴァスロ・コレクションの筆箱（十二世紀末—十三世紀）*Survey of Persian Art*, pl. 1317. 一二一〇年に遡る筆箱 *Ibid.*, fig. 841. 一二四〇—四九年に遡る鉢 F. Sarre et F. Martin, *Die Ausstellung von Meisterwerken muhammedanischer Kunst in München*, II, München, pl. 147. いわゆるバルベリーニの壺（一二五〇年頃）G. Migeon, *Musée du Louvre : Orient musulman*, I, nº 88, pl. XXX. 一二八一年の筆箱 *Survey of Persian Art*, pl. 1336.

*38——バグダードの錦、一二八一年頃 O. von Falke, *Kunstgeschichte der Seidenweberei*, Berlin, 1921, pl. 18, fig. 122.

*39——ベルリン美術館、十三—十四世紀 *Survey of Persian Art*, pl. 702 C. ライプツィヒ美術館の釉薬陶器、十四世紀 Ph. W. Schulz, *op. cit.*, pl. A.

*40——*Survey of Persian Art*, pl. 1327, 1335, 1338 B. 同じ組み合わせは、コプト写本のなかにすでに現れている。

*41——F. Sarre et F. Martin, *op. cit.*, IV, Einzelaufnahmen, fig. 3057.

*42——A. Sakisian, *Thèmes et motifs d'enluminure*, pp. 80-81.

*43——エチミアジンの写本三七九番、十二—十三世紀、著者の挿絵とオシン元帥の『福音書抄本』、

一二七四年 A. Sakisian, *Thèmes et motifs d'enluminure*, fig. 24.

*44――A. Sakisian, *La Miniature persane*, pp. 58-59.

*45――Ph. W. Schulz, *op. cit.*, pl. 35 十五世紀末。

*46――F. R. Martin, *op. cit.*, pl. 240 一四一〇年の年記あり。

*47――A. Sakisian, *La Miniature persane*, pl. XLI 十五世紀末。

*48――コズレフが獅子と闘う場面を模した軍用テントの天蓋、十五世紀初頭 *Ibid.*, pl. XLIX.

*49――一四六七年のある写本にもとづくタメルランのテントの天蓋 F. R. Martin, *op. cit.*, pl. 69.

*50――パレード中のラクダの絨毯（一五五七年）A. Sakisian, *La Miniature persane*, pl. XLIX.

*51――R. Koechlin et G. Migeon, *Cent planches en couleur de l'art musulman*, Paris, s. d., pl. CXIX 十五世紀末。Ph・アッカーマン（Ph. Ackerman, *op. cit.*, p. 71）は同じ飾りのあるいくつかの絨毯を例に挙げている。

*52――N. Aberg, *The Occident and the Orient in the Art of the Seventh Century*, Stockholm, 1943, fig. 53.

*53――O. Piscicelli Taeggi, *Paleografia di Montecassino*, Monte Cassino, 1877, *Longobardo Cassinese*, pl. VIII, IX, XIII, XV.

*54――E. Millar, *La Miniature anglaise*, I, pl. 19 サン＝テドモン・ド・ブリーの『詩篇集』、十一世紀。

*55――O. von Falke et H. Frauberger, *Deutsche Schmelzarbeiten des Mittelalters*, Francfort-s.-M.,

1904, pl. XX.

＊56――M. Wackernagel, *Die Plastik des XI. und XII. Jahrh. in Apulien*, Leipzig, 1911, fig. 25.

＊57――H. Omont, *Psautier de Saint Louis*, Paris, s. d., f°s 85, 110, 141.

＊58――エル・エスコリアル、一二七六―七八年 J. Fernandez Montaña, *Lapidario del rey Alphonso X*, Madrid, 1881, pl. 12.

＊59――スペイン、一二七三年 G. Warner, *Descriptive Catalogue of Illuminated Manuscripts in the Library of Dysan Perrins*, II, Oxford, 1920, pl. XCVI.

＊60――オームズビーの『詩篇集』E. Millar, *La Miniature anglaise aux XIVe et XVe siècles*, Paris, 1928, pl. 4. ボープレの『交誦聖歌集』、一二九〇年 H. Yates Thompson, *Illustrations of One Hundred Manuscripts*, VI, London, 1916, pl. XIV.『フランス聖書』、十三世紀中葉 L. Olschki, *Manuscrits sur vélin avec miniatures du Xe au XVIe siècle*, Firenze, 1910, pl. III.

＊61――ルイ・ドマールの『聖務日課書』、フランドル、十四世紀第三・四半世紀 C. Gaspar et F. Lyna, *op. cit.*, pl. LXXV. ボープレの『交誦聖歌集』、一二九〇年 H. Yates Thompson, *op. cit.*, VI, pl. XIV.

＊62――Th. Belin, *Les Heures de Marguerite de Beaujeu*, Paris, 1925. エクス＝ラ＝シャペルの『ケルンの交誦聖歌集』、一三三〇年頃 C. H. Weigelt, *op. cit.*, fig. 2.

＊63――P. Toesca, *Monumenti e studi per la storia della miniatura italiana. La collezione di Ulrico Hoepli*, Milano, 1930, pl. LXXVIII は、一一九三年に遡るヴェネツィアのアルメニア語写本 S.

Der Nersessian, *Manuscrits arméniens illustrés de la bibliothèque des Mékhitaristes de Venise*, Paris, 1936, pl. XXIV, ms. nº 1635 の鳥尻と比較される。H. Yates Thompson, *op. cit.*, II, pl. XX と XXI の十四世紀イタリアの写本（四番）についても同じ。

＊64——F. Bond, *Woodcarving in English Churches*, I, *Misercordia*, London, 1910, fig. p. 12, Exeter, 1255-79.

＊65——O. Saunders, *op. cit.*, II, pl. 76.

＊66——E. Bacha, *Les Très Belles Miniatures de la Bibliothèque royale de Belgique*, Paris, 1913, pl. III と IV ピーターバラの『詩篇集』、十三世紀末。A. Durieux, *Les Miniatures des manuscrits de la bibliothèque de Cambrai*, Cambrai, 1861, p. 15 十五世紀。

＊67——C. Gaspar et F. Lyna, *op. cit.*, pl. LV ブラバント、十四世紀前半。E. Millar, *Livres d'Heures exécutés pour Geoffroy d'Aspremont*, *Bulletin de la S. F. R. M. P.*, 1925, pl. II 十三世紀末。A. W. Byvanck et G. J. Hoogewerff, *op. cit.*, I, pl. 2『フランドル聖書』、一三三二年。

＊68——L. Dorez, *Manuscrits de la bibliothèque de lord Leicester*, Paris, 1908, pl. XXIX イギリスの写本、十四世紀。J. van den Gheyn, *Le Psautier de Peterborough*, Haarlem s. d., pl. XVI 十三世紀末。

＊69——G. H. de Loo, *Heures de Milan*, Paris, 1911, pl. XIII 一四〇〇—〇五年頃。

＊70——A. W. Byvanck et G. J. Hoogewerff, *op. cit.*, I, pl. 71.

＊71——L. Delisle, *Heures dites de Jean Pucelle*, Paris, 1910, pl. 47, 48, 57, 59, 67.

＊72——A. W. Byvanck et G. J. Hoogewerff, *op. cit.*, I, pl. 2『フランドル聖書』、一三三二年。K.

Escher, *Die Miniaturen in der Basler Bibliotheken*, Basel, 1917 ; Th. Belin, *op. cit.*

*73—F. Dewick, *The Metz Pontifical*, London, 1912, pl. 64.

*74—J. van den Gheyn, *op. cit.*, pl. XXVIII ; H. Yates Thompson, *op. cit.*, VI, pl. III, XXX『フランス聖書』およびサント＝シャペルの『詩篇集』、一二九五年。

*75—O. Saunders, *op. cit.*, II, pl. 108 ; L. Olschki, *Manuscrits français à peintures des bibliothèques d'Allemagne*, Genève, 1932, pl. XVIII ; E. Millar, *Les Principaux Manuscrits du Lambeth Palace à Londres*, *Bulletin de la S. F. R. M. P.*, 1925, pl. XXXV ; H. Yates Thompson, *op. cit.*, VI, pl. L.

*76—Abbé V. Leroquais, *Les Bréviaires*, pl. XXX, XXXII, XXXIII, XXXIV ベルヴィルの『聖務日課書』。L. Delisle, *Heures dites de Jean Pucelle*, pl. 25 と 30.

*77—P. Toesca, *Monumenti e studi*, pl. LXXVI と LXXVII. 一三三八年の『交誦聖歌集』および、すでに引用したベルナルド・デ・テラーモの写本。

*78—*The New Palaeographical Society*, VI, pl. 141.

*79—*Survey of Persian Art*, pl. 1305, 1308, 1314, 1316, 1328, fig. 841.

*80—*Ibid.*, pl. 1308 レニングラード、エルミタージュ美術館。

*81—J.J. Tikkanen, *Die Psalterillustration im Mittelalter*, Helsinki, 1895, p. 33.

*82—『イスラーム百科辞典』（*Encyclopédie de l'Islam*, IV, 2, p. 1166）にあるG・フェラン（G. Ferrand）によるワクワク論文、および『通報』（*T'oung pao*, 1904, p. 484）のE・シャヴァ

ンヌ（E. Chavannes）の註を見よ。

＊83——ディマシュキー（一三二五年頃）、イブン・アルワルディー（一三四〇年頃）、アブシヒー（一三八八—一四四六年）ほか G. Ferrand, *Relations de voyages et textes géographiques arabes, persans et turcs, relatifs à l'Extrême-Orient*, Paris, 1913-14, p. 300, 334, 367, 470 を見よ。

＊84——F. Spiegel, *Die Alexandersage bei den Orientalen*, Leipzig, 1851.

＊85——T. H. Hendley, *Indian Animals True and False*, *The Journal of Indian Art*, XIII, 1909-10, fig. 2.

＊86——A. de Gubernatis, *La Mythologie des plantes*, Paris, 1878, p. 68.

＊87——H. Lee, *The Vegetable Lamb of Tartary*, London, 1888, p. 7.

＊88——E. Carmoly, *Tour du Monde ou Voyage du Robbin Péthachia de Ratisbomne au XIIe siècle*, Paris, 1831, p. 26.

＊89——D. Chwolsohn, *Die Ssabier und der Ssabimus*, Sankt-Peterburk, 1856, II, p. 458.

＊90——B. Laufer, *La Mandragore*, *T'oung pao*, 1917, p. 1 以下。

＊91——ワシントン、フリーア美術館。

＊92——オックスフォード、ボドリアン図書館 Th. Arnold, *Painting in Islam*, Oxford, 1928, pl. 38.

＊93——パリ国立図書館 suppl. persan 332；E. Blochet, *Inventaire et Description des miniatures des manuscrits orientaux de la Bibliothèque nationale*, Paris, 1900 および F. R. Martin, *op. cit.*, fig. 10. 写本についての知識は H. Masse, *Le Livre des Merveilles du Monde*, Paris, 1944 によ

って与えられる。

＊94――A. K. Coomaraswamy, *Les Miniatures orientales dans la collection Goloubew au Museum of Fine Arts de Boston*, Paris, 1929, pp. 22-23, pl. XIII, fig. 249.

＊95――A. Straub et G. Keller, *Hortus Deliciarum*, Strassburg, 1901, pl. VII, VIII. 一二〇五年という年が《キリスト降誕図》の傍らにある銘文上に現れている。

＊96――H. Swarzenski, *Vorgotische Miniaturen*, Leipzig, 1927, pl. 75.

＊97――A. Haseloff, *Eine thüringisch-sächsische Malerschule des XIII. Jahrhunderts*, Strassburg, 1897, pl. XXXIII, fig. 75.

＊98――R. Borrmann, *op. cit.*, II, pl. 30.

＊99――Didron, *Iconographie des anges*, *Annales archéologiques*, XII, 1852, p. 168.

＊100――トルコの詩人・船乗りのテクストは一五五四年に遡るが、おそらくそれも伝統のその後代の異本すべてと同じように、アラビアないしイランの古い伝承を踏襲しているのだろう。G. Ferrand, *Relations de voyages*, p. 513.

＊101――H. Cordier, *Odoric de Pordenone*, Paris, 1891, p. 112. 伝説はH・ユールによって刊行されたフィレンツェの写本にも見られる（H. Yule, *Cathay and the Way Thither*, London, 1866)。また A. de Gubernatis, *op. cit.*, p. 42 も見よ。

＊102――H. Cordier, *op. cit.*, pp. 425-426.

＊103――ピエール・ル・ピカールの『動物誌』（一二一〇―一五年）およびギョーム・ル・クレール

の『動物誌』、ボーヴェのヴィンケンティウスの『自然の鑑』、ゴーティエ・ド・メッスの『世界の姿』（一二四七年）。

*104——G. Warner, *The Bucke of John Mandeville*, The Roxburghe Club, 1899, p. 130 と 213 の註。

*105——パリ国立美術館 ms. fr. 2810, H. Omont, *Le Livre des Merveilles*, Paris, s. d., pl. 179.

*106——Jean de Mandeville, *Reise nach Jerusalem*, Augsburg, 1481. A. Schramm, *Der Bilderschmuck der Frühdrucke*, IV, Leipzig, 1912, pl. 98, fig. 682 参照。

*107——P. Lacroix, *Le Moyen Age et la Renaissance*, IV, Paris, 1851 E・ベギンによる chap. I, *Sciences naturelles* 参照。

*108——S. de Herberstein, *Rerum moscovitarum commentarii*, Basel, 1549. Cl. Duret, *Histoire admirable des plantes et herbes esmerveillables et miraculeuses en nature : même d'aucunes qui sont vrays zoophytes ou plantes animales, plantes et animaux tout ensemble, pour avoir vie végétative, sensitive et animale*, Paris, 1605, p. 328 の引用より転載。この興味深い書物は、中世の典拠から直接霊感を得ており、サンスのラビ、シメオン、マンデヴィル等について言及している。鳥、みみず、魚を産む樹、その落葉が動物のように走る樹といったものもそのなかに見られる。

*109——H. Tucher, *Reise in das gelobte Land*, Augsburg, 1482.

*110——植物は、カスピ海沿岸の山岳地（オドリーコ・ダ・ポルデノーネ）でなく、ジョン・マンデヴィルと同様、著者がシナと高地インドのあいだのルート上に位置させているカディリ国で

も育つ。

＊111——G. Battelli, *Il precioso erbario medioevale della Gambalunghiana di Rimini*, *La Bibliofilia*, 1936, p. 49 以下；E. Toesca, *Un erbario del' 300*, *La Bibliofilia*, 1937, p. 341 以下 fig. 5 と 6.

＊112——V. Slomann, *Bizarre Designs in Silks*, Copenhagen, 1953, pp. 67-68, fig. 74.

＊113——パリ国立図書館 ms. fr. 24364, fº 71 十四世紀初頭。

＊114——H. Omont, *Le Livre des Merveilles*, p. 190.

＊115——G. Warner, *John Mandeville*, p. 147.

＊116——ジョン・マンデヴィル、ストラスブール、一四九九年。A. Schramm, *op. cit.*, XX, pl. 260, fig. 2035 参照。

＊117——E. Mâle, *L'Art religieux du XIIIe siècle en France*, Paris, 1923, p. 108.

＊118——E. T. Long, *Some Recently Discovered English Wall Paintings*, *The Barlington Magazine*, 1930, pl. III a.

＊119——A. Langfors, *Le Miroir de la Vie et de la Mort par Robert de l'Omme (1266)*, *Romania*, XLVII, 1921, p. 32 以下 pl. I.

＊120——A. Boinet, *Les Manuscrits à peintures de la bibliothèque Sante-Geneviève*, *Bulletin de la S. F. R. M. P.*, 1921, pl. XV また E. Mâle, *L'Art religieux du XIIIe siècle*, p. 109 も見よ。

＊121——パリ国立図書館 ms. fr. 9220.

＊122——E. Langlois, *Notice du manuscrit ottobonien 2523*, *Mélanges d'archéologie et d'histoire publiés par l'École française de Rome*, V, 1885, p. 38 以下。

＊123——G. F. Hartlaib, *Signa Hermetis*, *Zeitschrift des deutschen Vereins für Kunstwissenschaft*, 1937, p. 104, fig. 1.

＊124——A. W. Byvanck et G. J. Hoogewerff, *op. cit.*, I, pl. 108. R・バウアーレイス（R. Bauerreiss, *Arbor Vitae, Abhandlungen der bayerischer benediktiner Akademie*, III, Müünchen, 1938, pp. 130-132）によっても、ベルゲンのノンネンクロスターにある十三世紀（?）のフレスコ画に似た構成のあることが指摘されている。

＊125——もっとも古い図版としては F. Petrarcha, *Von der Artzney bayder Glück des Guten und Widerwertigen*, Augsburg, 1532 が知られている。

＊126——ワクワクの主題の十九世紀までの残存と変容については J. Baltrušaitis, *Une survivance médiévale, la plante à têtes*, *La Revue des Arts*, 1954, nº 2, pp. 81-92 を見よ。

＊127——A. Sakisian, *Thèmes et motifs d'enluminure*, p. 81. 西欧的伝統は一般に、月（および太陽）を、メダイヨンにおけるように、円盤の内側に配された胸像あるいは頭部のかたちで表す。しかしながら、ミュンスターのザンクト・ヨーハンとモントワールのサン＝ジルの装飾フリーズには環に枠取られた顔が現れる。P. Deschamps et M. Thibout, *La Peinture murale en France*, Paris, 1951, p. 153, fig. 55 と 59 および E. W. Anthony, *Romanesque Frescoes*, Princeton, 1951, fig. 233 参照。

＊128——パリ国立図書館 anc. fonds persan 174 および suppl. persan 332. E. Blochet, *Les Enluminures des manuscrits orientaux, arabes, turcs et persans de la Bibliothèque nationale*, Paris, 1926, pl. XIX.

＊129——F. R. Martin, *op. cit.*, pl. 48.

＊130——Firdousi, *Le Livre de Rois*, trad. J. Mohl, Paris, 1878, V, p. 283.

＊131——S. Der Nersessian, *op. cit.*, pl. XV 一一三〇年の『福音書抄本』。

＊132——キリキアのドラザルクの修道院 *Ibid.*, pl. LXVIII.

＊133——Ph. W. Schulz, *op. cit.*, pl. 35 および A. Sakisian, *La Miniature persane*, pl. LXVIII, fig. 118.

＊134——A. Sakisian, *La Reliure persane au XVe siècle sous les Timourides, Revue de l'art ancien et moderne*, 1934, fig. 13.

＊135——H. Yates Thompson, *op. cit.*, VII, pl. XLIII.

＊136——H. Hahnloser, *Villard de Honnecourt*, Wien, 1935, pl. 36.

＊137——パリ、サント＝ジュヌヴィエーヴ図書館 ms. 143, f°s 1, 52, 53, 56, 92, 95, 140, 159, 165, 174, 247.

＊138——J. Fernandez Montaña, *op. cit.*, pl. 7.

＊139——W. Hartner, *op. cit.*, fig. 26 と 29.

＊140——*Ibid.*, fig. 1.

＊141——*Survey of Persian Art*, pl. 1312, 1314, 1336.

＊142——F. Sarre, *Islamische Tongefäsze aus Mesopotamien, Jahrbuch der preuss. Kunstsammlungen*,

1905, p. 76, fig. 11 a.

＊143——*Survey of Persian Art*, pl. 713 カシャーンの釉薬皿、十三世紀。P. W. Schulz, *op. cit.*, pl. M ペルシアのミニアチュール、一三四〇年。

＊144——E. Millar, *La Miniature anglaise*, II, pl. 52 マイルミートのウォルターの本、イースト・アングリア、一三二六年。P. Durrieu, *La Miniature flamande au temps de la cour de Bourgogne (1415-1520)*, Paris, 1921, pl. LXVI 十五世紀。

＊145——L. Bégule, *op. cit.*, p. 192, 2e série の pl. II, fig. A 3.

＊146——L. Bégule, *L'Église Saint-Maurice de Vienne*, Paris, 1914, fig. 172.

＊147——F. Voulot, *Note sur les sculptures du Moyen Age representant des triquètres*, *Bulletin de la Société des antiquaires de France*, 1879, p. 248 ; L. Maxe-Worly, *Études sur les carrelages du Moyen Age*, *Mémoires de la Société nationale des antiquaires*, 1892, p. 270.

＊148——K. Künstle, *Ikonographie der christlicher Kunst*, Freiburg im Breisgau, 1928, p. 228.

＊149——サンフォリアン・シャンピエの『婦人の舟』M. P. Allut, *Études sur Symphorien Champier*, Lyon, 1859 参照。

＊150——J.-D. Blavignac, *Histoire des enseignes d'hostelleries, d'auberges et de cabarets*, Genève, 1879, p. 363. リヨンの兎たちのことに言及しながら、著者は鹿による同じ構成も見たと言っている。

＊151——*Les Fresques de Touen-houang*, s. l. (Peking ?), 1953, pl. 8.

*152——V. Smirnov, *op. cit.*, pl. LXXIX, nº 142.

*153——I. Stchoukine, *La Peinture indienne à l'époque des Grands Moghols*, Paris, 1929, pl. XIX a.

*154——G. Maspero, *L'Archéologie égyptienne*, Paris, 1907, fig. 294 および H. Schäfer, *Ägyptische Fayencen, Amtliche Berichte aus den Kgl. Kunstsammlungen*, XXXIV, 1913, p. 54, fig. 23.

*155——M. Gonzalez Marti, *Ceramica del Levante Español, siglos medievales*, Barcelona, 1944, fig. 197. バレンシアは一二三八年に征服されていたが、地方工房ではアラブ職人たちが働いていた。

*156——P. Toesca, *Storia dell'arte italiana*, Torino, 1927, p. 1080, fig. 770 V.

*157——H. Hahnloser, *op. cit.*, p. 99, pl. 38 b.

*158——L. Maxe-Worly, *op. cit.*, 1892, p. 270.

*159——F. G. Dölger, *Die Fischdenkmäler in der frühchristlichen Malerei und plastik*, Münster im Westphalia, 1927, pl. 291.

*160——J. van den Gheyn, *op. cit.*, pl. XXI.

*161——一六一六年一〇月二〇日に署名され、リザ・アッバシーに帰せられている素描 F. Sarre et E. Mittwoch, *Zeichnungen von Riza Abbasi*, München, 1914, p. 27, pl. 11. A・サキジアン（*La Miniature persane*, p. 138, note 7）は、サファビー朝の画家の署名の真正性について疑問を投げかけている。ボストン美術館にも似たような素描がある A. K. Coomaraswamy, *La Collection Goloubew*, pl. XLII, fig. 89.

＊162——E. H. Langlois, *Stalles de la cathédrale de Rouen*, Rouen, 1838, pl. vii, 35.

＊163——J. Adeline, *Les Sculptures grotesques et symboliques*, Rouen, 1879, pl. xxxi ; E. Spalikowski, *Le Palais de Justice de Rouen*, 1939, p. 120. W・デオンナ（*Questions d'archéologie religieuse et symbolique*, VIII, *A béchevet*, *Revue de l'histoire des religions*, 1914, p. 136 以下）は、このグループを主題とは関係なしに、ローセルの旧石器時代のある浮彫りと関連づけている。

＊164——大聖堂の聖職者席。

＊165——ニュー・カレッジ。G. J. Witkowski, *L'Art profane à l'église*, Paris, 1908, I, fig. 192 と II, fig. 523.

＊166——W. L. Schreiber, *Handbuch der Holz-und Metallschnitte des XV. Jahrh.*, Leipzig, IV, 1927, n° 1985 m と n, *Affen als Kunstreiter, Verwandlungsbild* ; E. Major, *Horz-und Metallschnitte aus Sammlungen in Aarau, Basel, Romont, St. Gallen, Zürich*, Strassburg, 1918, pl. 6 おそらくスイス起源だろう。十六世紀には、コルネリウス・レーン（一五六〇年）およびアドリアン・ユベール（一五七六年）によって、恋人たち、男たちの似たような構成が版画化されている。それらは、十七世紀にはよく見られるようになる。

＊167——B. Valentino, *Les Sept Clef de Sagesse*, vers 1413. A. Poisson, *Théories et symboles des alchemistes*, Paris, 1891, pl. xv を見よ。

＊168——O. Ward, *Seal Cylinders in Western Asia*, Washington, 1910, n° 706 および J. Baltrušaitis, *Cosmographie chrétienne dans l'art du Moyen Age*, Paris, 1939, fig. 34.

＊169——P. Durrieu, *L'Enlumineur et le Miniaturiste, Comptes rendus des séances de l'Académie des inscriptions*, 1910, pp. 330-345.

＊170——この用語法には最初いくらかの躊躇もあって、人については、仕事についてほどの区別がないとデュリューは指摘している。一人の芸術家が二つの職業を兼ね備えていることもあっただろう、ジャン・ピュセルの場合のように。しかし写本彩飾師が、ミニアチュールそのものにおいて、細密画家より優れていることもよくある。時代が下ると、芸術家についても区別がなされるようになる。

＊171——A. Sakisian, *Esthétique et terminologie persanes, Journal asiatique*, 1935, p. 145 以下と *Mahmūd Mudhahhib, miniaturiste, enlumineur et calligraphe persan, Ars Islamica*, 1937, p. 338 以下。また R. Ettinghausen, *Manuscript Illumination, Survey of Persian Art*, p. 1937 以下も見よ。

＊172——J. Labarte, *Inventaire du mobilier de Charles V de France*, Paris, 1879, n°s 3295, 3303.

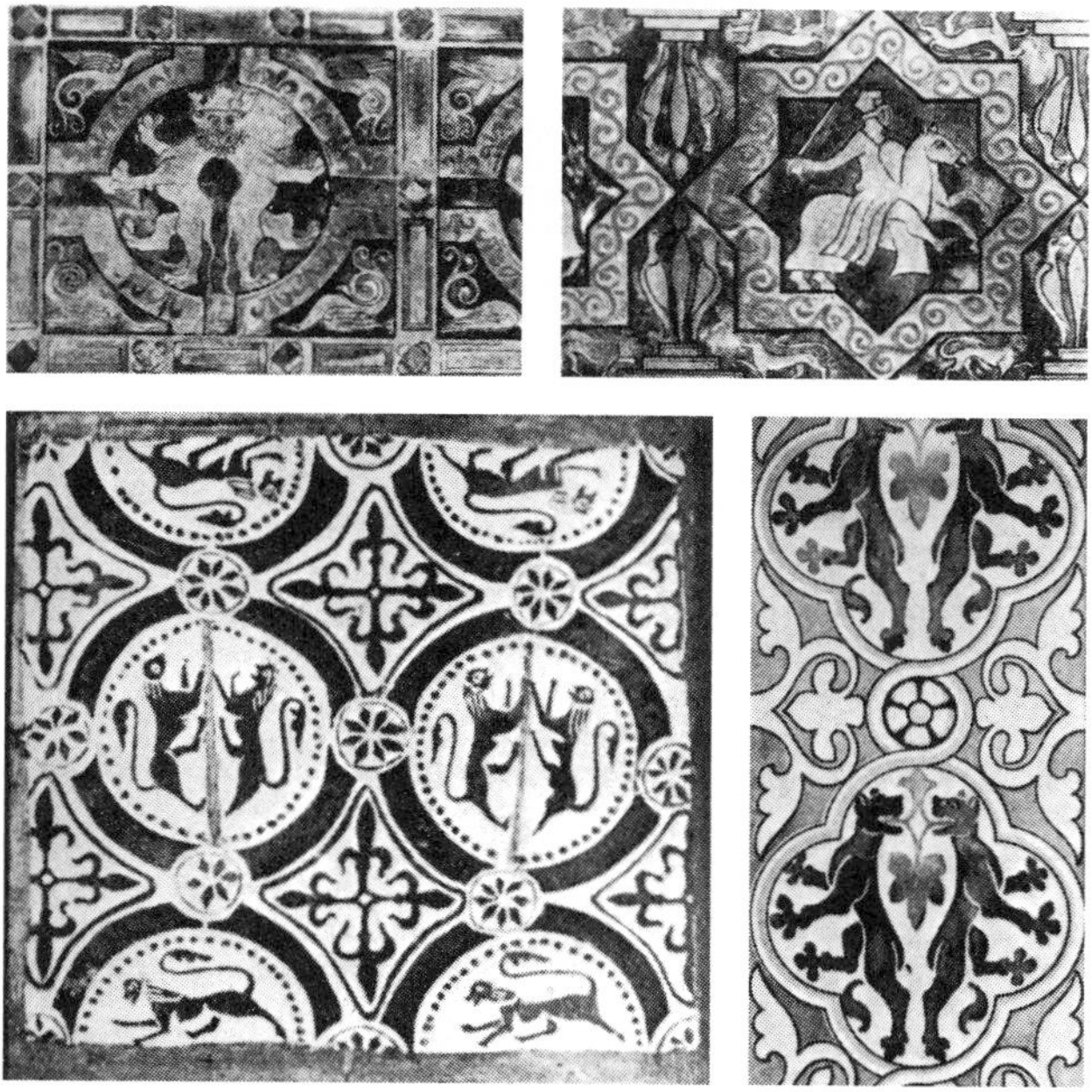

●図69——描かれた織物｜左上：ディジョン　大聖堂の梱　13世紀末／右上：ルーアン　サント＝カトリーヌ＝デュ＝モン大修道院の敷石　13世紀後半／下：シュレスヴィヒ（ドイツ）　ザンクト・ペーター教会の内陣　1400年頃

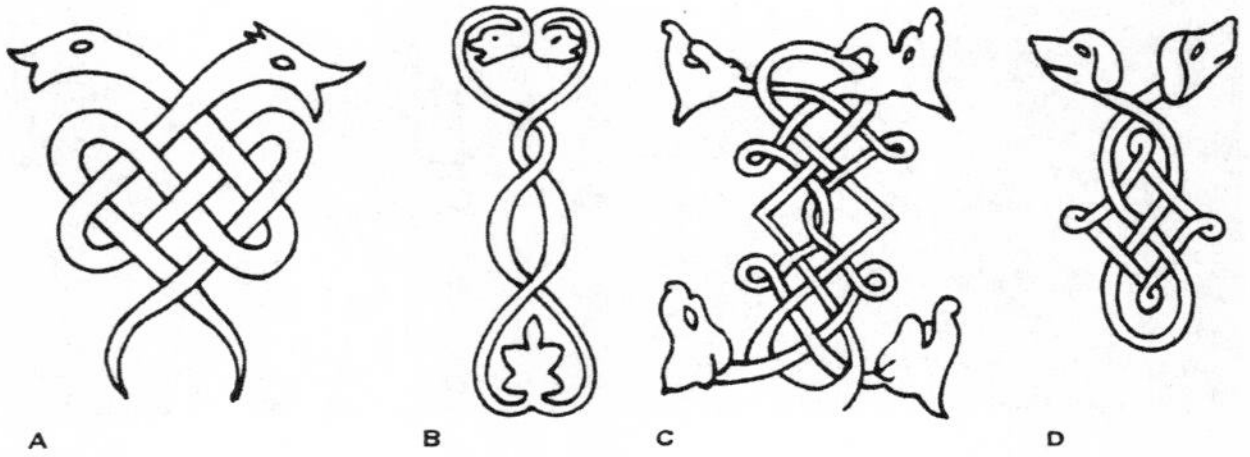

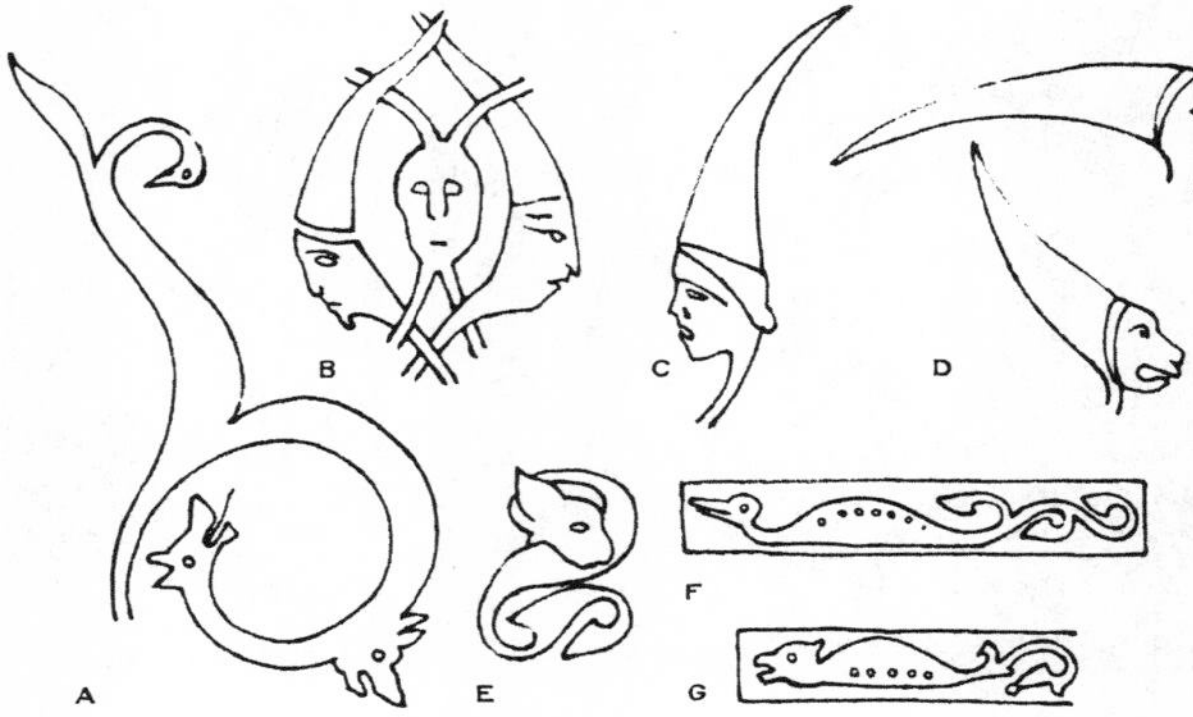

●図70(上)——蛇による組紐｜A：ラッカの鉢　11-12世紀／B：イギリスの写本ペトルス・コメストル　1283-1300年／C：オームズビーのイースト・アングリア系『詩篇集』 14世紀初頭／D：ライン画派の『交誦聖歌集』 1350年頃
●図71(下)——動物のかたちをした半葉ルーミー｜A：スペイン＝モリスコの装飾板　15世紀初頭／B：象嵌銅器　12-13世紀／C：アルメニア語の『福音書抄本』 1274年／D：デヴォンのウィリアムの『聖書』 1251-74年／E：ブザンソンの『司教典礼書』 14世紀前半／F：ベルヴィルの『聖務日課書』 1330-40年／G：フランス北部もしくはフランドルの写本　13世紀末

●図72（上）——人間あるいは動物の突起を持った古代の唐草｜ティヴォリ　ヴィラ・アドリアーナ
●図73（中）——頭部をつけている木｜A：モヘンジョ・ダロの印章　前3000年頃／B：メソポタミアの織物　9-10世紀　マーストリヒト／C：テオドッタの石棺　パヴィア　720年頃
●図74（下）——ペルシアの人頭唐草｜A：彫刻と象嵌のあるブロンズ　1281年／B：彫刻と象嵌のあるブロンズ　12-13世紀／C：装飾板　13-14世紀

●図75, 76——人頭唐草｜上：アルメニアの扉絵　エチミアジン（ms. 379）12-13世紀／下：ペルシアの写本の扉絵　15世紀

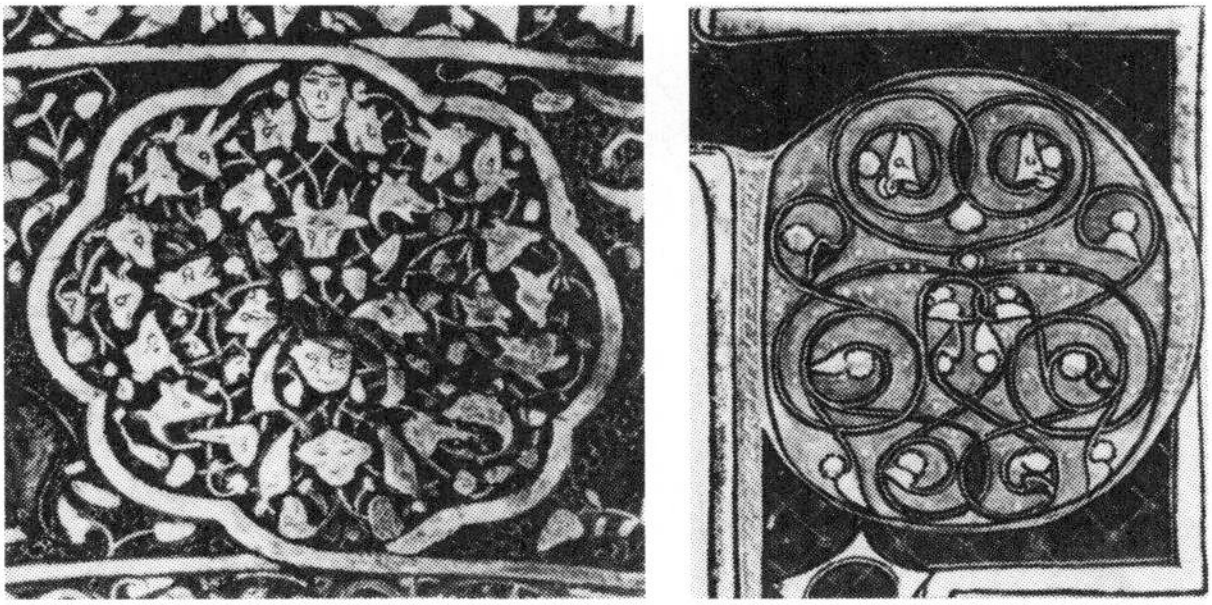

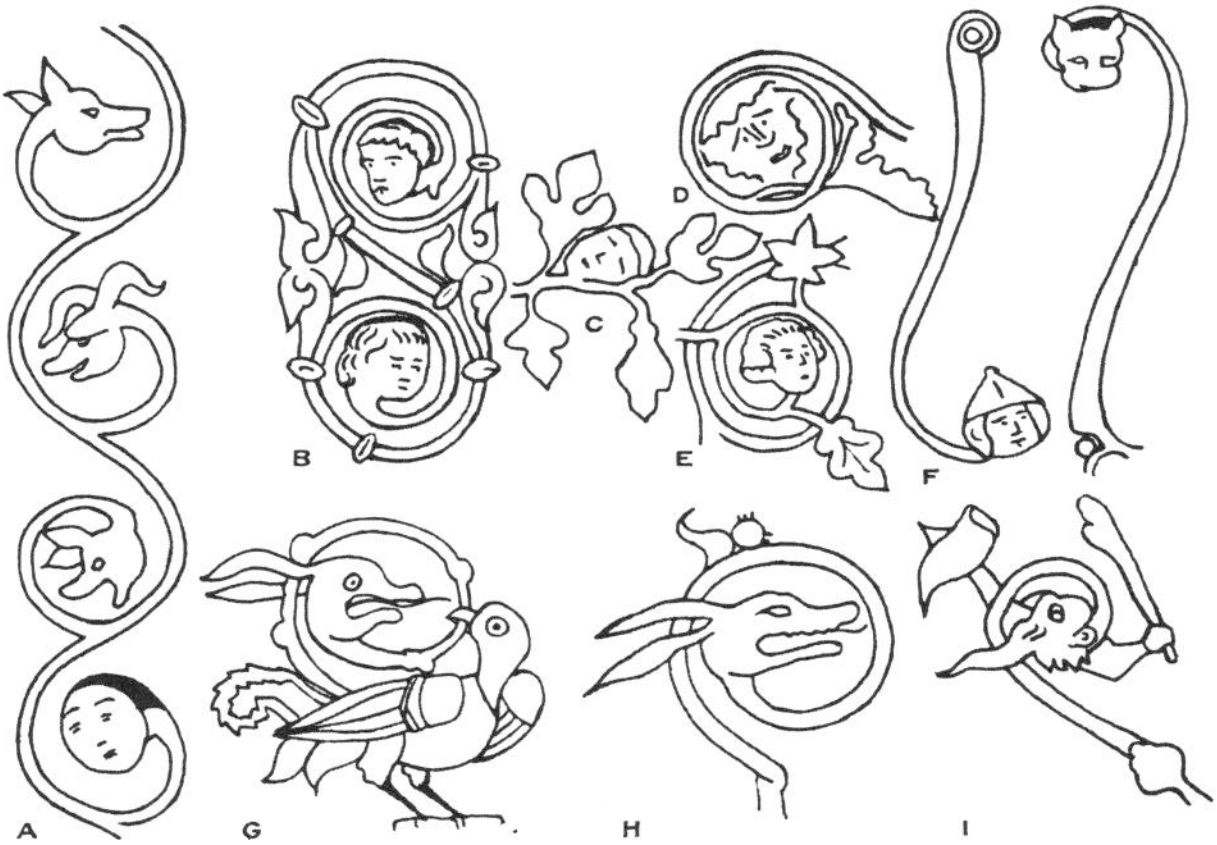

●図77(上)——人頭唐草で埋まったメダイヨン｜左：象嵌銅器　シリア　1249年／右：ヨハネス・ポンハの『聖書』 1237年
●図78(下)——人頭唐草｜A：扉絵　ヘラート派　1410年頃／B：アルフォンソ賢王の『金石誌』 1276-78年／C：ケルンの『交誦聖歌集』 1330年頃／D：聖王ルイの『詩篇集』 1254-70年頃／E：オームズビーの『詩篇集』 イースト・アングリア　14世紀初頭／F：ボープレの『交誦聖歌集』 1290年頃／G：アルメニア語の『福音書抄本』 1193年／H：ベルナルド・デ・テラーモのドロレリー　アブルッツィの写本画家　14世紀中葉／I：フランス北部もしくはフランドルの『時禱書』 13世紀末

●図79(上)——軀幹唐草｜左：装飾板　ペルシア　14世紀／右：ピカルディ伝説集　ブラバント　14世紀中葉
●図80(下３点)——人間のかたちをした唐草｜上：オランダ語の『聖書』 1450-53年／中：〈双児宮〉　象嵌銅器　モースル　1248年／下：イギリスの写本　14世紀初頭

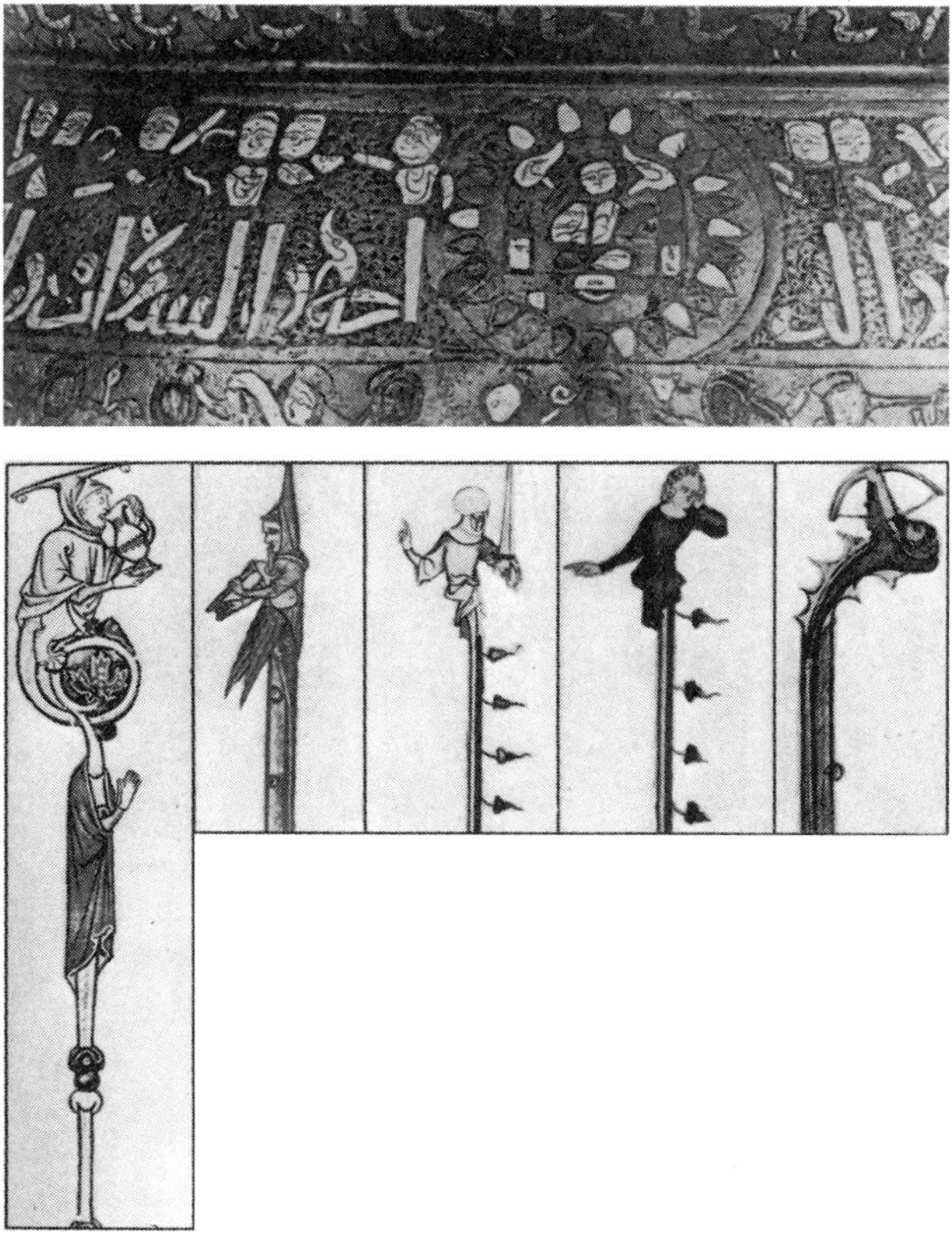

●図81――人間のかたちをしたナスヒー体｜上：ヘラート派の芸術家によって制作された鉢　1163年／下左から：『アラゴン法典』　13世紀末／フランスの『聖書』　13世紀末／ベルヴィルの『聖務日課書』　1330-40年／ヴァロワの伯爵夫人の『聖書』　1350年頃

●図82——アレクサンドロス伝説の言葉をしゃべる樹｜フィルドゥーシー『王書』 14世紀初頭　ワシントン　フリーア美術館

●図83——言葉をしゃべる樹｜『自然の驚異と造化の奇観』 1388年 パリ国立図書館（ms. suppl. persan 332）

●図84——西欧における人頭樹｜左上：〈生命の樹〉とエバの誕生　『愉楽の園』12世紀末-1205年頃／右上：〈ワクワク樹〉のあいだのアブラハム　ヴォルフェンビュッテルの写本　1250年頃／下：〈生命の樹〉と〈死の樹〉　フェスティンゲンのハインリヒ（1286年歿）の墓碑　トリーア

●図85(左上)——ナルキッソス｜『健康の園』　リューベック　1492年
●図86, 87——鳥と仔羊を実らせる樹｜右上：ジョン・マンデヴィル　アウクスブルク　1481年／下：ベリー公の『驚異の書』　14世紀末　パリ国立図書館（ms. fr. 2810, f° 210）

●図88（上）――〈太陽の樹〉と〈月の樹〉｜左：ジョン・マンデヴィル　ストラスブール　1499年／右：錬金術の写本　ラインラント　1420年以前
●図89, 90（下）――〈悪の樹〉｜左：ホクスン（サフォーク）のフレスコ画　14世紀／右：『スーラスの果樹園』　14世紀初頭　パリ国立図書館（ms. fr. 9220, f° 10）

●図91(上)——人間の軀幹をつけた枝｜A：エバ　『愉楽の園』　12世紀末-1205年頃／B：ペルシアの帯状装飾の唐草　14世紀／C：〈悪の樹〉の〈淫欲の根〉　13世紀末　パリ　サント＝ジュヌヴィエーヴ図書館
●図92(下)——人間を生む樹｜クレーヴパンス島　リヨンの版画　1600年頃

●図93——人頭樹｜左：〈エッサイの樹〉　オランダ語版の『聖書』 1425年頃／右：精神の不安と優柔不断の樹　『ペトラルカ作品集』 アウクスブルク　1532年

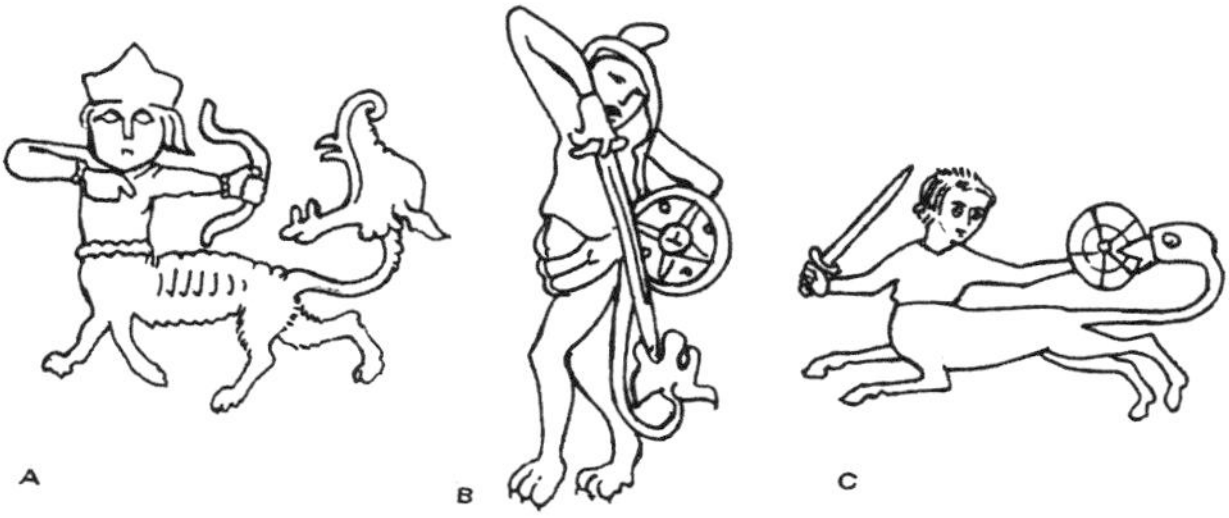

●図94（上）――月の顔《かんばせ》｜A：ペルシアの写本　1273年／B：1396年バグダードの署名入りの写本／C：アルメニアの写本　1230年／D：ギヨーム・デュランの『司教典礼書』　14世紀／E：アルフォンソ賢王の『金石誌』　1276-78年　龍の尻尾によって巻き取られた月

●図95（下）――尻尾の闘い｜A：オルトゥーク朝の貨幣　1185-1203年／B：マイルミートのウォルターの本　イースト・アングリア　1326年／C：フランスの写本　13世紀末

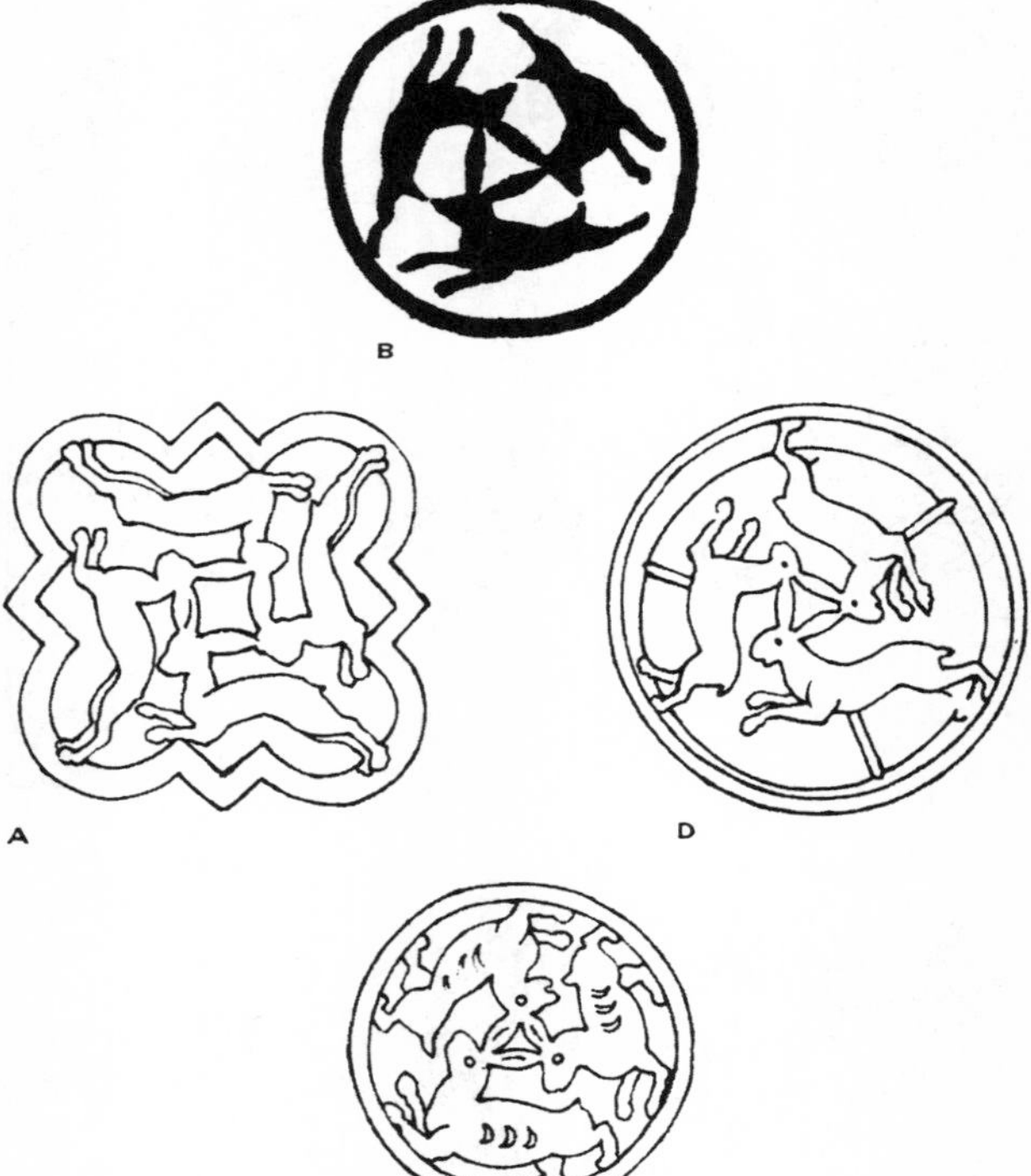

●図96――耳を共有する兎たち｜A：リヨン大聖堂　1310-20年／B：敦煌　10世紀（？）／C：イスラームの壺　12-13世紀　レニングラード　エルミタージュ美術館／D：パーダーボルン　15世紀

●図97——耳を共有する兎たち｜オランダの版画　1576年　パリ国立図書館版画室

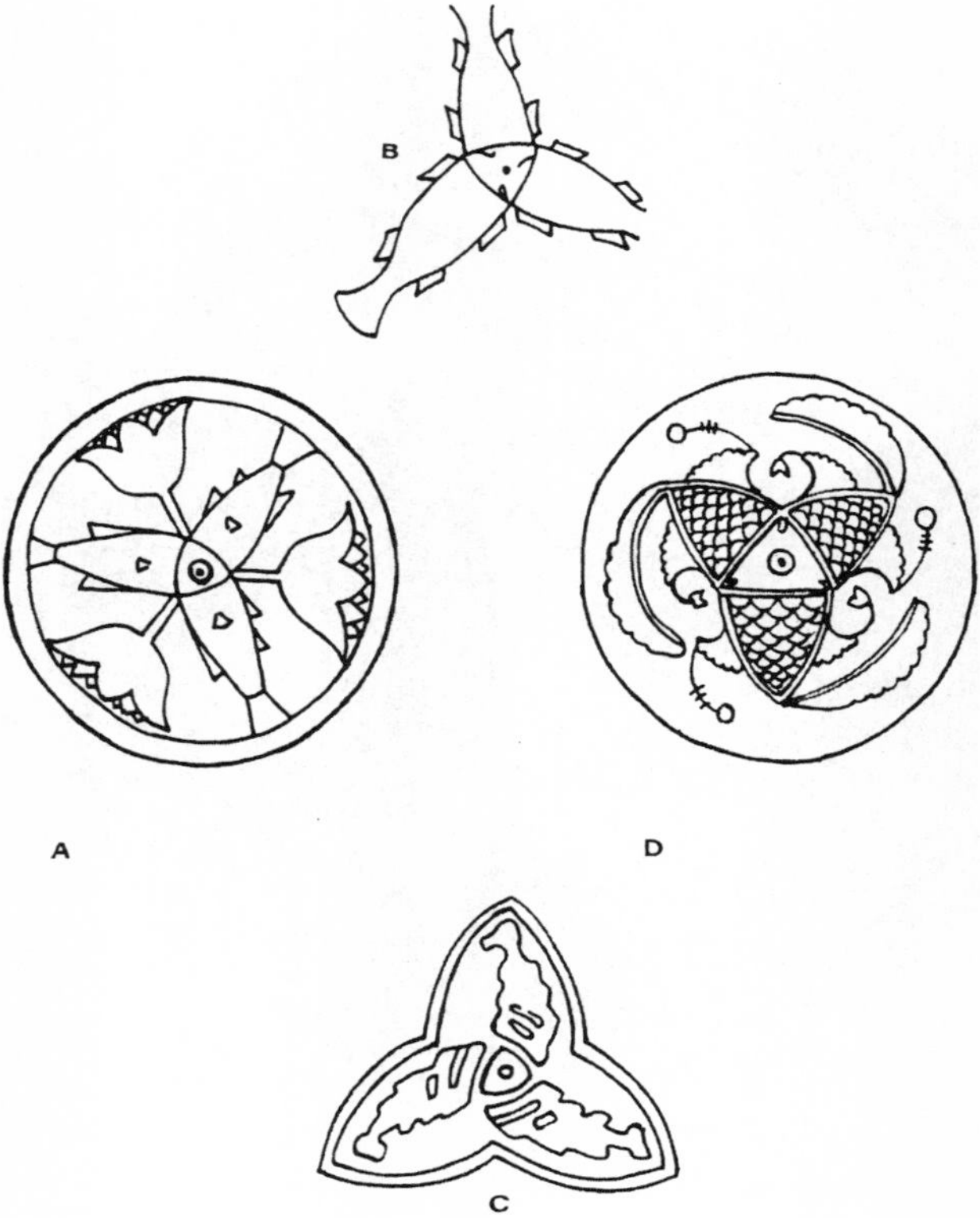

●図98——頭部を共有する魚たち｜A：エジプトの陶器　第18-20王朝／B：ヴィラール・ド・オヌクールの素描　1235年頃／C：エリヴォの敷石　13世紀／D：パテルナのアラビア風陶器　13-14世紀

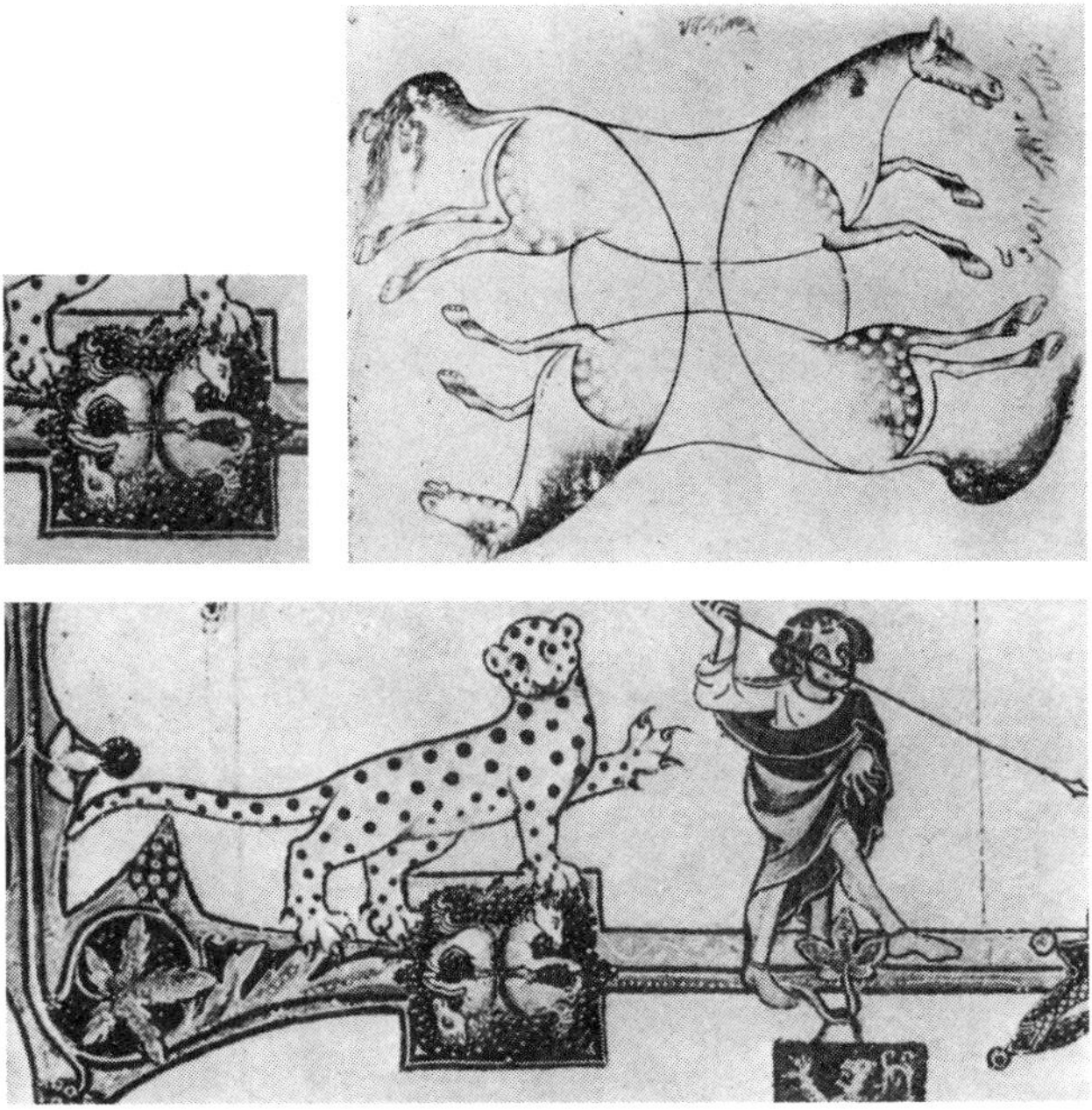

●図99——体の入れ替えのきく魚と馬｜右上：サファヴィー朝の芸術家の素描
17世紀初頭／左上と下：ピーターバラの第一『詩篇集』 13世紀末

●図100, 101, 102――あべこべに入れ替えのきく人像｜左上：ルーアン大聖堂書籍商の扉口　1290-1300年頃／右上：スイスの版画／下：東洋のブロンズ　ワシントン　ナショナル・ギャラリー

●図103（上）——錬金術の象徴｜硫黄と水銀　バシリウス・ウァレンティヌスの書物　1413年頃
●図104（下）——移り気な愛の象徴｜コルネリウス・レーンの銅版画　1561年頃　パリ国立図書館版画室

●図105（上）——道化の情景｜オランダの版画　1576年　パリ国立図書館版画室
●図106（下）——回転する人像｜アッシリアの水晶印章

第五章　蝙蝠の翼手と中国の鬼神

第一節　中世における蝙蝠の翼手と龍の頭冠

ロマネスク美術における翼のない悪魔と天使の翼を持った悪魔。十三世紀における翼手と棘冠の出現——人間、龍、怪物、騎士。レオナルド・ダ・ヴィンチの飛翔する人間。

悪魔は冷やかに笑う動物の面相、冥府の住人の痩せ細った軀幹、禽獣の爪をはやした毛だらけの足などを特徴とするが、しかし鳥の翼、すなわち天使のそれにも似た翼を持っている。このように、悪魔は長いあいだにわたって一つの矛盾を背負わされ続けてきた。ロマネスク美術には悪の霊がそうした姿で繰り返し表されている。ソーリューやヴェズレーの柱頭をはじめ、モワサックでも、スウィヤックでも、骨の浮き出た悪魔の肩には天使の翼がついている。神であることとの最後の証しとしての翼を消し去り、悪の霊を頭の先から足の先までまるごと恐ろしい姿にしてしまおうとする試みもたびたびなされてはきた。しかしそうすると聖パウロの言う、その身に帯びた、天空の貴公子たる威厳なるものを喪失してしまうのだ。オータンやコンクなどのロマネスクのテュンパヌムには、悪魔が飛翔に不向きな二本足の獣となり、もはや霊の位階をはずれている、そうした彫刻や絵画の形象が数多く見受けられる。それらの像は蝙蝠の翼手をもらい受け、ようやく外形上の形式と宗教的な概念の両方に適うものとなる。槍状の骨に水掻を持った夜禽類の翼手、それは天国を想起させるどころか冥界の暗闇をまき散らす。

一二一〇—二五年の彩飾写本にはその初期の粗形がいくつか見られる。これらは水掻の部分が稚拙で、禽獣の翼手の名残りを躰にとどめており、いまだ孤立例のようだ[*1]【図107】。初期アングロ＝ノルマン系の『黙示録』にも、また十三世紀第一・四半世紀のイギリスの地獄図にも、このタイプはまだ使われていない。それが定着するのは十三世紀後半になってからのことである。当時のイギリス、フランス、スペインではどこでもそれが見られた[*2]。ゴシック的西欧はこぞって夜禽類の翼手の流行を採り入れたのだ。以来、悪魔は切り立った崖を住処とし、洞窟のなかを滑翔すると考えられるようになった。

似たような変容はイタリアでも起こっている。アッシジのサン・フランチェスコ大聖堂上院のジョットの作品では、聖フランチェスコによってアレッツォから退治された悪霊が黒雲のごとく街の上空を舞っている【図118】。ドゥッチョのキリスト（《荘厳の聖母》のプレデッラ）は蝙蝠の翼手を持った悪霊から誘惑を受けている。ピサのカンポ・サントではこれら呪われた帆の羽ばたきのなかで黒雲が炸裂している【図108】。ダンテの三頭のルキフェルも同じ水掻を拡げている。

どの顔の下からも、かかる鳥あるとすれば、それにふさわしい大きさの巨翼が出ていたが、海行く船の帆でも、かく幅広いのを見た覚え、私には全く無い。
どの翼にも羽毛は無く、造りは蝙蝠《かわほり》のそれにそっくり。かれ、六つの翼をはためかすによって、三つの風かれより起り。

（『神曲地獄篇』第三四歌四六—五一）[*3]〔寿岳文章訳〕

中世末期の世界はこうした悪霊たちの侵略に晒された。シャンティイにある『ベリー公のいとも豪華なる時禱書』の地獄図をはじめ、アンゲラン・カルトン、ショーンガウアー、ボウツ、シュテファン・ロホナー、ハンス・フリーズらの作品には悪霊がいくらも見られる。蝙蝠の翼手は人間に襲いかかり、瀕死の人の周りを音もなく徘徊し、暗闇（＝死）をあちらこちらにまき散らす。

悪魔の化身の一つである龍についても同様の進化が看て取れる。ロマネスク美術の龍は翼も足もない蛇か[*4]、さもなくば蜥蜴の尻尾を持つ鳥であった[*5]。ゴシック美術では龍が水搔のついた翼を持っている。

この初期の形象の一つがエドモン・ド・ラシ（一二五八年歿、ビーヴァー城）の『詩篇集』で装いも新たに見られる[*6]。蝙蝠の翼手を持つ龍は十三世紀後半から次第に数を増してくる。ジャン・ピュセル[*7]からフーケ[*8]までほとんどの写本において龍は同じ姿をしている。建築装飾[*9]や聖職者席[*10]にも彫刻されたものが見出される【図109】。

ゴシックの龍は、翼手を持って流布し[*11]、しかもその棘状の形体に倣った、膜の張られた棘の頭冠も具している[*12]。

聖ミカエルと聖ゲオルギウスの槍の下で抗う獣[*13]、黙示録の怪物[*14]、聖女マルガレータの龍[*15]、幼児ヘラクレスに絞め殺された蛇[*16]などをかたどる獣はいずれも前記のような姿をしている。十五世紀にボン近郊で殺されたとされる架空の生き物[*17]、そして子らを貪り喰ったとされるエトナ山の蛇[*18]もやはり同じ持物を持っている。

蝙蝠の翼手は龍からグリフォン[*19]、バシリスク[*20]、セイレン[*21]、ケンタウロス[*22]へ転位した。それは半四足獣と、半鳥、半獣、半人の複合種族[*23]、一頭双胴動物[*24]はもちろん、双頭の鷲[*25]にまで伝播した。ゴシックの欄外には、いずれも地底の裂け目から来たかと思われる、有翼有棘の混成種族、犬、馬、海獣が群れている。蝙蝠それ自体もまたある時期を境に姿を見せ始める。[*26] ロマネスクの『動物誌』[*27]（フィリップ・ド・タン、一一〇〇—三五年）やギヨーム・ル・クレールでは夜禽（Nicticorace）が木菟ないし梟であったのに対し、いまや「陽光を忌み、暗闇を愛する」のはユダヤ人の象徴と化した夜禽、すなわち蝙蝠（cauve sorris）なのだ。[*28]

棘冠といえば蜥蜴類特有のものと考えられているが、それは人頭を持つ爬虫類、二足獣、四足獣ほかの獣類へも移植された。[*29] 棘冠は悪魔の背骨、腕、脚に彩りを添える[*30]【図132】。単純なオーナメントに沿って伸びる棘冠も見られる。欄外の植物装飾に芽吹く剣状の葉片は、植物の棘というより、むしろ背鎧に似ている。枝も龍と同じく生動する。司教錫杖の渦巻は、聖ミカエルによって組み伏せられる怪物に現れた後、迫持上で、もはや動物がそこに姿を出さなくなったときですらその棘冠を失っておらず、そこにアナロジックな進化が認められるとアンラールは指摘している。[*31] 蝙蝠の翼手でさえ、ときには純粋なオーナメントとしてある枝に固定され、生身の肉体のように渦巻の上を跳ね回っている。[*32] 終いには人間までこうした悪魔の装備をわがものとする【図110】。

十四・十五世紀には騎士の甲冑も棘状突起で覆われた。肩当ては背中を覆う葉脈状の板となり、肘当ては鰭あるいは正真正銘の翼端となった。[*33] 兜は蝙蝠の翼手を耳に見立てた異形頭に変身する。[*34] 頭冠は馬頭甲の先にも現れた。[*35] ジェンティーレ・ベッリーニの素描では乗用獣がそっくり化けている。[*36] 眼はとび出し、顔は皹《ひび》だらけ、鼻面は渦を巻き、首は亀甲で覆われ、頭冠は尻尾まで伸び、胸前には水搔状の翼が二つはえている。騎士は不気味ないでたちの地獄の怪物に跨っている【図111】。レオナルド・ダ・ヴィンチが空翔ぶ機械を構想したとき、その機械もまた翼手類の翼を持つことになった。彼はあるところで、蝙蝠こそ「空翔ぶ機械の手本とされて然るべきだ。なぜなら鳥の翼は羽のあいだが空気を透し、羽毛も一本一本別々になっているのに対し、蝙蝠では膜に裂け目もなく、それがあらゆる部分を結びつけているからだ」と、そのことを確認している。[*37] しかし、宗教的・幻想的なイマジュリには有翼人像の名残りもあり、ある素描ではレオナルドの形象が中世から直接とび出した反逆天使のようだ。

第二節　蝙蝠の翼手と東アジアの鬼神

海龍。有翼人。李龍眠の地獄絵。雷神。西欧的不変性——垂乳根霊、樹木霊、象鼻霊、大耳一角霊、狗頭霊。唐代の甲冑。

これら悪魔の新しい持物はどこから来たのか。その方法は西欧ほど完全なものでなかったが、イスラームも西欧と同じ頃にそれらを利用していた。一二九一年に遡るイブン・バフティーシュの動物寓意譚のペルシア語模本はモンゴル統治下の最初期のものとして知られる挿絵の一つだが、そのなかの、シャムラーシュによって打ち負かされる龍は、ゴシックの聖ゲオルギウスや聖ミカエルによって組み伏せられる怪物と大差ない。*38 十四世紀初頭の『王書』の一写本のなかでファリドゥーンの息子を襲っている龍についても同じことが言える。*39 これらの像は画法がすでにあまねく認知されていた時代の産物であるため、その起源を明らかにするのに充分と言えないが、一つの方向を与えてくれるし、その性格を把握するうえでも助けになる。すなわち、龍の故郷は東アジアであり、そこではいたるところに龍がいたのだ。*40

雨と命を孕む、中国の偉大なる龍すなわち龍王は、全身が亀甲に覆われた二足ないし四足の蛇で、肩口から火焰を噴き出す。ただそれだけのものではあるが、こと古代中国にあってはその属性や外観が多様にして限りない。漢代に入ると、脊柱線上に棘冠あるいは鋸歯すら持ち、しかも有翼であることが多くなる。*41 この最後のものは海龍と呼ばれた。*42 呉道子筆様のある素描（八世紀）では天空図と地獄図で壁全面が覆われているが、そこでは翼が水搔状になっており、それらのなかの一翼が闘いで引き裂かれている。*43 宋代のある硬玉と李龍眠筆の模本*44にも似たような龍が見られる*45【図112】。

蝙蝠の翼手を持つ人像もこの地域から誕生した。ルロワ＝グーランは周代の青銅器（前九―前三世紀）の文様を研究し、一群の蝙蝠が第二期に流布していたことを明らかにしている。*46 そこでは、図式化されているものの紛れもない翼手類が一方に、人間的諸要素と組み合わされた翼手類が他方に見られる。翼手類から人間へ、そして人間から翼手類へ、われわれはその変容を目のあたりにさせられているのだ。これは空を翔ぶ神々・鬼神の王朝全体の出現にほかならない【図113と図114】。

唐代（六一八―九〇七年）のものとされている画巻、これはオーレル・スタインが敦煌から持ち帰ったものだが、[*47] そこではこうした霊の一人がローカパーラ〔護世者〕の長にして北方の守護天王毘沙門天に随って海を渡っている。それは人の躰を有しており、頭は鳥のように尖っている。絹布を思わせる薄膜の張られた翼は、影の反映のように天空の煙霧のなかへ融け込んでいる。周季常と林庭珪のある絵（一一六三―八〇年頃）では、こうした有角人頭を持った鬼神が仏舎利を世界の主要な地域に運んでいる[*48]【図115】。十二世紀後半に遡る日本の絵では、有翼人が鳥のように射落とされている。[*49] 彼らは人間の姿をしたガルダ像[*50]〔迦楼羅、釈迦を護る八部衆の一〕と辛酸像[*51]としても現れる。だが、その、もっとも完璧なコレクションが見られるのは、パリのギメ美術館所蔵のある画巻においてである。[*52] この画巻には詞書が付されており、それらのなかの一つには十三世紀末の文人虞集の款記が付され、また別の、元代でもっとも著名な画家であった趙孟頫による詞書は、画巻を伝李龍眠作とし、一〇八一年に遡るものとしている。この画巻は中国でつとに知られた作品の一模本にすぎぬとはいえ、イギリスに保存されている第二の模本からもその正確さが確かめられている。[*53] これら両本の題材は地獄の主の妻、歓喜母〔鬼子母神〕の話である。彼女は一万の子を持っていたが、人を殺してはその子供を食べていた。仏陀は彼女のお気に入りの末児氷揭羅〔天童子〕を硝子鉢〔仏鉢〕のなかへ閉じ込め、彼女がそうした宴をやめると誓うまで氷揭羅を解放しなかった。場面は食人鬼がわが子を救出せんと手勢を集めているところを表している。地獄の軍勢は総出で行進する。翼手目の翼を持ち、亀甲で保護されていることの多い幻想的な生き物のなかには、猛禽の爪を持つ女、肉食獣の頭を持つ人物、狐の尻尾と兎の耳を持つ吸血鬼、はては、槍を振りかざしたり、弓を射たりしながら空中を疾走する、鳥のかたちをした頭を持つ五人の男たちまでいる【図116】。マスペロはこれら五人の男を雷神と見ている。[*54] 神々であれば商代にはすでに知られていたであろうし、[*55] それらは近代道教に至るまでほとんど変化せずにあった。雷神の皇子雷公は慣例として、人の胴体、猿の頭に猛禽の嘴、爪のはえた足、蝙蝠の翼を持った姿で表現される。それらは人の法の裁き切れぬ大罪人を討つために武装した懲罰の神々でもある。民衆芸術はそうした形姿でそれらの神々を保存することになった。[*56]

この一覧には中世の地獄絵を一新させた像が一堂に会しており、なかには瞠目すべき類似性を示しているものもある。すなわち、歓喜母の行列の、兎の耳を持つ四足獣はアッシジのフレスコ画に悪魔として再来し【図117と図118】、また、周季常の鬼神も〈ボケトーの画家〉（一三七八年）ほかのゴシックのイマジュリのなかにその忠実な写しを持っている[*57]【図119】。〈聖セバスティアヌスの画家〉の絵（十五世紀）では聖ミカエルの打ち伏せている悪霊に雷神の骨格が正確に投影されている[*58]【図120と図121】。

かてて加えて、各所で見出される極端な異形の例、すなわち垂乳根《たらちね》霊、樹木霊、象鼻霊、大耳一角霊――これらを加えれば比較はより完璧なものとなる。

垂乳根霊は中世に多い。十五世紀の版画にはそれがよく見られる[*59]。『牧者の暦』（一四九一年）には一角を持つもの、獣頭を持つもの、そしてなんと四足獣の後半身をそのまま持つものまで、一群の垂乳根霊が見られる。神秘劇のなかでも悪魔の衣裳にはしばしば垂れ下がった乳房がついていた[*60]。チューリヒの劇作家ジャック・ルオフの素描（一五三九年）ではベル、サタン、ルキフェルがそれを具えている。同じく歓喜母の幾人かの手下も皺だらけの痩軀に垂れ下がった乳房をつけている。そこでも、樹皮と枝に覆われた霊はみな、森が動くように一団となって前進するのだが、それらに垂乳根が現れている。

樹木霊はヒエロニムス・ボスに踏襲される。リスボンの誘惑図では樹木霊が枯れ木で頭を飾り、異形の群に二人紛れ込んでいる[*61]。ボスの樹木霊は、木に化け深く大地に根を張る古代ニンフの末裔ではない。李龍眠の行軍におけるのと同じように、悪魔の群へ加わって行進しているからだ。しかも、《快楽の園》の右翼パネルでは、節くれだった胴体の男性像が地獄の中心にいまだ立っている。プラドの絵では骨のほとんどが覆われているが、アルベルティーナのある素描では宋の画工の作品におけるようにそれが棘だらけになっている【図122】。棒の先には「トルコ」の三日月のついた旗が翻っている。すなわち、異端、東洋の標章が認められるのだ。これら「鬚《す》の入った木」も錬金術的な象徴だろうが、それらの人像への変容もまた異国的な悪魔学に依存していたのだ。[*62]

グリューネヴァルトのイーゼンハイム祭壇画（一五一六年）では悪霊の大半が森の王国に属している。彼らの皮膚は枯葉のように虫喰いだらけ。頭の上のところには硬い植物がはえている。中央アジアにあるカラホージョ遺跡（八―九世紀）で見つかった天井板の異形の頭と同じである。[*63] グリューネヴァルトの悪霊も、ごつごつとした岩と険しい山々に苔むした樹々の繁茂する荒涼たる風景、どれも東アジアを想い起こさせずにはおかぬような風景のなかで暴れている。繰り返しになるが、同じ身なりの天使、おそらくそれは東洋とその民の守護者なのだが、それも顔が平板で、頬骨が張り、鼻が獅子のようで、耳が細長く、仏の頭についた突起すなわち「肉髻珠」を持っている。[*64]

頬の周りにある突起物は〈イニシャル・L・Czの画家〉の作品にも、[*65] また人の腕と象の鼻、そり返った額、ぱっくりと裂けた口などを持つ生き物の現れるショーンガウアーやクラーナハの誘惑図にも見出される。[*66] 中国の鬼神の襲来図のなかにも同じ顔立ちが登場する【図123】。シヴァ神とパールヴァティーのあいだに生まれた息子、象頭のガネーシャ〔大聖歓喜天〕はヒンドゥー教圏でもっともポピュラーな神像の一つに数えられている。

とはいえ、もっとも驚くべき類似性を示しているのは大耳を持つ頭部ではなかろうか。唐代の陵墓を護る陶俑のなかには、頭に角のある鬼神の相をした、身をかがめた怪人がよくいる。[*67] そのけたはずれに大きな耳は、まるで翼か、世のなかの雑音を響かせる法螺貝のようだ。ラウファーはそれが動物から人間に変容しつつある夜魔（閻魔）を表しているという。

西欧ではこうした耳のお化けが彫刻と版画で増えてくる。[*68]『往生術』（一四五五年頃）で瀕死の人の枕辺を徘徊する悪霊は、縁が鋸歯状の、助材の浮き出た大耳を持っている。[*69] たしかに、肉体のある部分を肥大させる方法、これは各種の奇形画法に通有なものだが、その相似性によって類似をある程度まで説明できる。しかし、ゴシックの像は唐の怪人の大耳ばかりか角まで持っている【図124】。死に瀕した中世人は中国の死神と地獄の神々の両方から苦痛を味わされていたのだ。

こうした絶対的な形体の同一性と呼応の多様性は、ちょっと見ただけでは気づきにくい狗頭霊の比較対照にも根拠を与えてくれる。インドに関するクテシアス〔前四世紀後半のギリシアの歴史家〕の著作このかた、オリエントには犬頭を持つ人間がいると広く信じられてきた。[*70] 中世初頭には他の場所で見出されることもあったが、[*71] 十三世紀に入るとほとんどすべての知識人が、まず古代インドの伝承を、[*72]ついでタタールや中国の伝承を踏襲しながら犬頭人国を東の方へ位置づけるようになった。[*73]周代の『史記』には狗国についての言及があり、『五代史』（九〇七―九六〇年）もまた、その狗国には咆哮を言葉とする狗頭人が住んでいる旨を詳細に述べている。[*74]犬人族の神話はそれら東方の地域に多い。ひょっとするとキルギス人、ジャワ人、アイヌ人の祖先は犬だったのかもしれない。モンゴル人も自分たちのことを〈蒼き狼〉、すなわち狼の子孫と考えていたではないか。[*75]

探検家や知識人の叙述している「狗頭人」（canophalez）と関わりがあるのは、いまやクテシアスでなく、これら東アジアの寓話である。彼らの居場所について、ジョヴァンニ・デ・ピアーノ・カルピーニはタルタリア、マルコ・ポーロはアンダマン諸島、オドリーコ・ダ・ポルデノーネとジョン・マンデヴィルはニコネランないしニキュメラ（ニコバル）の島であるとしている。狗頭人は犬頭の上に金製ないし銀製の小さな牛の像をつけた姿で表されるのが通例である。[*76]動物像は「首領の額のところに、彼らの頭《かしら》であることの証しとして」取り付けられる。四足獣の姿をした髪飾りは、歓喜母の鬼神や、仏教経典の大全とされる『大蔵経』のなかの星辰の擬人像に同じものが見出される。[*77]西欧の天体図では四足獣に擬した髪形を、小宇宙としての人間や、[*78]〈金牛宮〉がその主を支配するところの火星の擬人像に用いている[*79]【図125】。

東アジアには林鹿山に棲むといわれる狗鬼もおり、これは狗頭人と一緒にヨーロッパへやって来た。李龍眠の絵にはそれが、正常な人間の肉体に猛禽の爪や四足獣の足を持つなど、様々な形姿で登場してくる。十三世紀のある絵画では雷神がこの狗鬼の種族に属している。[*80] 西欧ではジョワンヴィルのある挿絵（十四世紀中葉）、アンジェーの綴織り（一三七八年頃）でそれを見ることができる[*81]【図107】。ゴーティエ・ド・コワンシーの『聖母奇跡物語』（一四五六年以降）、『往生術』（一四五五年頃）、『牧者の暦』（一四九一年）、すなわちわれわれがすでに垂乳根、大耳、一角を持つ、中国の悪魔を指摘してきたところにも同種の鬼神が無数に見られる。[*82] 彼ら鬼神は悪臭を舌で嗅ぎまわり、汚物と罪過をあちらこちらと探しまわる。

これはあえかな浸透といったものでなく、公然たる侵略にほかならない。いまやこうした群と一緒に、胸部や腹部に顔を持つ霊、これらは元来ギリシア＝ローマに代表される世界とつながりを持っていたのだが、そうした顔のある霊もやって来た。現象は同じ轍を踏む。すなわち、古代的伝統の上へ、ある時期から東洋的伝統が覆いかぶさるから。中国の経典でも[*83]ヘロドトスの〈無頭族《アケファロイ》〉や、大プリニウスとポンポニウス・メラ〔カリグラ帝時代の地理学者〕のブレミアエ族に似た民族のことが言及されており、マルコ・ポーロやマンデヴィルはこれらの異形を描写するさい、やはりそれらを参照しながら、かたやシベリア、かたやインド洋の島々に彼らの居場所があるとしている。同じ驚異は悪魔のなかにも現れた。二世紀のアマラーヴァティーのある浮彫り[*84]では胸部に顔を持つ戦士がマーラと闘っている。敦煌のある石窟（十四世紀頃）でもそれが同じ場面にいる。[※85] 終いには閻魔すなわち夜魔まで腹部に頭のついた重い甲冑をまとうようになった。[※86] 西欧ではこうした幻想的な生き物が長いあいだ鳴りをひそめ、十二世紀末頃にようやく魔性化して再生してくるが、それらの東洋的支脈は発生以来綿々と、しかも悪魔的なものとして存在し続けたのだ。

甲冑は腹部の顔ばかりでなく、膝、肘、肩にも顔を持っている。関節はどれもこれも猛々しい顎骨で護られていた。戦士の四肢はまるで龍の口から吐き出されているかのようだ。こうした鎧を身に具したのは、夜魔、八―九世紀のローカパーラ、歓喜母の手下などである。[※87] それは現代の、門の神々の装束においてもおよそ変わるところがない。[※88]

古代ギリシア＝ローマもおそらくこうした要素を利用していたに相違ない。四・五世紀になると、厄除け用のゴルゴンはギリシア的人像の膝頭を保護し、ベス神は同じ場所に獅子頭を持つようになった。[※89] とすれば、ギリシア＝仏教的な美術がそれらから霊感を得ていたということもありえなくないが、中国や中央アジアでもこの時代に画法全体が戦士的・鬼神的な世界全体と合体しながら十全な発達を遂げており、ためにその画法はまさに東洋的な要素として十三世紀以後の西欧に流布していったのだ。

腹頭霊はヘレニズムの血を引いているが、それら腹頭霊に黄色い膚の兄弟――肘接手の上に頭がついているのでそれとわかる――が合流した。[※90] 東アジアの場合と同じく、それら腹頭霊の四肢は恐ろしい面《マスク》によって噛みつかれ、吐き出され、折り曲げられている。ときには、それら面《マスク》の頭が、唐代の膝当てや肩当てのように場所を得ていることもある。また、シュテファン・ロホナー（ケルンの《最後の審判》）が描いたある悪霊ではそれらの面《マスク》が本物の革鎧となっている。[*91] ニュルンベルクの競技衣裳では、中国でこうした獣面に付されることのよくある総飾りの細部まで確認できる。[*92] ときには頭部が腿に、まるで自分の首につくように、そのままついていることもある。そのさいには悪魔の下肢もまた鳥の足に噛みつく狼に姿を変えている[*93]【図126】。画法は、輪廻のイメージと解釈される、ヒンドゥー教美術の、獣を使ったアサンブラージュを正確に踏襲している。[*94] ここでもまた同一性は否定しがたいのだ。次なる問題は、これらの形体がどのようにして、どのようなルートを経て西欧へ届けられたのかということである。

第三節　東アジアと西欧

モンゴル人の侵攻と彼らの魅力。外交官と探検家。中国におけるフランシスコ会の世紀。タルタリカ。交易——織物と磁器。服飾——鶏冠帽と角錐帽。西欧のイメージ体系における中国人とモンゴル人。

東アジアの寄与という問題はベレンソン[*95]によって取り上げられたこともあるが、論じられたのは主にイタリアについてであった。[*96]また、西欧中世一般に関しても東アジアとの照合の試みがあるにはあった。[*97]しかし、十五世紀と十六世紀に西欧で描かれた幻想的風景が東アジアのそれと驚くほどよく似ていることを証明してみせたという点でステルランの貢献は大きい。[*98]多様な領域でこの種の報告が増えるにつれ、ステルランの研究の成果は益々確かなものとなる。東アジアの寄与が及んだ歴史的枠組について、ここで簡単に振り返っておこう。[*99]

チンギス・ハーンの武勇伝がいかに華々しいものであったのか、これは周知の通りである。モンゴル人の首長であった彼は中国に侵攻（一二一一年）し、ついで西方へ向きを変え、セルジューク朝を倒しイランを席捲した。彼の後継者はドイツ国境まで侵攻した。一二三七年にはカフカス地方とヴォルガ河南を占領。軍勢はロシアを前進し、ロストフ、ウラジーミル、ヤロスラフ（一二三八年）、キエフ（一二四〇年）を陥落させた後、ポーランドへ侵入した。クラクフも占領され、一二四一年四月九日にはポーランド、チェコ、ドイツ騎士団の連合軍がライプツィヒ郊外のヴァールシュタットで撃破された。また時を同じくしてハンガリーへ三軍が侵入し、ペストに火を放ち、ウィーンに迫った。こうした攻勢を前にヨーロッパの人々は戦慄する。聖王ルイは不安を募らせた。フリードリヒ二世も警鐘を鳴らした。一二四五年リヨン公会議はロシアの主教ピョートルからタタール人に関する報告を受け、ヨーロッパ諸侯の連合、軍資金の調達、使節団の派遣など様々な対抗手段を検討した。この警戒の記憶はヨーロッパ人の心の奥底に長いあいだ沈潜し続けることになる。

だが、西方への進軍は中止され、今度はイスラーム教徒と宋王朝がタタールのハーンの当面の関心事となった。フラグ・ハーンはバグダードを征服（一二五八年）し、エジプトを脅かした。シリアでは何度か敗戦の憂き目に遭ったものの、首尾よくペルシアも征服した。フラグ朝すなわちイル・ハーンの王朝はイラン、イラク、トルキスタンを統合し、一三三六年まで権力を握ることになった。宋王朝は、一二七一年元朝を興し北京（カンバリク）に都を築いたフビライによって、次第に領土をせばめられていった。大ハーンにして天子、すなわちモンゴリアとシナの首長としてのフビライはその時代最強の君主であった。彼の王朝は一三六八年まで続いた。シナ海からヨーロッパ国境まで、東洋はモンゴル人によって統一された。イスラーム圏の前面に、その膨張を妨げ、顔色を失わしめる新勢力が立ちはだかった。東アジアは西欧への門口に立ったのだ。

西方の人々は細心の注意をもって出来事を見守っていた。恐怖はひとまず沈静化した。この再編はヨーロッパにどのような利益をもたらすのであろうか。両世界間に交渉が持たれた。予想に反した方向転換を前に、衝突で最大の苦渋を味わう東方キリスト教諸国は真先に絆の強化を図ろうとした。カフカスの人々にとってはイスラーム教徒の専制の後だけに、タタールの轭も天の恵みと映じたからである。ネストリウス派のシメオン（一二四一年）、さらにはシスを治めていたキリキア＝アルメニアの王ハイトン一世（一二五四―五五年）の強力なとりなしのおかげで、キリスト教徒たちは大ハーンから好意的に扱われた。「これらタタール人は、十字架、教会の敵でないばかりでなく、それらを篤く敬い、またそれらに貢ぎ物まで捧げていた。なぜなら、彼らには敵愾心などまるでなかったからだ」と、十三世紀アルメニアの歴史家キラコスは書いている。[*100] アルメニア人やグルジア人は、いまや自らの軍隊で戦う。ガーザーンはエジプト国境まで進軍した（一三〇〇年）。だが、モンゴル人はキリスト教徒とのより広範な連携を夢みていた。マムルーク朝に対抗するための援助を請うべく、ヨーロッパ諸侯の許へ外交使節を派遣したのだ。聖王ルイの許にも、キプロス滞在中（一二四八年）に、またバレンシアのハイメ一世のところにも、それぞれ探りが入れられていた。アルグーンは、一二八七年から翌年にかけてエドワード一世、フィリップ美王、教皇ニコラウス四世に迎えられたネストリウス派のバル・サウマに同じ使命を託した。ジェノヴァ人ブスカレルは、一二八九年イル・ハーンの親書を携え、ローマ、ロンドン、パリの各宮廷を訪れている。[*101] 一三〇三年にはガーザーンの使節が、タタールの援助を頼んでエルサレム解放計画を練るベネディクトゥス十一世のいたローマに赴く。[*102] 二年後にはウルジャーイトゥー・ハーンの遣わした外交官が、クレメンス五世とフランス、イギリス両国王に新たな十字軍を要請している。一三〇七年にポワティエで『東方史精華』を口述したハイトン、すなわち同地のプレモントレ会修道院の院長であり、キリキア王の甥にあたるハイトンは、ハーンとの最初の連合工作者であり、今こそ「タタール人の助けを借りれば聖地は奪還できるし、エジプト王国も危険を冒すことなく易々と征服できるだろう」[*103]と言って、その連合を援護した。

恐怖の後には歩み寄りの時代が来た。ヨーロッパの人々はそれまで寓話でしか知らなかった一つの世界を発見しつつあった。教皇インノケンティウス四世がジョヴァンニ・デ・ピアーノ・カルピーニ（一二四五年）、ニコラ・アスラン（一二四六年）、シモン・ド・サン＝カンタン、アンドレ・ド・ロンジュモー、カルカソンヌのギイとジャン（一二四七年）を、聖王ルイがリュブリュキ（一二五三年）をそれぞれ先発として派遣した。[*104] リュブリュキはモンケ・ハーンの本営《オルド》で幾人かのヨーロッパ人のなかに、パケットと呼ばれるロレーヌ生まれの女とパリ出身のギヨーム・ブーシェなる金工師を見つけている。

十三世紀後半に入ると往来の頻度はさらに高まった。リカルド・ダ・モンテ・クローチェ（一三〇九年歿）は、アルメニア、トルコを経てタタール人の宿営を訪れた。[*105] ニコロとマッフェオのポーロ兄弟はフラグ・ハーンの外交官について一二六五年から翌年にかけシナを旅した。彼らは一二七一年に幼いマルコを連れて再びシナへ旅立った。一二七六年には、フビライがキリスト教に改宗したとの噂が流れ、教皇ニコラウス三世（一二七七―八〇年）が宣教師を通じて親書を遣わした。ジョヴァンニ・ダ・モンテ・コルヴィーノは一二八九年に出発した。彼は北京でケルンのアルノルトと合流するが、そこへ行く前の一二九一年にイタリア商人ルッカロンゴのペトルスをともなってインドで三ヵ月を過ごしている。

東アジアの十四世紀はフランシスコ会の世紀だった。[*106] モンテ・コルヴィーノは教会をいくつか建立させ（一二九九年、一三〇五年、一三一八年）、それらの装飾を中国人画工に委ねた。[*107] 彼は一三〇七年、北京大司教に叙任されている。一三一三年、三人の司教（アンドレ・ド・ペルーズ、ジェラール、ペレグリーノ）が到着し、モンテ・コルヴィーノの叙階式が盛大に執り行われた。彼ら四人に他の托鉢修道会士が続いた。[*108] 福建にある泉州に司教座が設けられ、まずジェラールが就任した。ついでペレグリーノが、そしてアンドレ・ド・ペルーズが。中央アジアでは、イリバリクの司教に任ぜられたブルゴーニュのリシャールとともに、イリ領内にフランシスコ会使節が入植していた。モンテ・コルヴィーノの死んだ一三三三年、北京大司教の座はパリ大学神学教授ニコラへ引き継がれる。ついでウルバヌス五世に任命された、同じパリ出身のギョーム・ド・プラトが一三七〇年にその座に就いた。

このように、東アジアとの関係は十三世紀から十四世紀にかけ様々な展開を見せている。それは、たまたまそこへ辿り着いた幾人かの旅行者の奇跡というより、東洋のほぼ全域に及ぶ組織立った探査であった。もっとも華麗にして、もっとも目眩く冒険。西欧の人々はそれを遂行することに情熱を傾けたのだ。

　カルピーニは帰国後に回想録をまとめた。リュブリュキは国王に報告を伝えた。ついでマルコ・ポーロ[*109]（一二九八年）、リカルド・ダ・モンテ・クローチェ（一三〇〇年頃）、オドリーコ・ダ・ポルデノーネ[*110]（一三三〇年）、マンデヴィル[*111]（一三六〇年頃）らの見聞録が現れた。〈中国見聞記《タルタリカ》〉は連載小説のように延々と続いて止まなかった。[*112]世界中の人々がそれらを貪るように読んでいた。初期の旅行譚はボーヴェのウィンケンティウスの『歴史の鑑』（第三二書）に収録された。マシュー・パリス、ギヨーム・ド・ナンジ、ジョワンヴィルはそれらを年代記のなかに採り入れた。見聞録の集成も編まれた。イープルのジャン・ル・ロン（一三八三年歿）は、オドリーコ、マルコ・ポーロ、モンテ・クローチェ、スルターニャの大司教の回想録を翻訳し、『東方史精華』、マンデヴィルの『東方旅行記』を自分のアルトワ方言に置き換えて『驚異の書』をまとめ上げた。この著作にはジャック・ケーヌの手に帰せられるミニアチュールの多数ついた模本があり、それは一四一三年ブルゴーニュ公ジャン無畏公から、彼の伯父にあたるベリー公に献上された。[*113]この文献が当時の人々の想像力に及ぼした影響は測り知れない。クリストファー・コロンブス〔クリストーバル・コロン〕（一四四六頃—一五〇六年）をして、船乗りや商人の夢みていたインドと中国への、より短く、より安全なルートを求めるべく旅立たせたのもそれだった。ヴェネツィア人探検家コロンブスの所持していたアントウェルペン版には、彼の手になる註釈が三百六十六も付されている。[*114]

地理的な展望は一変した。と同時に、尺度やものの価値もまた大きく変わった。これら事実と寓話の入り混じった旅行譚のなかには、それまで中世にとり憑いていた東洋像よりもっと貪欲にして野蛮な、と同時にもっとずっと洗練された一つの東洋像が示されている。

モンゴル人の信仰、習慣、武勲に関する様々な情報のなかには、中国までの主要な道筋、すなわちロシア南部のハーン国を経る中央アジア・ルート（リュブリュキ、ポーロ兄弟の第一回旅行）、モンゴルのペルシア・ハーン国を経る北アジア・ルート（ポーロ一族の第二回旅行）、トレビゾンド帝国を経るアルメニア、タブリーズ、ペルシア湾、インド・ルート（オドリーコ）など主な道筋が示されている。シナ全域の経済版図はマルコ・ポーロの素描する通りである。カンバリクにはカタイすなわち北部シナの絹織物の中心があり、シンドゥフ（四川省の成都）が中央アジアとの交易の中心であった。錦はスージュー（江蘇省の蘇州）の産。ザイトゥン（泉州）はインド向けの大港であった。「インドからアレクサンドリアに胡椒を積んだ船が一艘出航するとすれば、ザイトゥンにはその百倍もの船が入港する」。シンドゥフには真珠、砂糖、香料、宝石の市が立った。「都は水の上にあるようなもので、水路がこの都を囲む」と言われる、黄海のヴェネツィアことキンザイ（杭州）は重要な手工業の中心地であり、そこでの「親方衆の生活は、まるで王侯のように、いとも優雅で身ぎれいなものである」。『驚異の書』は、また同時に交易のための案内書でもあった。ヨーロッパの人々はエジプトの脅威の下で損失をこうむっていた在シリア居留地の代わりを探す必要に迫られていた。そうした危機の時代に新市場が発見されたのだ。組織立った取引きが始まるのに時間はかからなかった。[*115]

モンゴル帝国すなわちシナは香料、奴隷、そして何よりもまず絹と布地を西欧の人々に供給した。リュブリュキは大ハーン・モンケから直々に下賜され、ハーンの通訳がキプロスで転売したナシク布〔金糸の織り込まれた錦〕を持ち帰った。マルコ・ポーロはその生産地について言及している。万里の長城に近い、カラコルムの南東であると。オランダ（一三一五年）、イギリス（一三一七―二〇年）、キプロス（一三二五年）の各地を渡り歩いた大旅行家にして外交官のバルディ家商社員フランチェスコ・バルドゥッチ・ペゴロッティは、その『商業指南』（一三四二年）のなかで辿るべきルートを示しながら、カマカ織とともにナシク布を求めて商人が東アジアまで足をのばしたと報告している。シナ織物すなわちカンゾは十三世紀からフランスで用いられていた。[*116] これら舶来品はいまやいたるところに見出される。サンス、ケルン、アーヒェンなど各地の古宝物庫はまだそれらを所蔵していなかったが、一三〇〇年以降になると、たとえばダンツィヒ、ペルーズ、ラティスボナには間違いなくシナからの舶来品が収められている。[*117] シャルル五世の財産目録にはカマカ織とタルタル地すなわちタタール産フラシ天（tartarci panni）〔ビロード類似の布〕とが溢れており、[*118] 縞模様や動物柄などのついたそれらの美しい布地もまた、原産地こそ正確につかめぬものの、やはりシナ人が身に着けていたものだった。それらは祭壇正面掛布、司教冠、軍旗、衣服に利用された。「シナ皇帝の野外の宴」が織り出された「錦、カマカ織、タルタル地の天幕」（マンデヴィル）など、絢爛豪華な織物が部屋の壁のあちこちに所狭しと掛けられていたのだ。ダンテによれば、それらの燦然たる玉虫の色を褪せさせたのはただ地獄の化け物だけだった。

腋《わき》の下まで毛むくじゃらなる二本の前脚、背にも胸にも両脇にも、色けばけばしい飾り結びや飾り輪の文様。

韃靼人《ダッタン》にも土耳古人《トルコ》にも、これほど多彩な布造りのためしはなく、またアラーニの機《はた》に、かくもはでやかな織物のかけられた記録もない。

（『神曲地獄篇』第一七歌一三―一八）〔寿岳文章訳〕[*119]

ベネディクトゥス十一世（一三〇四年歿）の遺体は元朝産の錦で覆われており、[*120]「タタール人の王が教皇庁への贈り物としているサラマンドラの布〔火浣布〕」も、マルコ・ポーロによれば、ローマで聖骸衣を包むのに使われていたという。[*121]これらの布地の権威を凌ぐものなどおよそありえなかったのだろう。フォン・ファルケによると、一三〇〇年から十六世紀にかけての西欧の絹織物の全体をシナとゴシックの混淆様式として定義できるという。[*122]

陶器も布地と同じルートを辿った。アンジュー公（一三六〇年）とエヴルーの王妃ジャンヌ（一三七二年）は、宝物のなかに「ポルスレンヌ」〔シナ産青磁〕を所有していた。一四四七年には「バビロニアのスルタン」からシャルル七世へ「シナの青磁」が贈られている。[*123]フランスのある素描に再現された銀食器（一四〇〇年頃）とライン産の「青磁」（一四三五年頃）にもシナの原型が見出される。最後にデューラーも、把手が二頭の龍をかたどり、翼手を拡げた蝙蝠を戴く宋代ないし明代の壺を素描している[*124]【図128】。

驚くべきことに、服飾もいくつか西欧へ到来していた。ド・メリとブラティアニュ[*125]は、一三六〇年以降西欧に出現する鶏冠帽と角錐帽を魏・唐の人物像の〈胡〉装に適う驚嘆すべき被り物と関係づけている。[*126]類似性にはなるほど瞠目すべきものがある【図127】。これら「不可解なほど高く、大きい角帽」（ジュヴネル・デズルザン）は悪魔的なものとみなされ、聖職者の怒りをかった。そのような被り物を被っている女を「怨敵退散！」と叫んで罵倒した者には、十日間の贖宥が約束されたのだ。しかし、かかる喧伝もそうした帽子の人気に拍車をかけるだけであった。イザボー・ド・バビエールの宮廷では鶏冠帽があいかわらず使用され続けていた。ランカスターの公妃の許では一五二五年になってもまだそれが見られた。ときには有翼のセイレン[*127]

の頭上にも、またなんと聖像の頭上にも鶏冠帽が突き立っている。[*128] 十五世紀にそれを引き継いだ角錐帽もやはり源泉は同じだった。仏の小像の頭には角頭巾がよく載っている。[*129] 中国のある文献によると六世紀にはすでに女たちも高さ八足長以上の角帽を被っていたという。[*130] 金代の菩薩像（中国北部、十二世紀）の角帽はその台の後背部に長いヴェールがつけられており、この取り合わせは後日ヨーロッパに出現するものと同じなのだ。[*131] リカルド・ダ・モンテ・クローチェによれば「世界の他所の婦人の誰よりも麗しく、しかも背が高い」[*132] というモンゴル婦人のみごとな服飾品が、それらの流行《モード》とつながりを持っていたことは間違いない。リュブリュキ[*133] とピアーノ・カルピーニ[*134] は楊柳や樹皮で作られ、高価な絹布の被せられたボグタク〔またはボッカ〕と称する髪飾りのことを、実物がなくともそれらを復元できるほど克明に記述している。切れ込みの入った、地面にまで達する長い袖はシャルル六世時代になって流行するが、これまた唐代の婦人たちのあいだですでに使われていたのだった。[*135]

ヨーロッパの人々は東アジアの人種と服装を目撃した。絵画は民俗学的資料にも負けぬ正確さでもってしばしばそれらを再現してみせる。西欧のイマジュリにおける黄色人種の出現はそれ自体象徴的な出来事であった。スーリエはトスカナ絵画のなかでそれを看取しているが、動向はむしろ一般的だった。[*136]《ナルボンヌの祭壇前飾》（一三七三―七八年）では、磔刑の十字架の前に押し寄せる人々のなかに辮髪を結った一人の中国人が現れる【図129】。この素描が水墨画のように白絹の上にグリザイユで描かれたのは、はたして偶然だろうか。[*137] 一四一二年に完成されたサン＝マグロワールの『ミサ典書』[*138] のゴルゴタの丘の近くには中国人が見出されるし、また、シモン・マルミオンのある弟子に帰せられているルーヴルの《聖十字架の発見》（一四八〇年頃）にも眼が切れ長で、頬骨が張り、シナ髭をはやし、尖った帽子を被ったモンゴル人が立ち合っている。[*139] 彩飾写本の装飾にも異国人が出てくる。ベリー公ジャン・ド・フランスの所有していた写本の蔓草装飾には、まるで魔法を弄してでもいるかのように扇を手にした中国人が登場する。[*140] オランダ語のある『時禱書』（一四六八年）に見られるのは、花冠台座の上に坐る――この構成については後で再び論じることになるが――中央アジアの人像である。[*141] 十四世紀末にあるジェノヴァ人の手でもって挿絵の付されたラテン語版悪徳論では、〈大食〉がタタールのハーンの姿でもって表されている[*142]【図130】。寓意の釈義は旅行者の話にある。すなわち、〈なんでも食べる、殺した獣の肉、あるいは死んだ獣の肉、馬、犬、糞便、爬虫類、そしてなんと人肉、蝨、鼠まで……おそらく、ハーンは皆のなかでもっとも大喰らいであった〉とか、〈見ると、骨にむしゃぶりついている女性が二人おり、そのあいだに彼が坐っている。彼が盃を手にすると絃、笛、太鼓、喇叭の楽隊が演奏する〉とか、モンゴル人の食欲旺盛ぶりをいずれも嫌悪感たっぷりに書き綴った旅行者の話に。図像はフビライの許での祝宴のもようを描写したマルコ・ポーロの文章、すなわち「皇帝が盃を挙げると、楽師と喇叭がいっせいに心地よい音楽を奏で始め、宮廷人たちはすべて跪いて恭しく拝礼する」を表したもので、ペルシアのミニアチュールに倣っている。[*143] 古代の双面神グラ〔健康を司るバビロニアの女神〕がカンバリクの君主にとって代わられたということだ。〈イニシャル・E・Sの画家〉の《アルファベット》（一四九九年）にも、武器（木を皮で覆い、それに賦彩したシナの警吏の楯）や服装（タタール帽）でそれとわかる中国人やモンゴル人が表現されており、彼らはそこで「皮（Pelz）、矢（Pfeil）、多島（Polynesien）」の語を含む伝承のある〈P〉を構成している[*144]【図131】。一四九二年コロンブスがアメリカ海岸（キューバ）へ辿り着き、たくさんの島々――ポリネシア――に接したとき、彼は大ハーンの国に来たと思い込んだが、以来七年経ってもなお東洋は新世界の姿と重ね合わされていた。発見者のコロンブス自身も自分はインドの未知の国々を見つけたと、死（一五〇六年）の直前まで言い続けていたのだ。

アルファベット版画における東洋人の出現については、印刷術の起源が、ヨーロッパよりずっと古くからそれを知っていた中国に索められているということを想い起こそう。[*145] 敦煌では図像や文字のついた木版印刷物――九世紀に遡るものもいくつかある――の版木そのものが見つかっている。日本においては梵語や漢語で編まれた冊子が七七〇年まで遡る。しかも、これとて最古の例ではないのだ。組活字は宋代から知られていた。一三一四年のある書物では亜鉛を溶かして作る活字のことが述べられている。しかも、元朝では紙幣すなわち鈔または宝鈔、言い換えれば高価な紙幣（龍の縁飾りのある、ハーンの御璽が押されている紙片）しか認められておらず、これら紙幣の使用はそれ以前から制度化されていた。元朝の紙幣に関するリュブリュキとマルコ・ポーロの記述は印刷術というものについての西欧人の最初の言及であり、印刷の技術もまた紙、骨牌《カルタ》、民衆図像などとともに西欧へもたらされたのだ。*146 形体やモティーフの普及において、国中で飛躍的に発展しつつあった印刷業は、少なからぬ役割を果たすよう要請されていたのだった。

第四節　西欧における東アジアの絵画と地獄についての伝承

ハイトン、イブン・バトゥータ、マルコ・ポーロの証言。黄金の龍を造ったギヨーム・ブーシェ。〈モンゴルの反キリスト〉神話、アルメニアにおいて――キラコスの『年代記』／西欧において――リカルド・ダ・モンテ・クローチェ、ロジャー・ベイコン。直接交流と符合。

はるかかなたの世界が少しずつ中世の人々の前に姿を見せ始めた。散発的な接触、最初の浸透の後に、障壁が突如として取り払われた。分断されていることの息苦しさ、そして国境がヨーロッパの辺境まで西漸したことが、東アジアと西欧世界の交流に新時代を拓いたのだ。アジア全域が発見されたが、旅行者にはシナがとくに魅力的であったようだ。イル・ハーン国の宮廷は単なる中継所にすぎなかった。インドの驚異といえど人を引きとめておくには充分でなかった。東アジアの諸民族の形姿でも、輸入された文物でも、とにかくシナが一番だったのだ。交易品やハーンからの贈品と一緒に美術品類も西欧の君侯の許へ届けられたことだろう。それらが世に名を高からしめたのは、まさにこの時代であった。

ペルシアの詩人サアディーが『薔薇園』(一二五八年)の序において、絵画コレクションに「シナの絵画館」という言葉を使ったのも、その完全さを謳わんがためだった。[*147] イブン・アルワルディーはワクワク樹の寓話を綴った十四世紀前半の地理学者だが、シナの絵画と素描は、それがどのようなものであれ他の民族の許で生み出されたものより優れていると言い張った。[*148] ハイトン[*149]は一三〇七年にポワティエで編んだ年代記の冒頭で、中国《カタイ》こそ世界中でもっとも高貴にしてもっとも裕福な国であると言い、……

また、シナ人曰く、われらは両眼でものを見るが、西人は片眼で見る……事実、彼の国から、珍奇精妙な細工品の届くのが見られる。美術工芸の世界で彼らほど器用な人々はまずいない……

と断言している。

「絵に関して言えば、キリスト教国の人だろうとなんだろうと、どんな国の人もシナ人にはかなわない」と、一三四九年シナからタンジールに帰ったイブン・バトゥータも書いている。[*150]ここ、シナは画工の国なのだ。

彼らの街に入り、また後日そこを訪ねる機会があったとしよう。すると、必ずといってよいほど、下僕を従えた私の姿があちこちの壁や家中の紙に描かれているのだ。

しかし、だからといって、こと芸術に関しては西欧人の方が鈍感であった、というわけではない。北京《カンバリク》にあったフビライの宮殿の描写のくだりで、マルコ・ポーロ[*151]は高価な壺と豪華な宝石に続き、そこにあった美しい絵画について言及している。

広間や部屋の壁は金銀で輝いている。それらの壁には様々な方法で絵が描かれているが、色鮮やかに表されている、いくつかの戦史の連作がとくに目を惹き、全体は金色燦然と輝いている。

ヴェネツィア人は好事家としてそれらを見て楽しんでいたのだろうが、リュブリュキが一二五四年にモンケ・ハーンの宮廷《オルド》で出会った、あのパリ出身の金工師ギヨーム・ブーシェのような芸術家なら、それらの名品に心底魅了されていたに違いないのだ。彼のカラコルムでの活動については、聖王ルイの勅使自身の手で興味深い証言が残されている。[*152] フランス人ブーシェは大ハーンのため、「教会堂のような造り」[*153]の宮殿の前に色々な飲み物を供する樹を銀で造った。樹のてっぺんには喇叭を手にした「天使像」が姿を現した。鞴《ふいご》が樹の下の大きな穴のなかに隠されており、それで喇叭が鳴り、天使が動くはずであった。「しかし、それ〔鞴〕が充分な風を送らなかった」ため、人手を借りねばならなかった。樹の台座は「各々に管を通し、白い馬乳がそれら管の口から吐き出される仕掛け」の四頭の獅子でできていた。尻尾を樹の幹に巻きつけた「金色燦然たる蛇」が四匹、台上で葡萄酒、蜂蜜酒、カラコスモス酒〔黒い馬乳酒〕、テルラツィナ酒〔米酒〕を口から噴き出していた。樹に見立てた自動機械《オートマトン》の、動物をかたどった脚は、西欧の燭台や譜面台の主題を踏襲したものであることも充分に考えられる。しかし、東アジアでは蛇といえばすなわち龍にほかならず、しかも有翼であることが多かった。ゴーティエ・ド・メッスの『世界の姿』〔一二四六年頃〕の鹿を貪るインド蛇は、そうした有翼龍の姿で一二七七年の挿絵に描かれていなかったろうか。[*154] 北京の宮殿大広間にあった噴水についてオドリーコは、「この松の小枝のいずれでも、蛇が息をし、翼を激しくばたつかせており、統べる王の宮廷ではこの蛇の動きが飲み物をもたらした」[*155]と書いているが、これと挿絵に描かれた有翼龍とを照らし合わせてみるべきだ。

　北京の宮殿の驚異はモンケ・ハーンの調度に描かれていた怪物の起源と形状について不明な点を晴らしてくれる。四匹の蛇の巻きついた樹は中国領トルキスタン〔東トルキスタン〕のベゼクリクの壁画〔如意輪観音図〕（六―八世紀）に似たものが見られる。[*156]樹に上には大きな像（「天使像」の代わりをする観音（パドマパーニ））が載っており、ブーシェの樹の主な配置が壁画においてすでに一つにまとめ上げられている。とすれば、パリから来た金工師はローカルな美術から想を得て仕事をしていたのかもしれない。ゴシック絵画は金銀細工とごく近しい関係にあった。そのゴシック時代に起こったという点で、この事実の持つ意味は大きい。しかもブーシェの自動機械についてのエピソードは、西欧人が十三・十四世紀に見た龍について直接的な証言をも提供してくれるのだ。北京の元朝の宮殿について、明朝の新皇帝が即位してから建物の取り壊しに携わった官僚の一人、蕭荀[*157]の残した記述は、宮殿各所の主題についてさらに詳細な内容を教えてくれる。露台の上で踊る虎、霊獣といった自動機械のいくつか、とぐろを巻いて芳しい煙を吐く龍、顎の部分が開閉する仕掛けの龍形船のことがそのなかに言及されているからだ。龍は姿を変え、いたるところに出現する。玉の光を放ちながら、大理石の橋の浮彫り装飾にも、王宮の手摺や支柱にも。水中からも龍が浮かび上がるのが見えたという。龍虎宮でも天翔ける龍をあしらった絹製の掛け物が壁に張られていた。フランシスコ会士たちが身を寄せていたところ、それはこうした世界、こうした調度のなかだった。[*158]

アジアとヨーロッパにおけるシナ的形体の伝播は十三世紀半ばから盛んになる。フラグ・ハーンは一二五六年頃幾人かの芸術家と技師を従えてペルシアへ赴いた。[*159] 周知の通り、ペルシアのミニアチュールはハーンの統治の影響を強く受けている。西欧の美術においても、すでに見てきた通り、東アジアの主題が同じ頃に入り始め、元朝の成立とともに、その流入量を増やしていた。モンゴル国家の形成とともに西方世界への奔流の堰が切られたのだ。

面白い矛盾ではあるが、それを機に、およそ教養になど縁のない群盗が世界に知識の洗練をもたらすこととなり、優れた天分の発現に野蛮な力の役立つ光景が見られるようになる。

こうした動きのなかでとくに目立つのは彼らの寄与の多様性である。イランでは、半濃淡の絵画の成熟、湿り気を帯び、流麗な形体から成る画境の出現、〈幟〉の形式に倣った抑揚のある線、荒涼たる大景観の発見、古代龍、雨天、不死鳥等々の主題の伝播、そうしたもののなかにシナの姿がはっきり現れた。ヨーロッパには同じモンゴルの配達人がまず蝙蝠の翼手と鬼神とを送り届けた。もっとも、それらの形体は宛先の工房に同じ刻印をしるしたわけではなかった。それらの形体がどのような影響を及ぼしたかは場所と時代により様々である。不思議な経緯のからみ合いが、その影響の結果を左右したからだ。

十三世紀中頃、西欧に一つの新しい神話が誕生した。それはモンゴル人の呼び名と、そして彼らの攻撃を前に全世界の感じていた恐怖との共鳴に端を発した。侵略者は世界の終末を告げる悪魔——でなければとにかくその手先——だと考えられ、至福千年説的悪夢が再来したのだった。伝説は黄禍を最初に経験した東方諸教会によって喧伝された。十三世紀のアルメニアの歴史家キラコス[*160]、モンゴル人は十字架に敬意を払っていると言った、まさにその同じ人物の『年代記』でも、やはりこの考えが貫かれている。反キリストの時が近づく。民は民に、国は国に逆いて起《た》たん（「マタイによる福音書」二四章七節）。世の終わりには偽キリストと偽預言者おこりて大いなる徴《しるし》と不思議とを現すと言った神の預言、それがそのまま的中したのだ。悪しき霊に憑かれたダビデと称する詐欺師。さらには、ハチェンの国々に雹が降り、地上の雹塊のなかにたくさんの魚がいたという不吉な現象。ゲガム湖〔セヴァン湖のこと〕の岸では半ばまで土に埋まった巨人が心臓から血を流して死んでいるのが発見された。ところで、神の下僕ネルセス（三八三年歿）は、アルメニアは弓を射る民によって滅ぼされる、と予言していなかったろうか。「さて、タタール人の出撃の理由はこうである」。大動乱についての描写はその逐一が黙示録を想い起こさせる。

タタール人は、蝗《いなご》の大群のように、大地に溢れる滝の雨のように、平原、山脈、渓谷の表面へ散らばっていた……いかなる大地といえども身の隠し場所にはならなかった……老若男女が、剣で情け容赦なく殺されていくのが見られた……全世界が闇のヴェールにすっぽりと覆われた、なぜなら神の怒りの盃の中身が世界の上に撒かれたからだ……

たしかに、ヨーロッパからはまだかなり離れていた。しかし、こうした物語の残響は届いた。また他方でタタール（tatar）の名がタルタル（tartar）、地獄（tartaros）に転ずるという、音韻上の混同も伝承の広がりに拍車をかけた。[*161] 最初は単なる思いつきにすぎなかった。セント・オールバンス写本編纂所の所長を務めた年代記作家マシュー・パリスによって聖王ルイのものとされた地口にはいまだ他意がない――「もしこれらタタール人（tartares）が我らのところへやって来たら、彼らを、彼らがやって来た地獄（Tartare）へ送り返してやろう」[*162]。しかし、一二四一年七月三日フリードリヒ二世によって発せられた警告文では口調も深刻かつ厳粛である。[*163]

我らは願う、タルタルからやって来たタタール人がタルタロス（すなわち地獄）へ投げ込まれんことを。彼らはサタンに操られている。ゆえに、西方の諸国の民が一丸となって派兵しようとするとき、兵士は人間を敵として闘うのでなく、悪霊を敵として、闘うことになる。

十三世紀の旅行者はかかる論法を肯定した。リュブリュキはタタール人に聖書の「愚かなる民」（「申命記」三二章二一節）を見ていた。[*164] 彼は旅行中いたるところで地獄を経験した。悪霊がハーンを唆したからである。たいそう恐ろしい岩だらけの渓谷で彼らタタール人は隊商に襲いかかった。「ときには人を残して馬だけを奪取したり、またときには人の内臓を抉り取って残骸を馬上に残しておいたり……これに類することがたびたび起こった」。タタールの部族からほうほうの体《てい》で逃げ帰ってきた修道士は悪魔の手から解き放たれた思いがしたと述べている。リカルド・ダ・モンテ・クローチェは「タタール人の得体の知れぬ人物」のことを悪霊のごとく語っている。[*165]

またこれは、自分たちの仲間に対し永劫なる死、つまりラテン語でまさしくタルタルス（tartarus）と名づけられている地獄の責苦を準備する、地獄の悪魔に似ているのだ。

黄色人種の起源と使命を説明する理論は、すべて彼の『旅行案内』に示されている。おそらくそれは、『スコラ的聖書史』〔ペトルス・コメストルの著作〕に書かれている通り、アレクサンドロス大王が奇跡によってカスピ山〔カフカス山系〕の山奥に封じ込めたとされるイスラエル十部族の後裔のことを指していたのだろう。[*166]

さてヨセフォスとメトディオス曰く、これら十部族は世の終わり頃そこを出て、人々と国土を破壊しに行くであろうと。それがため、これら十部族がかつていた山奥から忽然と現れ出てきて、東方の国々で世を破壊し始める、これらタルトル〔タタール〕であると考える者も何人かいる……

東洋人征服者に対する憎しみもあり、そしてまた彼らの書字がユダヤ文字のもとになったカルデア文字と似ていることからしても、そのように考えられぬではない。しかしその反面、彼らタタール人は聖書のことも知らないし、姿もまた他の民族と異なっていた。それゆえ、大王がヘブライの民と一緒に封じ込めたのはゴグとマゴグの民であるとする説のほうがいっそう真実味があったのだ。[*167]

また、タルトル人自身も、自分たちはゴグとマゴグの後裔であると言っており、これは名前の点からしてもかなり当たっていそうだ。なぜなら、タルトル人はモンゴルの大地から出ており、彼の地のタルトル人はかつて彼らの国において、彼らの祖先マゴグのマグログルのゆえに、モングルと呼ばれていたからだ。

タタール人はかくして世界荒廃者の役回りを引き受けさせられることになった。サタンを率き連れての、ゴグとマゴグの到来に関する「エゼキエル書」（三八章一六節）と「ヨハネの黙示録」（二〇章七―八節）の預言が、蕃族の群の跋扈するなかで今まさに成就しようとしていたのだ。

ところで、〈モンゴルの反キリスト〉の大預言者、それはロジャー・ベイコンであった。[*168] 彼もまたキラコスと同じく大動乱の様々な前兆を一つに結びつけた。人類の道徳的退廃、フランス王国でのサラセン人への幼児売買（一二一二年の少年十字軍）。教会と聖職者への反抗者で「ハンガリーの首長」と呼ばれる偽預言者（一二五一年）。この男は聖母の手紙を握り持ち、その掌をけっして開かなかったというが、王妃ブランシュさえ彼に心を奪われていたではないか。驚異博士〔Doctor mirabilis ベイコンの異名〕は古人の予言としてエティクスの『宇宙誌』を挙げた。それによれば、カスピ門のあいだに住む民族は世界に出て反キリストを神の名の下に歓呼して迎えるであろうという（三二章、三九章）。さて、この民族はすでに門から外に出た。聖王ルイによってタタール人の許へ遣わされた托鉢修道会士たちはそれを首肯しており、恒星の配置もまた月の凶年を告げていた。聖書、シビュラ、マーリン、フィオーレのヨアキム[*169]（ヨアキム・デ・フロリス）などの預言者、哲学者もペテン師の到来が近づきつつあることで意見の一致をみていた。〈反キリスト〉はおそらくタルタリアの出身者であろう。しかし、仮にモンゴル人でない――これらの地域にはすでにゴート人とヴァンダル人が来ていた――としても、〈反キリスト〉は間違いなく彼らの魔力を持っている。リュブリュキの言を借りれば、〈反キリスト〉はタタール人のように星の力を使って自然の諸力を自在に操る術を心得ているはずだった。全学知が〈反キリスト〉の恣《ほしいまま》になるというのだ。

学識者の存在があったとはいえ、恐怖の念と修辞の綾から、来たるべき世の終わりについての理論、というより教義に等しいものが生み落とされた。思い込みは八方へ伝わった。ジョワンヴィル、ギヨーム・ド・ナンジといった歴史家たちも、タタール人こそゴグとマゴグの後裔であり、審判の時にやって来ると繰り返し主張した。[*170] 地理学者たちは世界地図の上でそれを説いて回った。つまり、鉄門〔ドナウ河の峡谷〕は一般にカフカスにあるとされているが、もしそうだとするなら「封閉されたユダヤ人」（inclusi Judaei）と「封閉されたタタール人」（inclusi Tartari）は、古典的伝統に従って中央アジアと東アジア地域へ追いやられるのが理《ことわり》というものだ、と。[*171] 募りゆく恐怖がひとまず沈静し、モンゴル侵攻からかなり時が経っても、寓話はその昔日の力を失わずにあったようだ。シャルル五世の書庫にある、一三七五年製作の『カタルニャ（カタラン）地図』でも、掠奪者の部族の湧き出てくるその土地についていまなお同じ詳細が載っているからである。[*172] カスピ山はヒマラヤ＝アルタイ山系の北東部に位置している。その場所に描かれている幾人かの人物像には次のような伝承が付記されている。

アレクサンドロス大王はカスピの山系で梢の天にも届かんばかりの高い樹を見つけたが、彼はそこで死ぬはめになった。しかし、サタンが魔法を使って彼を危険から救い出し、そして、その同じ魔法の力でもってそこへゴグとマゴグのタタール族を封じ込めた。

そして、その傍らには、

ゴグとマゴグの大殿下。彼は反キリストの時に大勢の配下を率き連れてやって来る、

とある。

神話はこの時代に生き残り、それと結びつく動乱の後も流布し続けた。[*173] 出来事は繰り延べになったが、その余波が残った。中世にとり憑いて離れぬタタールという名前、この音の響きのなかでその影響は生き続けたから。タタールやモンゴルといった言葉は地獄《タルタロス》と世界の断末魔

とを想い起こさせたのだ。

以上のことから、西欧が東アジアの美術に負っているものの特徴が説明される。西欧は東アジアの広範なレパートリーを発見し、それの喧伝者が名前を運んできた諸々の勢力について、とりあえず情報を得ようと試みた。悪魔のイメージは、サタンの民の仲立ちによって修正を施され、豊かさを増した。[*174] しかも、それらの寄与は、古い地獄が、蘇ったヴィジョン・伝承のなかで爆発し、収縮の時代の後で再来してくる時期に多様化してきた。[*175] 地獄《タルタロス》から直接出てきた悪霊は格好の土壌に散らばったのだった。

流入は量が多く、しかもそれは様々なルートを経てきたが、モンゴル宮廷のように特別重要な交差点もいくつかあったようだ。歓喜母伝説は、趙孟頫（一二五四―一三二二年）の手で李龍眠筆様の画巻に要領よくまとめ上げられており、西欧に伝播した地獄の生き物にも似た鬼の群がそこに見られる。[*176] なお、趙孟頫というのは、フビライの側近および、フランシスコ会士を受け入れてきたフビライの後継者に厚遇された画家である。思えば彼らフランシスコ会の宣教師が同じ托鉢修道会に属するロジャー・ベイコンの説を心に思い浮かべていたならば、どのような気持でそれらの作品を鑑定したことだろうか。

これら様々な鬼神のなかにはゴシック美術のそれと似ているものもあった。その一つである雷神には、似ているというだけでなく両世界に通有の要素まで具わっていた。天使の失墜を描写するにあたり、十五世紀ないし十六世紀のある絵画指南書は、[*177]デューラーやホルバインの描いたものを思わせる「黙示録」の場面もまた正確に提示し、キリストが玉座の上へ王のごとく坐り「われ天より閃く雷光《いなずま》のごとくサタンの落ちしを見たり」（「ルカによる福音書」一〇章一八節）という言葉の見える開かれた福音書を手にしているところを表している。下方には、山の中心部が口を開けており、「タタール」（Tartare）の銘文がある。キリスト教の地獄図には、いうなれば嵐と雷の神の特別席が設けられていたのだ。蝙蝠の翼手と爪、鳥の嘴を持った雷神は、こうした天使的位階の崩壊の場によく姿を現す【図132】。罰を与える神の伝承それ自体も西欧へ到達した。リュブリュキはカラコルムを離れるにさいし、ギヨーム・ブーシェから母国の王への贈り物の一つとして「雷鳴・稲妻除けに身に着ける一個の宝石で飾った革帯」を託された。[*178]ド・メリはこの護符を研究しており、『シナ百科事典』によれば、それは双頭斧のかたちをしており、そのかたちは稲妻が走った後に見られるものだという。[*179]このように、雷除けの御守も神と同じく西方への路を辿った。その御守はフランス国王を天災から護るのに役立つことになった。はたして偶然の一致なのか、現世利益の証拠なのか、この事実は言及されて然るべきだろう。いずれにせよ、〈雷の霊〉[*180]は悪魔の位階のなかに自らの場所を得て中世に生き残った。ネッテスハイムのアグリッパ（一五三〇年）とその弟子ヨハネス・ヴァイアー[*181]（一五六〇年）によれば、神学者はそれを悪しき霊の六番目、「雷鳴と稲妻と閃光のあいだで一つに融け合う気の力」と結びつけていたという。一六〇九年にボルドー地方で魔女裁判の指揮を執ったド・ランクル、彼もまたそれを引き合いに出している。[*182] このド・ランクルの本は「インドと日本から駆逐された鬼神と悪霊」について興味深い情報を伝えてくれる。

彼らはキリスト教国の群衆のなかに飛び込み、そこに都合のよい人間と場所を見つけ、そこを主たる住処として少しずつ国土の絶対的支配者となっていく。[*183]

イギリスとスコットランドの旅人はフランスを旅行中に、身の毛もよだつ格好で徒党を組む鬼神を目撃した。おそらくはファンタジーを競い合う類の数多の寓話のなかの一つにすぎまいが、しかしここにはいまなおアジア的悪魔伝説の名残りが反映しているのだ。

このように、はるか彼方からの寄与が西欧の地獄図に残した刻印は、深く、荒々しく、それがため払拭しがたいものであった。悪霊は、彼らが中世を貫く苦悩や動揺のなかで身につけた外形を今日まで保ち続けている。それらの外観は時代や環境によって変化し、豊かさも増している。しかし結局は同じ形体へ立ち返ることになった。蝙蝠の翼手は彼ら特有の徴《しるし》となった。それは、悪魔的イマジュリの基調が西欧において最終的に成立するさい、重要な役割を果たした異邦の目印であったのだ。

原註

＊1――カンタベリーの註釈付き『詩篇集』、パリ国立図書館 ms. lat. 8846, Abbé V. Leroquais, *Les Psautiers manuscrits latins des bibliothèques publiques de France*, Mâcon, 1940-41, pl. LX. カスティリャのブランシュの『詩篇集』（一二二三年以前）、アルスナル図書館 ms. 1186, H. Martin, *Psautier de Saint Louis et de Blanche de Castille*, Paris, s. d., pl. XV と XXVI.

＊2――たとえば、アルフォンソ賢王の聖母マリアの頌歌（カンティガ）集（J. Dominguez Bordona, *La Miniatura española*, II, Barcelona, 1930, pl. 89）あるいは、H・イェイツ・トムソンのカンタベリーの『黙示録』（一二九〇年頃）（*Illustrations of One Hundred Manuscripts*, IV, London, 1914, pl. XXXVI）にあるものなど。

＊3――H・ロンニョン訳、パリ、一九六八年。

＊4――サンテニャン、モワサック、リヨンのサン＝マルタン・デネ。

＊5――サン＝ミシェル・ダントレグ。

＊6――*The New Palaeographical Society*, série I とくに III, London, 1905, pl. 64.

＊7――Abbé V. Leroquais, *Les Bréviaires des bibliothèques de France*, Paris, 1933, pl. 28.

＊8――『ユダヤ古代史』T. Cox, *Jehan Fouquet*, London, 1931, pl. XLIX.

＊9――エルヌの回廊、バルセロナ大聖堂の聖イヴォ門、トロワ大聖堂、ベヴァリー大聖堂。

＊10――ポワティエ、チェスター、マンチェスターの各大聖堂の聖職者席、ヘミングバラの板彫り E. Maillard, *La Sculpture de la cathédorale de Poitiers*, Poitiers, 1921, p. XXXVII ; F. Bond, *Wood Carving in English Churches*, I, *Misericordes*, London, 1910, fig. p. 15 および 23 ; *The Archaeological Journal*, 1935, pl. XX.

＊11――G. Vitzthum, *Die Pariser Miniaturmalerei*, Leipzig, 1907, pl. VIII ; H. Martin, *La Miniature française du XIII*^{e} *au XV*^{e} *siècle*, Paris, 1923, pl. 61 と 66 ; Abbé V. Leroquais, *Les Pontificaux des bibliothèques de France*, Paris, 1937, pl. XLV, XLVIII, LII.

＊12――十二世紀イギリスの『動物誌』(G. Druce, *The Medieval Bestiaries*, *Journal of the British Archaeological Association*, 1919, pl. II, fig. 2 ピアポント・モーガン図書館 ms. 81) およびサンクト・ペテルブルグの『動物誌』のなかで、ワニの背にはえていることもあるギザギザの棘はいささか異なった類型に属している。

＊13――D'Ancona, *La Miniature italienne du X*^{e} *au XV*^{e} *siècle*, Paris, 1925, pl. XXX, XXXVII ミラノの『聖書』、通称聖ゲオルギウスの『ミサ典書』、ともに十四世紀。*Bulletin de la S. F. R. M. P.*, 1911, pl. IV パリ国立図書館 ms. fr. 14363『聖ミカエル修道会規約』(*Statuts de l'Ordre de saint Michel*) のシャルル八世本。

＊14――大英博物館 Roy. ms. 19 B, XV, E. Millar, *La Miniature anglaise aux XIV*^{e} *et XV*^{e} *siècle*, Paris, 1928, pl. 43.

＊15——L. Bégule, *Monographie de la cathédrale de Lyon*, 1886, 1re série, pl. IV.

＊16——セビリャの聖職者席、一四七八年頃 *La Esculptura en Andalucia*, Sevilla, s. d., I, pl. 99 E.

＊17——C. Gould, *Mythical Monsters*, London, 1886, p. 333.

＊18——H. Omont, *Livre des Merveilles* (ms. fr. 2810 パリ国立図書館), Paris, 1907, pl. 128.

＊19——十四世紀のイタリア、スペインの織物 R. Cox, *Les Soieries d'art*, Paris, 1914, pl. 44. セビリャの聖職者席 *La Esculptura en Andalucia*, pl. 100.

＊20——ポワティエの聖職者席 E. Maillard, *op. cit.*, pl. XLIII.

＊21——トゥールーズのサン＝ニコラ M. de Bevotte, *La Sculpture à la fin de la période gothique dans région de Toulouse*, Paris, 1936, pl. III.

＊22——ケルンの聖職者席 B. von Tieschowitz, *Das Chorgestühl des Kölner Domes*, Marburg, 1930, pl. 59 およびシャルル豪胆公の『時禱書』 P. Durrieu, *La Miniature flamande au temps de la Cour de Bourgogne*, Paris, 1927, pl. XLIII.

＊23——ペトルス・コメストル、一二八三年頃 E. Millar, *La Miniature anglaise du Xe au XIIIe siècle*, Paris, 1926, pl. 95 ; E. Dewick, *The Metz Pontifical*, London, 1902, pl. 9 と 11. アヴィニョン教皇庁の聖水盤の底 L. Labande, *Le Palais des Papes et les Monuments d'Avignon au XIVe siècle*, Marseille, 1925, fig. 87.

＊24——ブザンソンの『司教典礼書』、十四世紀 Abbé V. Leroquais, *Les Pontificaux*, pl. XLV.

＊25——セビリャの聖職者席。ベルヴィルの『聖務日課書』 Abbé V. Leroquais, *Les Bréviaires*, pl.

XXVIII.

＊26——メアリ王妃の『詩篇集』、イースト・アングリア、十四世紀初頭。ポワティエの聖職者席、一三〇〇年頃。オーシュの聖職者席、十六世紀。

＊27——Ch.-V. Langlois, *La Connaissance de la Nature et du Monde*, Paris, 1927, p. 21.

＊28——ピエール・ル・ピカールの『動物誌』（一二一〇—一五年）より。Cahier et Martin, *Mélanges d'archéologie*, II, 1851 参照。

＊29——H. Martin, *La Miniature française*, pl. 38 ; P. Toesca, *La pittura e la miniatura nella Lombardia*, Milano, 1912, fig. 213 ; L. Dorez, *Les Manuscrits de la bibliothèque de lord Leicester*, Paris, 1908, pl. XXXIX.

＊30——A. de Laborde, *Les Miracles de Notre-Dame, Publication de la S. F. R. M. P.*, 1929, pl. xxii と xxiii ゴーティエ・ド・コワンシー著（一四五六年以降）、および *La Cité de Dieu*, Paris, 1899, pl. CXVII, Mâcon, 1480.

＊31——C. Enlart, *Manuel d'archéologie française*, III, *Le Costume*, Paris, 1916, pp. 353-364.

＊32——デヴォンのウィリアムの『聖書』（一二五一—七四年頃）およびマルグリット・ド・ボージューの『時禱書』（十四世紀）。

＊33——A. Demmin, *Guide des amateurs d'armes et armures anciennes*, Paris, 1879, p. 216 と 348.

＊34——W. Boeheim, *Handbuch der Waffenkunde*, Leipzig, 1890, fig. 30.

＊35——G. Demay, *Le Costume au Moyen Age d'après les sceaux*, Paris, 1880, fig. 226, 228.

*36——ルーヴルの素描 H. Leporini, *Die Stilentwicklung der Handzeichnung, XIV. bis XVIII. Jahrh.*, Leipzig, pl. 10.

*37——L. Beltrami, *Léonard de Vinci et l'aviation*, Milano, 1912, fig. p. 13 と 15；M. Herzfeld, *Leonaldo da Vinci, der Denker, Forscher und Poet*, Jena, 1926, p. 28, XLIX.

*38——F. R. Martin, *Miniature, Paintings and Painters of Persia, India, and Turkey*, London, 1912, pl. 21 ニューヨーク、ピアポント・モーガン図書館 ms. 500.

*39——*Survey of Persian Art*, Oxford, 1938, pl. 824 ドゥモット・コレクション旧蔵。

*40——ピアポント・モーガン図書館の写本五〇〇番のミニアチュールのなかには中国的特徴を有するものがいくつかあることから、それらはガーザーンの宮廷に雇われていた中国人芸術家によって制作されたのではないだろうかと考えられている。M. S. Dimand, *The Metropolitan Museum of Art, A Guide to an Exhibition of Islamic Miniature Painting and Book Illustration*, New York, 1933-34, p. 18 参照。

*41——V. Segalen, G. de Voisins, J. Lartigue, *Mission archéologique en Chine*, Paris, 1924, II, pl. XXIII 瀋の柱、前二世紀。O. Sirèn, *Histoire des arts anciens de la Chine*, Paris, 1929, II, pl. 29 晋または漢のブロンズ、p. 99 漢様式の、しかしいくぶん後代の賦彩テラコッタ、三〇〇—四〇〇年頃。H. d'Ardenne de Tizac, *Les Animaux dans l'art chinois*, Paris, s. d., pl. 27 A 唐のブロンズ。

*42——M. W. de Visser, *The Dragon in China and Japan, Verhandelingen der Koninklijke Akademie* *von Westenschappen te Amsterdam*, XIII, nº 2, 1913, pl. 73.

＊43——F. Martin, *Zeichnungen nach Wu-Tao-Tze aus Götter-und Sagenwelt Chinas*, München, 1913, pl. 49.

＊44——H. d'Ardenne de Tizac, *op. cit.*, pl. XL.

＊45——*Annales du musée Guimet*, I, 1904.

＊46——A. Leroi-Gourhan, *Bestiaire du bronze chinois de style Tcheou*, Paris, 1936, pp. 20-22. W. Cohn, *Peinture chinoise*, Paris, 1948, pl. 1 には、紀元前五—前三世紀のブロンズの壺を飾るこうした像の一つが複製されている。

＊47——L. Binyon, *La Peinture chinoise dans les collections d'Angleterre*, *Ars Asiatica*, IX, 1927, pl. v. カラー図版は M. A. Stein, *The Thousand Buddhas*, London, 1921 の図版四五にある。

＊48——K. Tomita, *Portfolio of Chinese Paintings in the Museum of Boston*, Boston, 1933, pl. 81.

＊49——*Selected Relics of Japanese art*, XV, Tokyo, 1908, pl. 10.

＊50——A. Grünwedel, *Alt-Kutscha*, Berlin, 1920, fig. 47.

＊51——*Divinité de la Chine*, Album au musée Guimet, 16480.

＊52——李龍眠筆の画巻『歓喜母神伝説』*Annales du musée Guimet*, Paris, 1904 ; V. Goloubev, *Li Long-mien*, *Gazette des Beaux-Arts*, 1914, p. 286.

＊53——E. Chavannes, *La Légende de Kouei-tseu-Mou, peinture de Li Long-mien*, *T'oung Pao*, 1904, p. 490 ; A. Franks, *On some Chinese Rolls*, *Archaeologia*, 1892, p. 239.

＊54——H. Maspero, *Mythologie de la Chine*, *Mythologie asiatique illustrée*, Paris, 1928, p. 250, fig. 11. また Ou-I-Tai, *Mythologie chinoise*, F. Guirand, *Mythologie générale*, Paris, 1935, p. 351 も見よ。

＊55——E. T. C. Werner, *Chinese Composite Deities*, *Journal of the North China Branch of the Royal Asiatic Society*, LIV, 1923, p. 253.

＊56——H. Maspero, *op. cit.*, fig. 11.

＊57——H. Martin, *Joyaux de l'enluminure de la Bibliothèque national*, Paris, 1928, pl. 50.

＊58——Ch. Sterling, *Les Peintures du Moyen Age*, Paris, 1941, pl. 110 アヴィニョン、カルヴェ美術館。

＊59——E. Mâle, *L'Art religieux de la fin du Moyen Age en France*, Paris, 1922, fig. 35, 213, 215, 216, 217.

＊60——M. Hermann, *Forschungen zur deutschen Theatergeschichte de Mitlalters und der Renaissance*, Berlin, 1914, fig. 122, 123, 124.

＊61——Ch. de Tolnay, *Hieronymus Bosch*, Basel, 1937, pl. 37 と 41.

＊62——J. Combe, *Jérôme Bosch*, Paris, 1946, p. 37, pl. 83, 96, 141.

＊63——A. von Lecoq, *Die buddhistische Spätantike in Mittelasien*, III, *Die Wandmalereien*, Berlin, 1924, p. 52 と pl. 25 (Chotscho) ; O. Sirèn (*Histoire de la peinture chinose*, I, Paris, 1934, p. 32 と pl. 19) は、この絵を七ないし八世紀まで遡らせている。

＊64――この頭部については、フィリップ・ヴェルディエから教示を受けた。

＊65――E. Castelli, *Il Demoniaco nell'arte*, Milano-Firenze, 1952, pl. 124.

＊66――同じ鬼神は Nicolas Manuel Deutsch および Hans Friez, *ibid.*, pl. 84 と 92 に再録されている。

＊67――B. Laufer, *Chinese Clay Figures*, Chicago, 1914, p. 295, pl. XLVI ; E. Fuchs, *Tang-Plastik, chinesische Grabkeramik des VII. bis X. Jahrh.*, Müinchen, s. d., pl. 12, 14, 15 ; C. Henze, *Les Figurines de la céramique funéraire*, Dresden, 1927, pl. 111.

＊68――O. Schmitt, *Gotische Skulpturen des Freiburger Münster*, Francfort-s.-M., 1926, pl. 64.

＊69――H. Rylands, *The Ars Moriendi*, London, 1881 ; A. Blum, *Les Origines de la gravure en France*, Paris, 1927, pl. LX.『往生術』の主な系列の分類については W. L. Schreiber, *Manuel*, V, pp. 253-313 を見よ。問題のありようと〈イニシャル・E・Sの画家〉との関連については F. Saxl, *A Spiritual Encyclopedia of the Later Middle Ages*, *Journal of the Warburg and Courtauld Institutes*, V, 1942, p. 124 以下を見よ。

＊70――H. Cordier, *Les Monstres dans la légende et dans la nature, les cynocéphales*, Paris, 1890.

＊71――ルートヴィヒ敬虔王時代のコルビーの修道士ラトラムは、十世紀のある世界地図上で、犬頭人たちは北方――アフリカ最北端――に住んでいるとしていた（E. Mâle, *L'Art religieux du XII*^{e} *siècle en France*, Paris, 1922, p. 330）。

＊72――ピエール・ル・ピカール、ゴーティエ・ド・メッス、ブルネット・ラティーニ。

＊73――唯一ヘリフォードの世界地図だけが犬頭族をスカンディナヴィアに位置させており、これは

おそらくカロリング朝の伝統を踏襲しているのだろう。『アレクサンドロス物語』では、クロアチアのエスクラヴォン人の国に犬頭族がいるとされている。

＊74――J. H. Plath, *Über die Sammlung chinesischer Werke aus der Zeit der Hans und Wei*, München, 1868, p. 6.

＊75――H. Cordier, *Les Monstres dans la légende et la nature*, p. 13 以下。

＊76――オドリーコ・ダ・ポルデノーネならびにジョン・マンデヴィルの物語において。H. Omont, *Le Livre des Merveilles*, pl. 92 を見よ。A. Schramm, *Der Bilderschmuck der Frühdrucke*, IV, Leipzig, 1921, pl. 97, fig. 665 参照。

＊77――『大蔵経』、東京版、一九三四年、巻七、六番と八番。

＊78――P. Durrieu, *Les Très Riches Heures du duc de Berry*, Paris, 1904, pl. XIII.

＊79――ジョン・フォクストンの『宇宙誌』、一四〇八年 *Burlington Fine Arts Club*, *Exhibition of Illuminated Manuscripts*, London, 1908, p. 106.

＊80――O. Sirèn, *Les Peintures chinoises dans les collections américaines*, Paris, 1927, pl. 97.

＊81――『聖王ルイ物語』、パリ国立図書館 ms. fr. 13568, H. Martin, *La Miniature française*, pl. 32.

＊82――A. de Laborde, *Les Miracles de Notre-Dame*.

＊83――F. de Mély, *Le « De Monstris » chinois et les Bestiaires occidentaux*, *Revue archéologique*, 1897, pp. 353-373.

＊84――ギメ美術館　R. Grousset, *Les Grandes Périodes de l'art indien*, *Revue de l'art ancient et moderne*, 1927, fig. 103.

*85——J. Hackin, *Les Collections bouddhiques du musée Guimet*, Paris, 1923, pl. VII.

*86——C. Henze, *op. cit.*, pl. 107.

*87——E. Fuchs, *op. cit.*, pl. 7と8.

*88——H. Maspero, *op. cit.*, fig. 33と34.

*89——W. Deonna, *Le Genou, siège de force et de vie et sa protection magique*, *Revue archéologique*, 1939, p. 224以下。

*90——L. Dorez, *op. cit.*, pl. XXIV イギリス写本、十三世紀末—十四世紀初頭。A. de Laborde, *Les Miracles de Notre-Dame*; Th. Wright, *Histoire de la caricature*, Paris, 1875, fig. 91 ラドローの聖職者席、十五世紀。

*91——E. Castelli, *op. cit.*, pl. 95.

*92——M. Hermann, *op. cit.*, fig. 116, 117, 118.

*93——『往生術』および『牧者の暦』。

*94——T. H. Hendley, *Indian Animals, True and False in Art, Religion, etc.*, *The Journal of Indian Art and Industry*, XIII, 1909, *Composite Animals*, p. 75以下 pl. 1と4; J. Zykan, *Der Tierzauber*, *Artibus Asiae*, 1935, p. 203以下。伝存する最古の形態は、十五世紀のアルメニアの素描（合成されたグリフォン J. Zykan, *op. cit.*, fig. 5参照）および十五世紀末のヘラート派のミニアチュール（悪霊に導かれる合成された馬 P. B. Cott, *Recent Accessions of Near*

Eastern Miniature Paintings, *Worcester Art Museum*, Ann. I, 1935-36, p. 41, fig. 11）に見られるが、それらはインドの原型からコピーされたものである。

＊95——B. Berenson, *Sassetta*, *Burlington Magazine*, 1903 ; *A Science Painter of the Franciscan Legend*, London, 1909, pp. 17-18.

＊96——G. Soulier, *Les Influences orientales dans la peinture toscane*, Paris, 1924 ; J. Plenge, *Die Chinarezeption des Trecento und die Franziskaner-Mission*, *Forschungen und Forschritte*, 1929, pp. 294-295 ; J. Pouzina, *La Chine, l'Italie et les debuts de la Renaissance, XIII*^{e}*-XIV*^{e} *siècles*, Paris, 1935. また *Ostasiatische Zeitschrift* 1936/1937 の書評欄にある L. Reidemeister と O. Frankl の批評も見よ。V. Goloubev, *op. cit.*, p. 295 ; L. Olschki, *Asiatic Exotism in the Indian Painting of the Early Renaissance*, *The Art Bulletin*, XXVI, 1944, pp. 95-108.

＊97——P. Gendronneau, *De l'influence du bouddhisme sur la figuration des enfers médiévaux*, Nîmes, 1922 ; F. de Mély, *De Périgueux au fleuve Jaune*, Paris, 1927. また E. W. Anthony, *Early Christian Art and the Far East*, *Mediaeval Studies in Memory of A. Kingsley Porter*, Harvard University Press, 1939, I, pp. 101-111 ; *Orient-Occident, rencontres et influences*, musée Cernuschi, *Catalogue de l'Exposition*, Paris, 1958-59, p. 39 以下 ; W. Frankl, *China and the West*, Oxford, 1967 ; G. Pochat, *Der Exostismus wahrend des Mittelalters und der Renaissance*, Uppsala, 1970 も見よ。

＊98——Ch. Sterling, *Le Paysage dans l'art européen de la Renaissance et dans l'art chinois*, *L'Amour de l'Art*, 1931, p. 9 以下と p. 101 以下。中国の風景画とシエナのそれとのあいだの関係については M. L. Gengaro, *Sogno e realità nella primitiva arte senese*, *La Diana*, 1932 見よ。

*99——I. Hallberg, *L'Extrême-Orient dans la littérature et la cartographie de l'Occident des XIIIe, XIVe, XVe siècles*, Göteborg, 1906 ; H. Cordier, *Histoire de la Chine et de ses relations avec les pays étrangers*, II, Paris, 1920. また G. Glotz, *L'Asie orientale*, *Histoire générale*, t. X, Paris, 1941 にある第三章、R. Grousset, *L'Empire mongol* も見よ。O. Pinto, *Viaggiatori veneti in Oriente dal secolo XIII, al XVI*, *Venezia e Oriente*, 1966, pp. 389-401.

*100——M. Brosset, *Deux historiens arméniens*, Sankt-Peterburg, 1870, p. 155.

*101——A. Rémusat, *Mémoires sur les relations politiques des princes chrétiens et particulièrement des rois de France avec les empereurs mongols*, *Mémoires de l'Académie des inscriptions*, VI, 1822, p. 396 以下 ; *Ibid.*, VII, 1824, p. 335 以下と p. 28 以下。

*102——教皇との関係については P. Pelliot, *Les Mongols et la Papauté*, *Revue de l'Orient chrétien*, 1923-31 ; G. Soranzo, *Il Papato, l'Europa cristiana ed i Tartari*, Milano, 1930 を見よ。

*103——L. de Backer, *L'Extrême-Orient au Moyen Age d'après les manuscrits d'un Flamand de Belgique et d'un prieur d'Arménie*, Paris, 1877. ハイトンの『東方史精華』(*La Flore des estoires de la Terre d'Orient*) は *Recueil des historiens des Croisades, Documents arméniens*, II, Paris, 1906 に所収。

*104——Rubrouck et Plan Carpini, *Recueil de voyages et mémoires de la Société géographique de Paris*,

1838-39 ; L. de Backer, *Récit du voyage de Guillaume de Rubrouck*, Paris, 1877 ; J. W. Bradley, *Plan Carpin and Rubruquis*, London, 1903 ; Rubrouck, *Itinerarium*, *Sinica Franciscana*, I, Firenze, 1929, pp. 164-332.

*105——U. Monneret de Villard, *Il Libro della Peregrinazione nella parti d'Orienti del Frate Ricoldo da Montecroce*, Roma, 1948.

*106——P. A. van den Wyngaert, *Sinica Franciscana*, I, Firenze, 1929 ; A. Moule, *Christians in China Before the Year 1550*, London, 1930.

*107——中国におけるキリスト教美術については S. Schüller, *Die Geschichte der christlichen Kunst in China*, Berlin, 1949 を見よ。

*108——H. Yule and H. Cordier, *Cathay and the Way Thither*, London, 1915-16 ; P. Pelliot, *Chrétiens d'Asie centrale et extrême-orientale*, *T'oung pao*, 1914, pp. 623-644.

*109——H. Yule and H. Cordier, *The Book of Ser Marco Polo*, London, 1903-20 ; A. Moule and P. Pelliot, *Marco Polo*, London, 1938 ; L. Olschki, *Marco Polo's Asia, Introduction to his Description of the World Called « il Milione »*, Los Angeles, 1960 ; *Marco Polo, Milione* ヴァレリア・ベルトルッチ・ピッツォルッソによって編まれた最初の校訂版 Classici Adelphi, Milano, 1975. また R. Etiemble, *La Philosophie, les Arts et les Religions de la Chine dans l'œuvre de Marco Polo*, *Venezia e l'Oriente*, 1966, pp. 375-488 および R. Wittkower, *Marco Polo and the Pictorial Tradition of the East*, *Oriente Poliano*, Roma, 1957, pp. 155-172 も見よ。

＊110——H. Cordier, *Odoric de Pordenone*, Paris, 1891.

＊111——ジョン・マンデヴィルの『旅行記』は様々な典拠の寄せ集めにすぎない。これについてはG. Warner, *The Buck of John Maundeuill*, The Roxburghe Club, 1889 および M. Letts, *Sir John Mandeville, The Man and his Book*, London, 1949 ; J. W. Bennet, *The Rediscovery of Sir John Mandeville*, New York, 1954 ; M. Seymour, *Mandeville's Travels*, Oxford, 1967 を見よ。

＊112——ジョヴァンニ・デ・ピアーノ・カルピーニ、アスラン、ギヨーム・リュブリュキ、マルコ・ポーロ、ジョン・マンデヴィルの見聞録ならびにハイトンの『東方史精華』は P. Bergeron, *Voyages faits principalement en Asie*, Haag, 1735 に集大成されている。

＊113——H. Omont, *Le Livre des Merveilles* ; L. de Backer, *L'Extrême-Orient au Moyen Age*.

＊114——Marco Polo, *De consuetudinibus et conditionibus Orientalium regionum*, Antwerpen, 1485-86. E. Buron, *Ymago Mundi de Pierre d'Ailly*, Paris, 1930, p. 738 を見よ。

＊115——W. Heyd, *Histoire du commerce du Levant au Moyen Age*, Leipzig, 1885, p. 72, 92, 107, 215, 257.

＊116——C. Enlart, *Manuel*, III, *Le Costume*, p. 10 ; Francisque-Michel, *Recherches sur le commerce et la fabrication des étoffes de soie d'or et d'argent au Moyen Age*, Paris, 1852.

＊117——O. von Falke, *Kunstgeschichte der Seidenweberei*, Berlin, 1913, II, p. 51.

＊118——J. Labarte, *Inventaire du Mobilier de Charles V, roi de France*, Paris, 1879, n°s 1029, 3322, 3536, 3539, 3552, 3556, 3563, 3568, 3570, 3574, 3593, 3827, 3829, 3843. これらの織物は東

アジア原産であるが、ペルシア、キプロスでも生産されており、西欧の模造品もある。

*119——ロンニョン訳、パリ、一九六六年。

*120——D. Klein, *Die Dalmatika Benedikt XI, Ostasiatische Zeitschrift*, 1934, p. 127 以下。

*121——ベルジュロン『アジア旅行記集成』、四七章、四一頁。

*122——O. von Falke, *op. cit.*, chap. VII, *Die Seidenweberei des späten Mittelalters von 1300-1500* を見よ。A. *Die Entstehung des späten mittelalterlichen Seidenstils durch das Zusammenwirken der Gotik und der chinesischen Kunst*, p. 46 以下。十四世紀の絹織物に対するヒンドゥー教と仏教の寄与については V. Slomann, *Bizarre Designs in Silks*, Copenhagen, 1953, pp. 72-81 を見よ。

*123——V. Gay, *Glossaire archéologique du Moyen Age et de la Renaissance*, Paris, 1928, II, p. 257「中国の磁器」の項を見よ。

*124——R. Schmidt, *China und Dürer, Zeitschrift des deutschen Vereins für Kunstwissenschaft*, 1939, pp. 103-108.

*125——F. de Mély, *De Périgueux au fleuve Jaune*, p. 48 および fig. 31-34 ; G. I. Bratianu, *Anciennes modes orientales à la fin du Moyen Age, Études byzantines d'histoire économique et sociale*, Paris, 1938, p. 269. 西欧における角錐帽の歴史については C. Enlart, *Manuel*, III, *Le Costume*, p. 204 以下を見よ。

*126——C. Henze, *op. cit.*, pl. 46 A と B, 48 C, 57 A と B, 62.

*127——Jean d'Arras, *Melusine* 所収 A. Blum, *Les Origines du livre à gravures en France*, pl. LX.

*128——C. Enlart, *op. cit.*, fig. 209 と 210.

*129——C. Henze, *op. cit.*, pl. 59 A ; E. Fuch, *op. cit.*, pl. 39 八—九世紀。

*130——G. Schlegel, *Hennins or Conical Lady's Hats in Asia, China and Europe*, *T'oung pao*, 1892, pp. 422-429.

*131——O. Sirèn, *Histoire des arts de la Chine*, III, Paris, 1930, pl. 114.

*132——L. de Backer, *L'Extrême-Orient au Moyen Age*, p. 281.

*133——ベルジュロン『アジア旅行記集成』、一五—一六頁。

*134——同書、二九頁。

*135——C. Enlart, *Manuel*, III, *Le Costume*, p. 72 と 84.

*136——G. Soulier, *op. cit.*, p. 164, 279, 350. また G. H. Edgell, *Le Maytre du Frère Pierre de Sienne et de ses compagnons de Trana, fresque d'Ambrogio Lonrenzetti*, *Gazette des Beaux-Arts*, 1929, pp. 307-311 も見よ。

*137——クリュニー美術館の司教帽（一三七五年）にも絹布に墨描きのデッサンがある。一三七九年のシャルル五世の財産目録は、いくつかの「サミ〔厚手のサテン地〕に白黒の絵柄のついた帽子」に混じって、「ジラール・ドルレアンによって描かれた、いくつかの人像・物語場面に囲まれているキリスト磔刑図」についても言及している。Ch. Sterling, *Les Peintures du Moyen Age*, *Répertoire*, n° 2 参照。

＊138——アルスナル図書館 ms. 623, f° 213 A^{v}, Archives photographiques des M. H, cl. BAP. 13233.

＊139——L. Réau, *La Peinture française du XIVe au XVIe siècle*, Paris, 1939, pl. 53.

＊140——ジュネーヴ図書館 ms. fr. 77, f° 9, H. Martin, *La Miniature française*, pl. 73, fig. XCVIII. これに比較されるのは O. Sirèn, *Collections américanes*, pl. 5 の唐代の絵。

＊141——A. W. Byvanck et G. J. Hoogewerff, *La Miniature hollandaise dans les manuscrits des XIVe, XVe et XVIe siècles*, Haag, 1922, I, pl. 73.

＊142——大英博物館 Add. ms. 27695, *The Palaeographical Society*, 1873-83, III, pl. 150.

＊143——ベルジュロン『アジア旅行記集成』所収、「マルコ・ポーロ」、七〇頁。

＊144——W. Bühler, *Kupferstichalphabet des Meisters E. S., neuste illustrierte Weltchronik für 1499*, Strasbourg, 1934, pp. 18-19, pl. xv.

＊145——Th. F. Carter, *The Invention of Printing in China and its Spread Westwards*, New York, 1925 および 1931. これを増補改訂したのが P. Pelliot, *Les Débuts de l'imprimerie en Chine*, Paris, 1935（歿後出版）である。また A. Blum, *Gutenberg est-il le premier inventeur de l'imprimerie ? La France graphique*, janvier 1953, pp. 4-13.

＊146——W. H. Wilkinson, *Chinese Origin of Playing Cards*, *American Anthropologist*, 1895.

＊147——A. Sakisian, *La Miniature persane du XIIe au XVIIe siècle*, Paris, 1929, p. 11.

＊148——*Ibid.*, p. 25.

＊149——*Recueil des historiens des Croisades, Documents arméniens*, II, p. 121.

＊150——Fr. C. Defremery et B. R. Songuinetti, *Voyages d'Ibn Batoutah*, Paris, 1853-58, IV, p. 262.

＊151——ベルジュロン『アジア旅行記集成』、六五—六六頁。

＊152——ベルジュロン『アジア旅行記集成』所収、四一章「金工師ギョームの作品ならびにカラコルムにあったシャム宮殿について」、九五—九七頁。L. Olschki, *Guillaume Boucher : a French artist at the court of the Khans*, London, 1947.

＊153——「それ〔宮殿〕は教会堂のような造りで、身廊を真中にして左右に柱が一列ずつ並び、南側に戸口が三つある」。

＊154——A. Boinet, *Les Manuscrits à peinture de la bibliothèque Sainte-Geneviève*, *Bulletin de la S. F. R. M. P.*, 1921, nº 2200, fº 71. ヴィラール・ド・オヌクールも、聖歌台の素描にまつわる伝説のなかで、獣形台座をかたちづくっている龍のことを蛇と呼んでおり、やはり同じ混同を行っている（H. Hahnloser, *Villard de Honnecourt*, Wien, 1935, p. 36）。L・オルシュキにとってもまた、ギョーム・ブーシェの蛇は龍であったろう。

＊155——H. Cordier, *Odoric de Pordenone*, p. 368. ベルジュロンにあるギョーム・ブーシェの樹の挿絵は、いささか絵空事めいている。蛇は翼手を持った龍に仕立てられている。

＊156——A. Grünwedel, *Altbuddhistische Kultstätten in chinesisch Turkestan*, Berlin, 1912, fig. 590, p. 284.

＊157——『カンバリクの皇帝宮殿に関する蕭の記録』、場所・年代不明（シナで印刷、パリ国立図書館 8º imp. or., 2703）。テクストは一三七〇年頃に書かれたもののようだ。

＊158――オドリーコ（H. Cordier, *Odoric de Pordenone*, p. 208）も、彼が北京のある宮殿で見たまた別な自動機械について、「この宮殿には純金製の孔雀がたくさんいる……これらの孔雀は翼を拡げ息をする……人間の技巧か悪魔の業によってこれらの孔雀は作られているのだ」と書いている。

＊159――S. W. Bushell, *L'Art chinois*, Paris, 1910, p. 22.

＊160――M. Brosset, *op. cit.*, pp. 114-115, 118-119 と 160.

＊161――〈タタール〉の名はシナ北部に住んでいた部族タタの名称に由来するという。九世紀の正史のなかに初めて登場しており、オリエント、スラヴの国々にはこのかたちの名が残っている。

＊162――H. Cordier, *Histoire de la Chine*, II, p. 250.

＊163――ベルジュロン『アジア旅行記集成』所収、「マシュー・パリスの見聞録」、二七―三二頁。

＊164――ベルジュロン『アジア旅行記集成』、四七―四八頁、六二頁、一二七頁。

＊165――L. de Backer, *L'Extrême-Orient au Moyen Age*, pp. 288-291.

＊166――カスピ山系に封閉されたイスラエル十部族はボーヴェのヴィンケンティウスの『歴史の鑑』（IV, 43）にも登場する。伝説の来歴については A. R. Anderson, *Alexander's Gate, Gog and Magog and the Inclosed Nations, Monographs of the Medieval Academy of America*, 5, Cambridge, 1932 を見よ。

＊167――同じくジャック・ド・ヴィトリも、アレクサンドロスは山奥に封閉されているイスラエルの十部族に、「海の砂のように多い」（「ヨハネの黙示録」二〇章八節）ゴグとマゴグの食人部

族を加えたと言っている。

＊168——B. Landry, *L'Idée de chrétienté chez les scolastiques du XIIIe siècle*, Paris, pp. 63-65. こうした理論は、『大著作（*Opus Majus*）』（一二六七年）と『哲学提要（*Compendium philosophiae*）』（一二七一年）でとくに展開されている。

＊169——十二世紀末の南イタリアの預言者フィオーレのヨアキムによれば、反キリストの統治はまさしく十三世紀中頃に始まるであろうという。

＊170——Jean, sire de Joinville, *Histoire de Saint Louis*, éd. M. Natalis de Wailly, Paris, 1868, p. 168.

＊171——A. R. Anderson, *op. cit.*, p. 101.

＊172——J. A. C. Buchon, *Notice d'un Altas en langue catalane, ms. de l'an 1375 conservé sous le n° 6816, Notice et extraits des manuscrits de la Bibliothèque du Roi*, 1841, XIV, p. 145 および H. Cordier, *L'Extrême-Orient dans l'Atlas catalan de Charles V, Bulletin de Géographie historique et descriptive*, 1895.

＊173——十三世紀から十六世紀にかけてなされた、反キリストの到来に関する様々な預言についてはE. Wadstein, *Die eschatologische Ideengruppe : Antichrist, Weltsabbat, Weltende und Weltgericht*, Leipzig, 1896 ; H. Preuss, *Die Vorstellungen von Antichrist in der konfessionallen Polemik*, Leipzig, 1906 ; F. Saxl, *A Spiritual Encyclopedia of the Later Middle Ages*, *Journal of the Warburg and Courtauld Institutes*, V, 1942, pp. 84-95 ; A. Chastel, *L'Antéchrist à la Renaissance*, *Atti Congresso Internazionale di Studi Umanistici*, Roma, 1952, pp. 177-186 を

見よ。反キリストは、ムハンマド（インノケンティウス三世によって）、トルコ皇帝、教皇（宗教改革者によって）、そしてなんとハンガリー（一三八二年）とドイツ（一四一〇年）の国王ジギスムント（フス派信徒たちによって）といった人々とも同一視されている。それが到来すると考えられている年代として、ザクスル（前掲書、八五頁、註五）は一二五〇年、一二五八年、一二六〇年、一二九〇年、一三〇〇年、一三二五年、一三三五年、一三四〇年、一三六五年、一三六九年、一四〇三年、一四一五年の各年を挙げている。

＊174――出来損ないの翼手を持つ悪霊の例で一二四〇年に遡る孤立例は、おそらく同一の源泉から来ている。デッサンが不正確であることからみて、伝達はそれほど直接的でなかったのだろう。

＊175――E. Mâle, *L'Art religieux de la fin du Moyen Age*, p. 461 以下。

＊176――E・シャヴァンヌは、ギメ美術館の画巻にある趙孟頫の落款に疑いを差し挟み、また別なテクストを引き合いに出しながら（前掲書、四九二頁）、芸術家が一二九七年に似たような画巻に詞書を残していることは確かであると結論づけている。これについては、ギメ美術館で伝李龍眠筆とされている画の問題の詞書にこの年号が出てくることを記しておこう。

＊177――Didron, *Manuel d'iconographie chrétienne grecque et latine*, Paris, 1845, p. 75 以下。画論はビザンティンのものだが、しかしその描写のいくつかは西欧中世の図像学に適っている。ただし、その初稿はもっとずっと古そうである。

＊178――ベルジュロン『アジア旅行記集成』所収、「タルタリアにおけるリュブリュキ」、一三三―一三四頁。

＊179——F. de Mély, *Les Pierres de foudre chez les Chinois et les Japonais*, *Revue archéologique*, 1895, pp. 326-333.

＊180——C. Agrippa, *La Philosophie occulte*, Haag, 1727, Liv. III, p. 79.

＊181——J. Wier, *Histoires, disputes et discours des illusions et impostures des diables...*, Paris, 1885, p. 135.

＊182——P. de Lancre, *Tableau de l'inconstance des mauvais anges et démons*, Paris, 1612, p. 14.「聖書では、サタンが雷か閃光のように落ちた（videbam Sathanam sicut fulgur de coelo cadentem われ天より閃く雷光のごとくサタンの落ちしを見たり）といわれている」。これはその性格に相応しい、「なぜなら、あるいは右に、あるいは左にと、けっして直進せず、ふらふらとあてどなく歩む雷より、もっと軽いものがあるからだ……」。

＊183——*Ibid.*, p. 39.

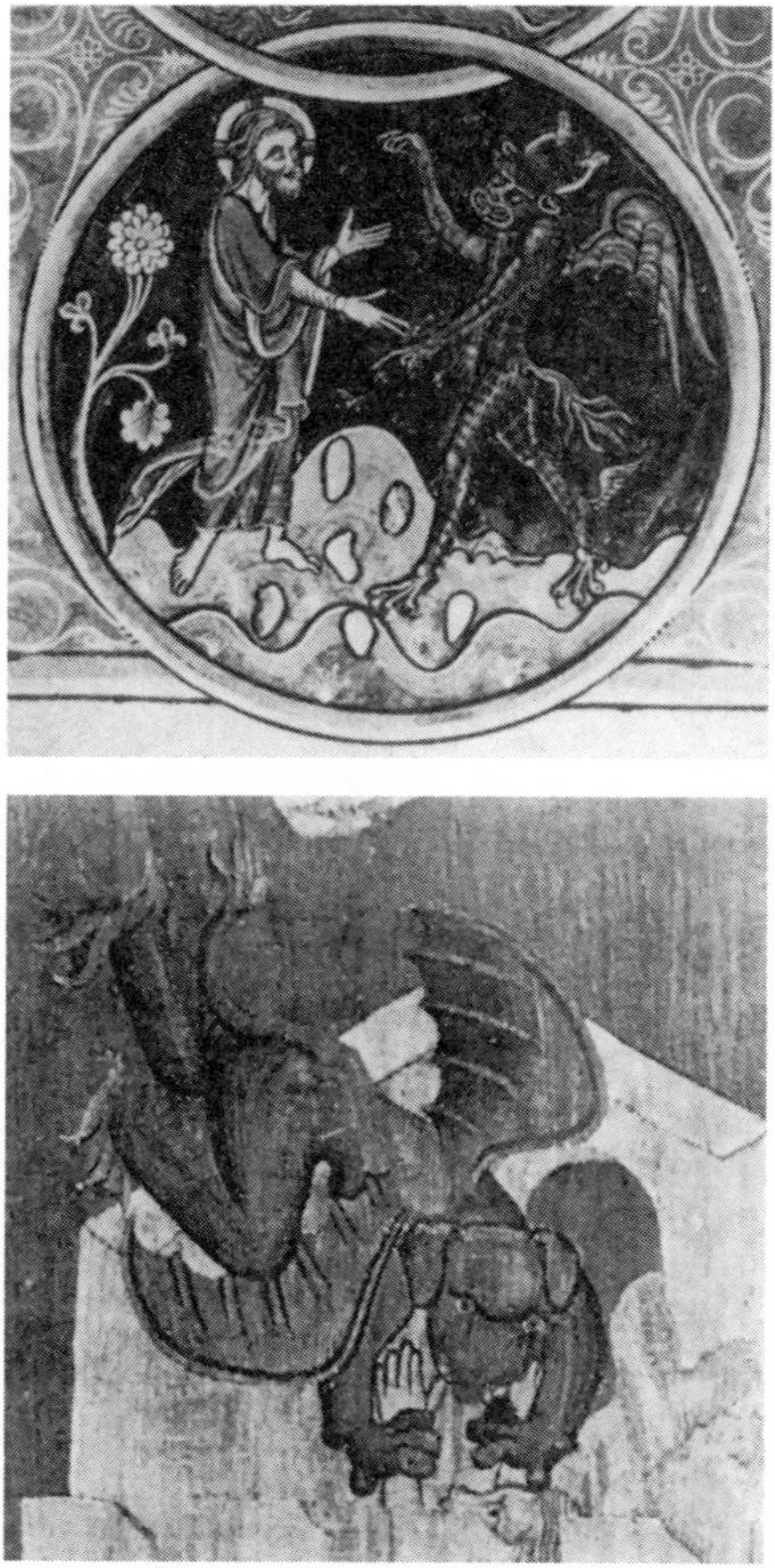

●図107——蝙蝠の翼手を持った悪霊｜上：通称カスティリャのブランシュの『詩篇集』 1223年以前／下：アンジェーの綴織り　1378年頃

●図108——蝙蝠の翼手を持った悪霊｜《死の勝利》（部分）　ピサのカンポ・サントのフレスコ　1350-60年頃

●図109（上）——水搔状の翼を持った龍｜ポワティエ大聖堂の聖職者席　1300年頃
●図110（下）——ギザギザのついた甲冑｜A：兜　1510年頃／B：アラゴンのハイメの兜　13世紀後半／C：馬鎧　1404年

●図111, 112——有翼龍｜上：ジェンティーレ・ベッリーニ　騎士の素描　パリ　ルーヴル美術館素描室／下：李龍眠様の中国の素描　1081年　パリ　ギメ美術館

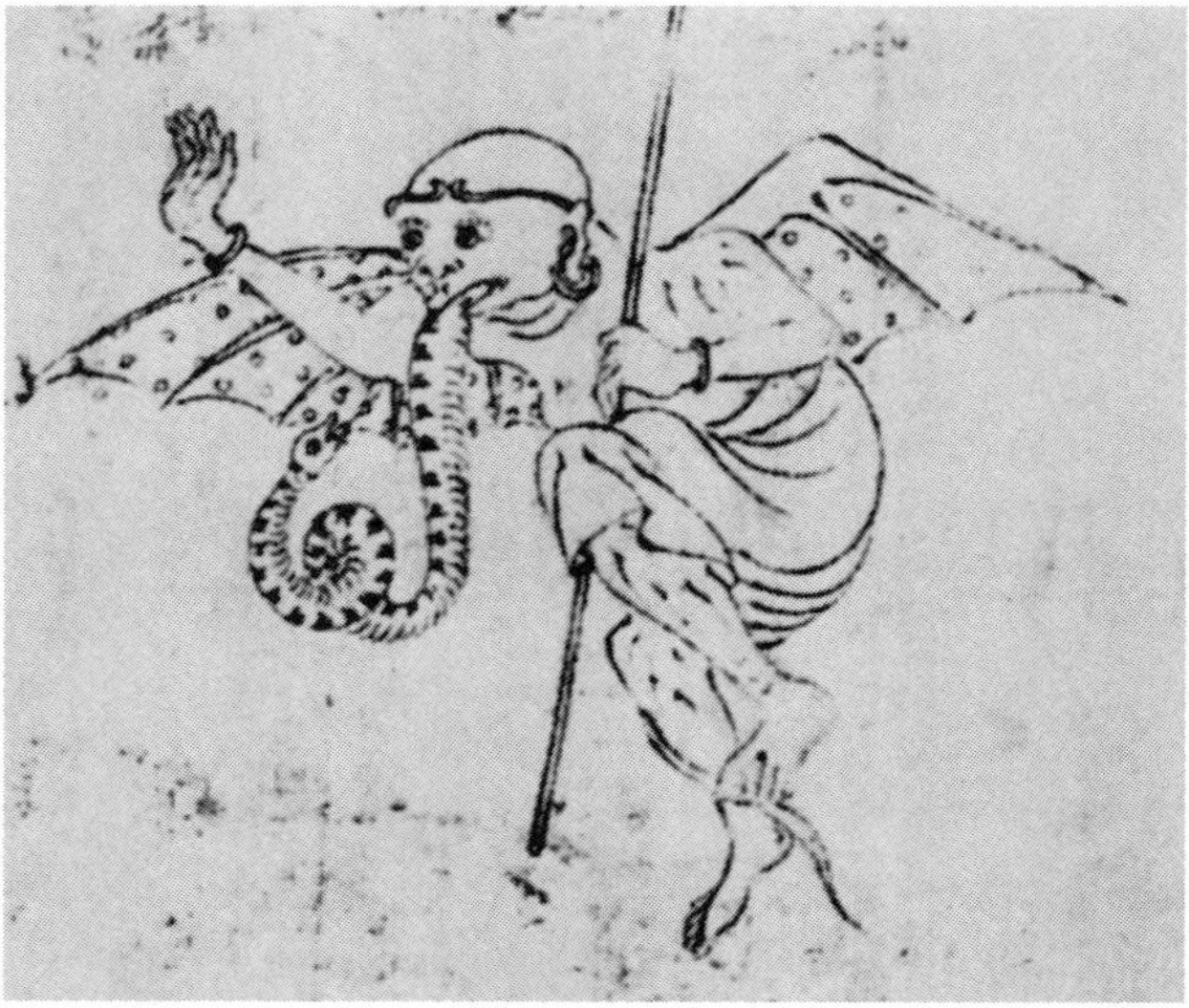

●図113, 114――人間の姿をした蝙蝠｜上：李龍眠様の鬼神　1081年　パリ　ギメ美術館／下：周代の青銅器　前9-前3世紀

●図115――翼手目の翼を持った鬼神＝悪霊｜上：周季常・林庭珪より　仏舎利を運ぶ鬼神　1163-80年頃　ボストン美術館／下：大天使によって打ち倒される悪霊　ロアンの『大時禱書』 1430-40年頃

●図116――雷の鬼神｜李龍眠様作より　1081年　パリ　ギメ美術館

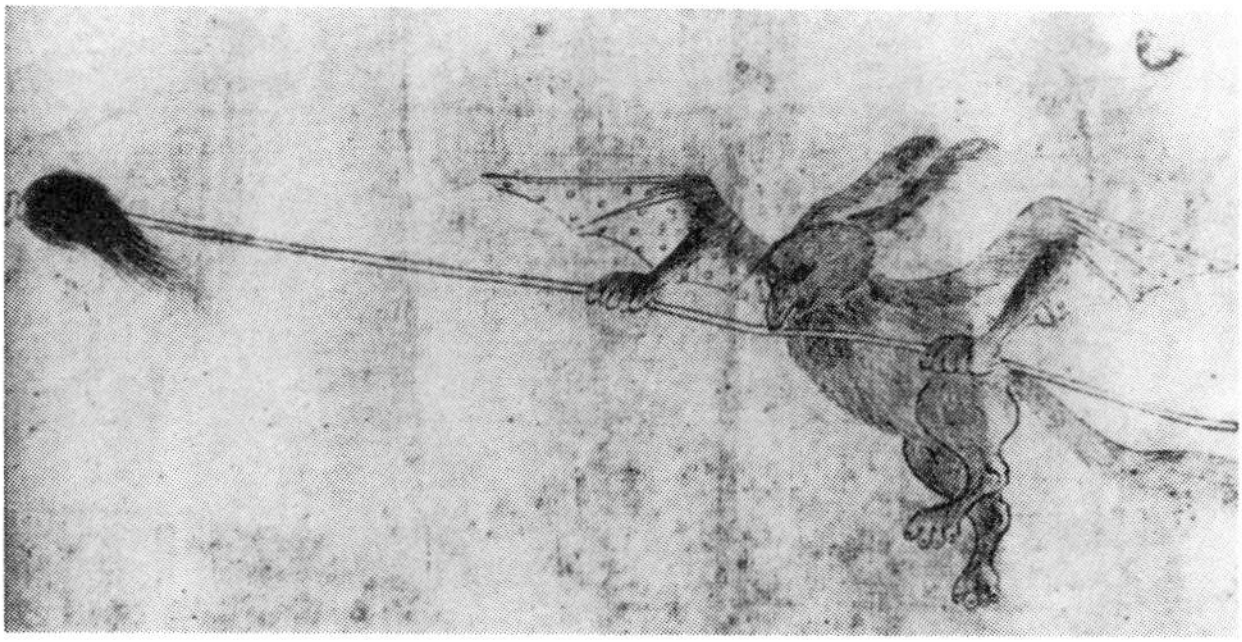

●図117, 118——兎の耳を持った悪霊＝鬼神｜上：李龍眠様　1081年　パリ　ギメ美術館／下：ジョット　アッシジのサン・フランチェスコ大聖堂上院のフレスコ　《聖フランチェスコが悪霊たちを追い払う》　1296-1304年

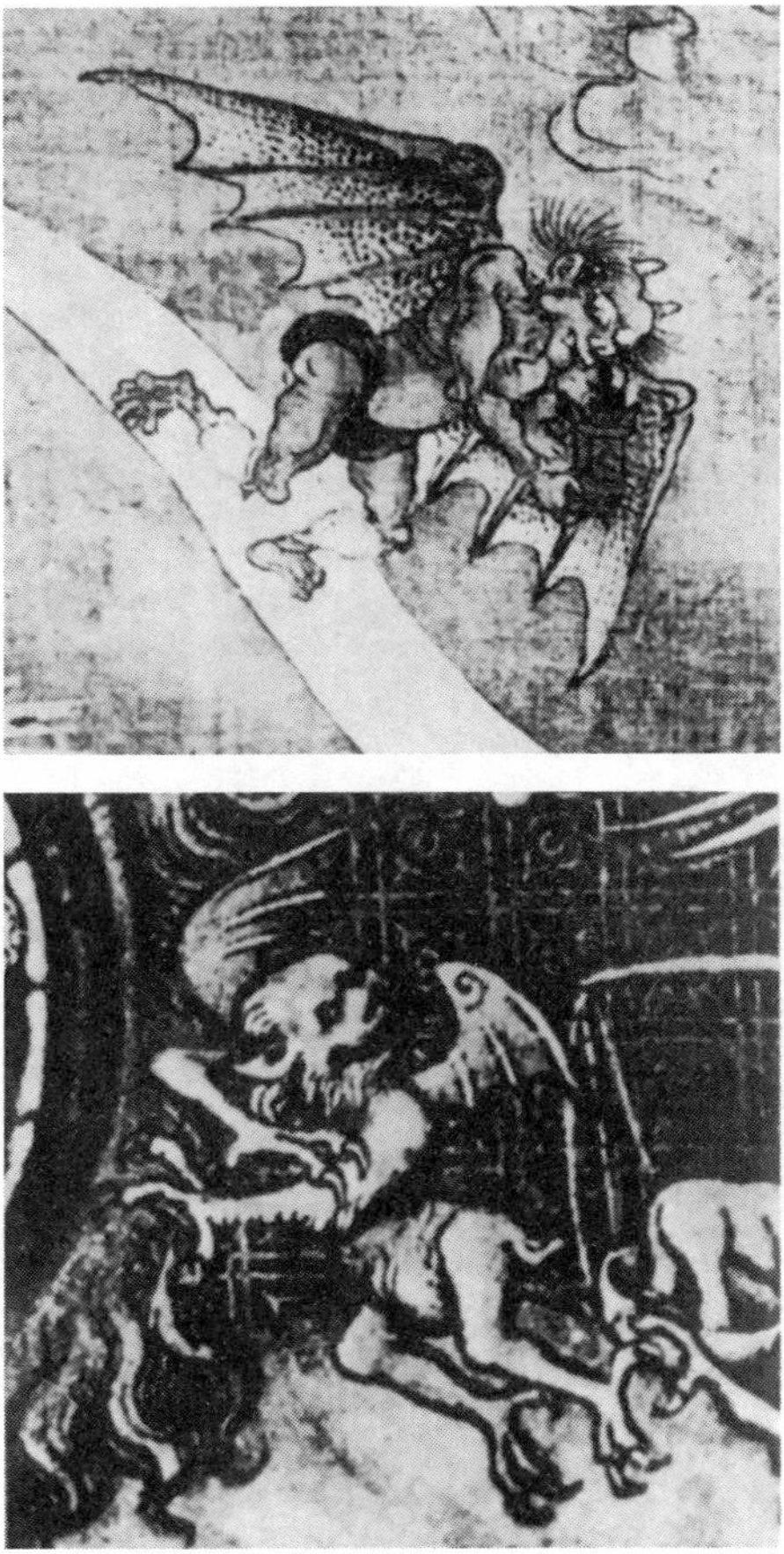

●図119——中国の鬼神とゴシックの悪霊｜上：周季常・林庭珪の画　1163-80年　ボストン美術館／下：〈ボケトーの画家〉　1378年

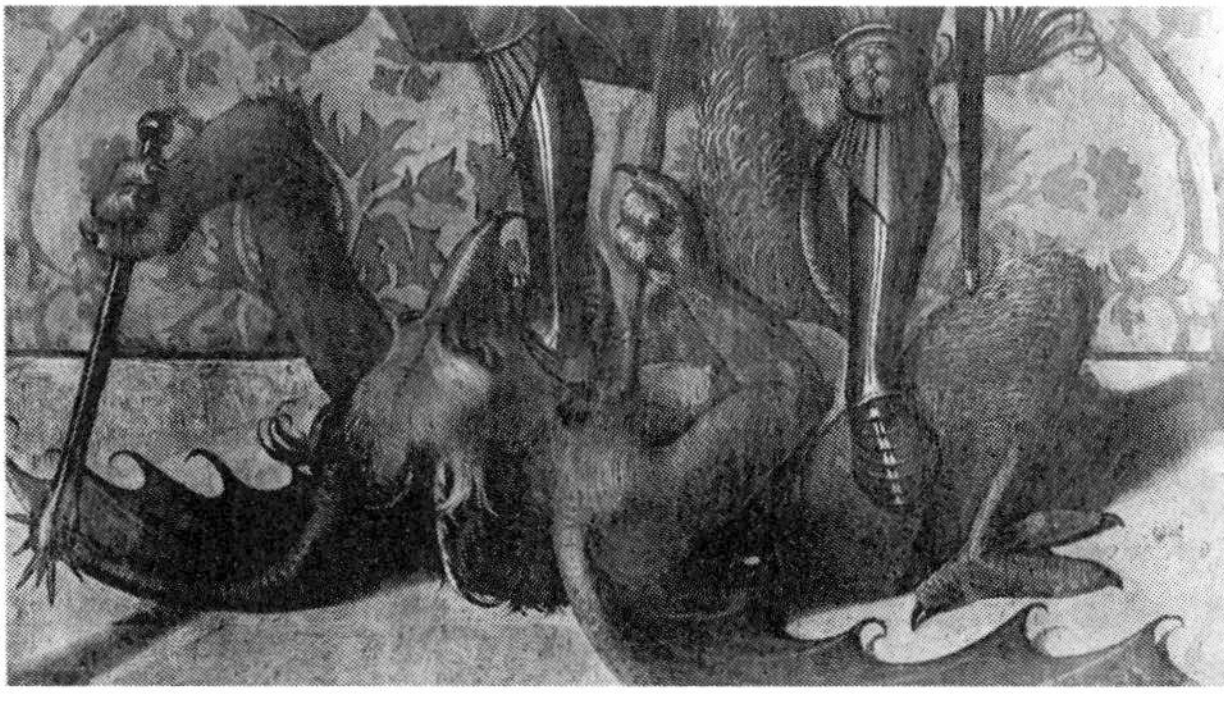

●図120, 121──鳥の嘴を持った鬼神｜上：雷神　李龍眠様　1081年　パリ　ギメ美術館／下：ジョス・リーフランクス　通称〈聖セバスティアヌスの画家〉《龍を打ち伏せる聖ミカエル》（部分）　15世紀　アヴィニョン　プティ＝パレ美術館

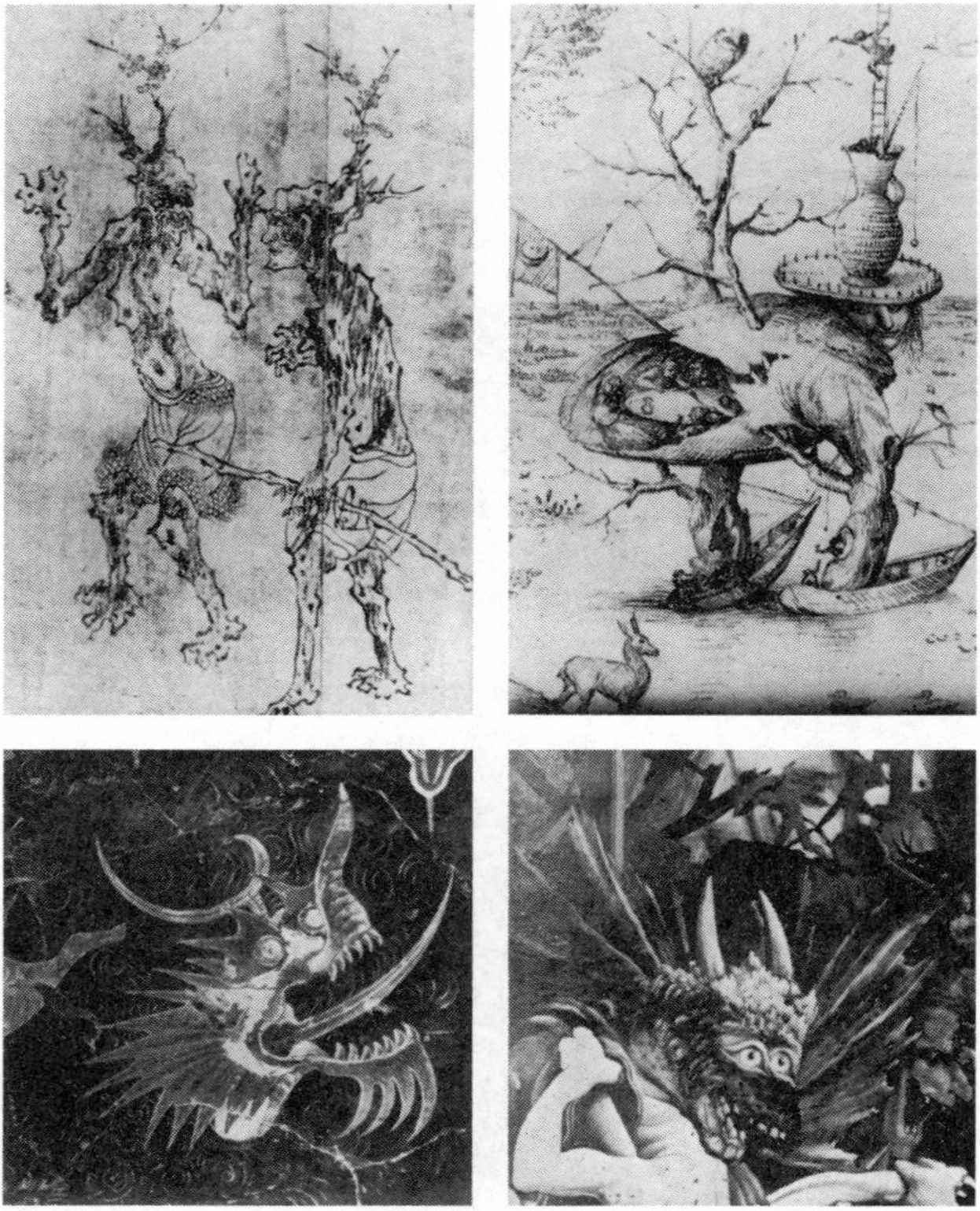

●図122——樹木霊｜左上：李龍眠様　1081年　パリ　ギメ美術館／右上：ヒエロニムス・ボスもしくはヒエロニムス・ボスに基づく素描　ウィーン　アルベルティーナ／左下：カラホージョ　天井板の断片／右下：マティアス・グリューネヴァルト《イーゼンハイム祭壇画》（部分）　コルマール　ウンターリンデン美術館

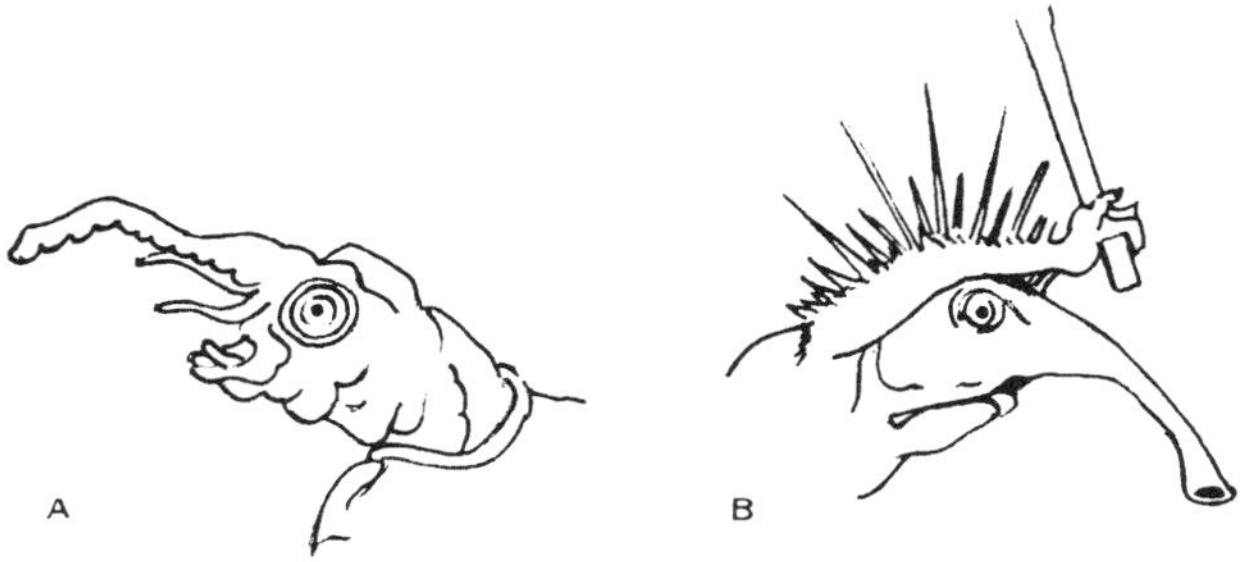

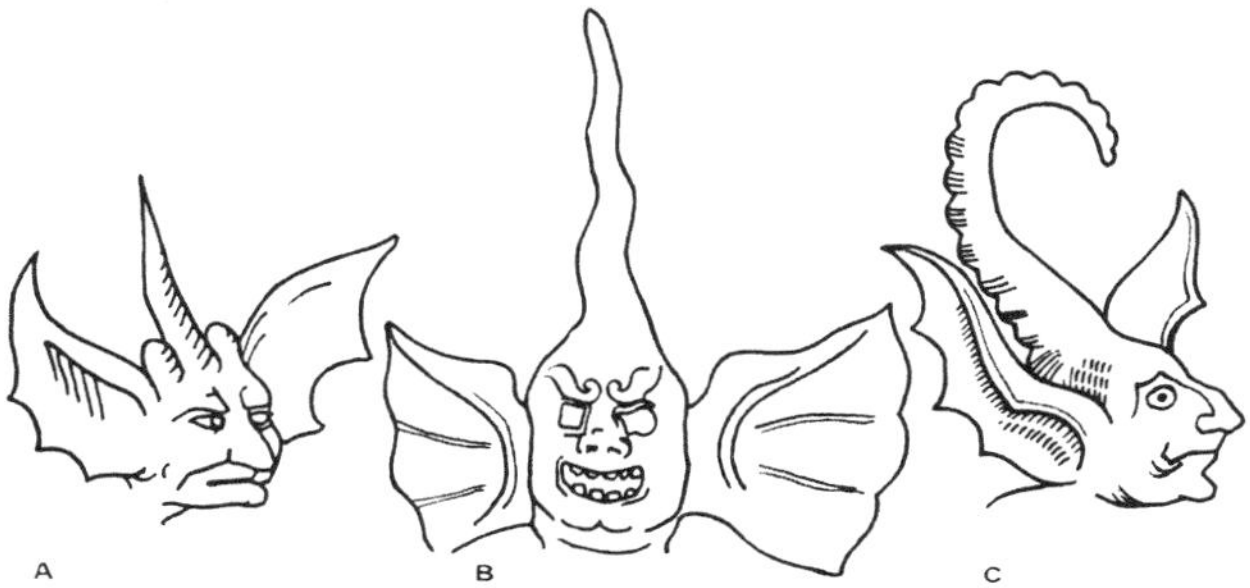

●図123(上)——象鼻霊｜A：李龍眠様　1081年　パリ　ギメ美術館／B：ショーンガウアーより　1473年以前
●図124(下)——長耳霊と一角獣｜A：『牧者の暦』 1491年／B：唐代の小像／C：『往生術』 1455年頃

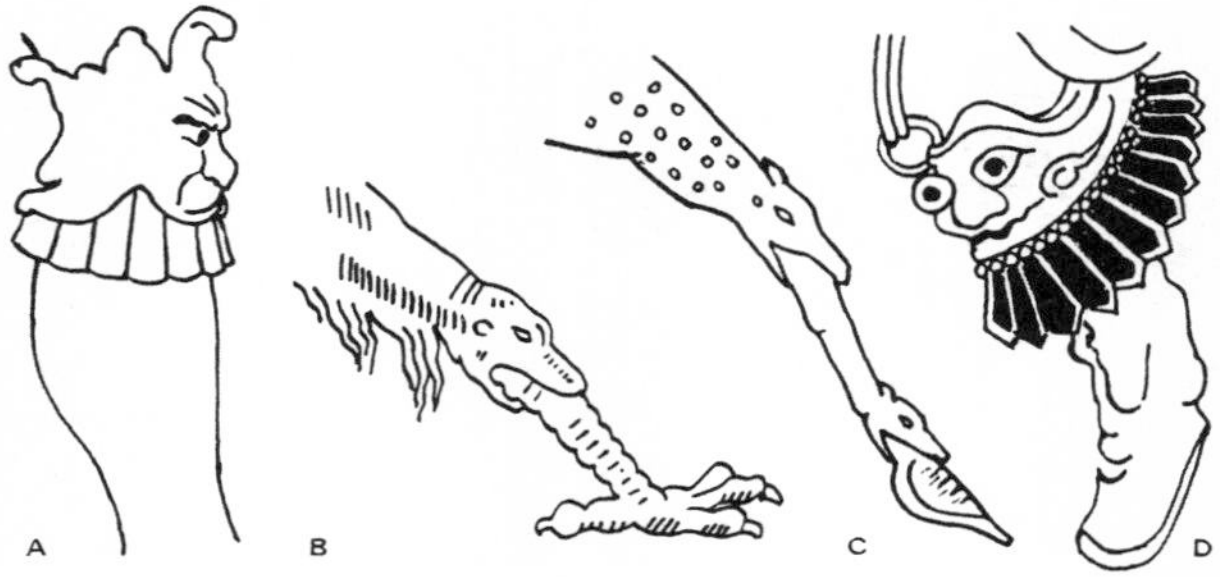

●図125（上）——動物で飾った頭部｜A：ジョン・マンデヴィルの狗頭人　1481年／B：〈火星〉　ジョン・フォクストンの『宇宙誌』　1408年頃／C：獣帯人間『ベリー公のいとも豪華なる時禱書』　1410-16年／D：李龍眠様の鬼神　1081年　パリ　ギメ美術館／EとF：『大蔵経』に見える星辰の擬人像
●図126（下）——頭をかたどった膝｜A：ニュルンベルクのクリスマスの遊びの衣裳　J. ルオフによる　1539年／B：『牧者の暦』　1491年／C：インドの動物／D：李龍眠様の鬼神　1081年　パリ　ギメ美術館

●図127——ゴシックと中国の髪飾り｜AとD：唐代の小像／B：アレグザンダー・ベニング（1519年歿）の写本／C：胸像型聖遺物箱　ニュルンベルク　1400年頃／E：菩薩　12世紀／F：〈イニシャル・E・Sの画家〉　15世紀

●図128――中国の壺｜デューラーの素描　1515年　ロンドン　大英博物館

●図129——辮髪の中国人｜《ナルボンヌの祭壇前飾》（部分） 1373-78年 パリ ルーヴル美術館

●図130――西欧の写本のなかの東洋人｜左：欄外装飾のなかの中国人　ティトゥス・リウィウス『ローマ史』 14世紀末-15世紀初頭　ジュネーヴ図書館（ms. fr. 77）／右：ジェノヴァの芸術家による〈大食〉を体現するタタールのハーン像　14世紀末　ロンドン　大英博物館（Add. ms. 27695）

●図131——モンゴルの甲冑｜〈イニシャル・E・Sの画家〉のゴシック的アルファベット　イニシャル〈P〉 1499年

●図132——天使の失墜｜『神の国』 1480年　マコン

第六章　東アジアの驚異

第一節　東アジアの神々、それらの台座と光背

多臂神と蛇神ナーガ。花冠台座をともなう〈エッサイの樹〉。水晶の光背。透明な宇宙。容器のなかの人間。

東アジアは闇夜の雰囲気をまき散らし、自らの幻想的形体を増殖させ、来たるべき世の終わりについての伝説のなかで脅威を蘇らせながら、ゴシックの地獄図にその痕跡を深々と刻み込んでみせた。しかし、東アジアの影響はそれのみにとどまらなかった。鬼神と同じ道を仏教の神々や霊も辿ったからである。それらの光背と台座は宗教的形象のなかに再び登場する。人間の生命と動物の生命が自然と事物に移し替えられる。中世の黄昏にその栄華、その異様さを誇った変容世界は、こうした異国趣味をしばしば映し出している。

頭上に蛇を戴く多臂像は東アジアからの寄与のなんたるかを端的に示している【図133】。セ

ビリャのイシドルスは古代の文献をもとに腕を何本も持つ人種について書き記しているが、フィリップ・ド・タンも、十三世紀のいくつかの古典的な『動物誌』（ギヨーム・ル・クレール、ピエール・ル・ピカール、ギヨーム・ド・メッス）やブルネット・ラティーニも、それについては何も語っていない。この時代、多臂像についての最初の言及はマルコ・ポーロ（一二七二年）に負っていた。[*1]彼曰く、チパング島の偶像にはときとして多くの頭と多くの手を持つものがある、「あるものは四つ、あるものは八つ、またあるものは百も持っている。もっとも多く手を持つものはもっとも真正なものとされている」。西欧は古い文献を手がかりにするのでなく、旅行者の証言をもとに怪物を見出したのだ。しかしながら、西欧は多臂の異形を異常な民族の範疇に組み入れていた。メーゲンベルクの『自然の書』[*2]（アウクスブルク、一四七五年）、フィリップ善公の庶子ラファエル・ド・メルカテルのために作られた『動物誌』（一四七九年）では、それが異形人の仲間に数えられている。[*3]また、シェーデルの『ニュルンベルク世界年代記』（一四九三年）では大洪水時代以前の生き物とされている。[*4]これらの場合、いずれも腕は六本である。ブールジュのある写本では十本もの腕が見られる。[*5]それらブールジュの人像は上下肢を振れば風車のように回転する、仏教やヒンドゥー教の神々の形姿ばかりか、それら神々の踊りのリズムまで失わず保持しているのだ。

多臂像は中世の寓意のなかに東洋起源のものとして入ってくる。カンタンプレのトマスの

『万象論』のフランス語教訓版に付された『東洋、就中、インドにいる怪人の風采と行状』（一二九〇―一三一五年）という表題自体、多臂像の起源がインドにあったことをはっきり物語っている。[※6] この本では六つの手を持つ人間が「Pardon〔免罪〕―Par don〔恵みによって〕」の語呂合わせによって、諸々の罪過を贖う様々な恵みを象徴的に表している。

六つの手で恵むことのできる人がもしいたら、
恵みがその人の評価を高めるだろう。
恵むことによって称讃が得られる、
恵むことは悪しきものに名誉を与える、
神に恵むことはまことの免罪である、
恵みは、恵みによる罪だから。

ボッカッチョは『デカメロン』（一三二二年）でこれと同じイメージを踏襲している。彼には「げに恐ろしき怪物なりし運命」が、「人間に世俗的な富を与え、また彼らからそれを取り上げる、そして、この世の人間の身分を貶め、彼らの身分を高からしめる、百本の手とそしてそれと同じ数の腕」を持つチパング島の偶像のように思われた。ジャン無畏公の写本（一四〇九―

一九年）では運命の寓意像が十二本の腕で表され、鮮やかな縞柄のタタール地の衣を着けている[*7]【図134】。ボッカッチョのミュンヒェン版[*8]（一四五八年）とロンドン版[*9]（一四七九―八四年）ではそれが六本腕で示されている。ルイ十二世に献上された、ルーアンの一画家の手になる、ペトラルカの『二つの運命の治癒について』（一五〇三―一八年）のなかにも、同じ驚異が再現されている[*10]。それは十本の腕を持ち、幸いなる恵み〈〈歓喜〉〈希望〉〈繁栄〉〉と幸いならざる恵み〈〈苦悩〉〈恐怖〉〈災難〉〉とを世界に分配している。この点については、中央アジアと東アジアの守護神もまたその多数の手のなかに「すべての欲望を満足させる宝」〔七宝〕を持っていたことを思い出そう。

この東洋に特有なもう一つの像、水底の目も眩まんばかりに富の溢れる宮殿に棲む蛇神ナーガも西欧のイマジュリのなかに見出される。十五世紀のエル・エスコリアルのある写本に描かれている黙示録の大淫婦は、神が人間を装うときに着ける、コブラが五匹ついた頭巾を頭に被っている[*11]。真珠、宝石、金で飾り、憎むべきものと汚れとに満ちた被り物を着けているバビロンの大淫婦が、豪奢、悪意に結びつく霊の姿で表現されているのだ。

これらの例は、とくに目立つものだとはいえ、純粋さという点で少なからぬ価値がある。〈エッサイの樹〉の最終形体のように、もっとずっと重要な描画体系もまた、同じ遠国のレパートリーに依存していた。主題そのものはアジア的な一神話と関わりがある。「エッサイの株より一つの芽いでその根より一つの枝はえて実をむすばん。その上にエホバの霊とどまらん」（「イザヤ書」一一章一―三節）の章句は、横臥する人物像からはえ出る、ユダ諸王の紋章的な樹のイメージを含まない。また、一連のその古い形象はすべて、あるいは掌中に、あるいは頭上に、ときにはそれが傍らにあることすらあるが、植物をともなう族長の立ち姿を表している。[*12]エッサイが脇腹から樹をはやすという古典的配置、すなわち十一―十二世紀に確立したそれは、ヴェーダにある通り蛇の上に横たわる、ヴィシュヌ神の腹からはえ出た白蓮の上にブラフマー神が坐っている光景と見紛わんばかりの相似性を有している。[*13]六世紀に入るとインドばかりでなくビルマやカンボジアでもこの画題がしばしば描かれている。ときには、臍に植えられた植物が枝分かれし、三柱の神を支えていることもある。

西欧的構成のいくつか、なかでもサン・レオナルド・イン・アルチェトリ（フィレンツェ）の説教壇やシロス〔スペイン北部〕の回廊に彫刻されている構成とアジアのそれとの同一性は決定的である。たたし細部には異なる点がないでもない。ロマネスク美術では人物が枝の上にそのまま腰を降ろしており、花冠に乗っていないからだ。世界のもう一方の果てで復元された諸要素とのかかる奇妙な相似は、この時代とうてい予想しえぬことだったらしく、そこに符合や相関以上のものを認めることには躊躇が見られる。[*14]

〈エッサイの樹〉には、頭部を果実に見立てたワクワク樹の姿をしているものもあった。しかし、それらいくつかの例を別にすると、この形体には二世紀以上にわたって変化が認められず、そして突然姿を変えたときにはすでに新しい流行も受容し始めていた。

聖母とユダ諸王は写本挿絵、[*15]版画、[*16]モニュメンタルな絵画、[*17]絵硝子、[*18]彫刻などその表現のほとんどすべてにおいて、枝に直《じか》に置かれることがなくなり、花の上に置かれるようになった。紋章的な樹はテュンパヌム、飾迫縁、壁全体へ枝を拡げた。それは、おおらかでしかも巧みに構築された曲線で建物の広い表面を覆い、顧みられなくなってすでに久しい古い装飾システムを再び蘇らせている。ヴォルムス、[*19]イスダン、[*20]ルーアン、[*21]サン＝リキエ、[*22]サンス[*23]にはそうした例が見出される。

ヘレニズム美術も花弁台座をときに利用していた。[*24]「先端のところが花になっており、そこから、あるものは人間の顔をした、またあるものは動物の頭をした、裸体半身像が出ている、そうした枝」のことに触れたウィトルウィウスは、それを趣味の良くない装飾の範疇に入れている。[*25]しかし、キリストの祖先の台座と関連があったのは、おそらくそれも東洋起源だろうが、かかる古代的構成ではなかった。人像下の花冠台は、仏教、ヒンドゥー教の神々の御座所、太陽が新しき命に想いをはせるために夜ごと自らの身を隠す聖所、仏陀の足許に生まれる白蓮を再現してみせているからである。中国には紋章的な樹の枝に固定された台座付坐像が溢れている。四川省夾江県の石窟のある窟龕では大仏の傍らに彫られたものが見られる。[*26]それは蓮華の上に坐す歴史的な仏陀すなわち釈迦牟尼と彼の六人の先師とおぼしき七仏を担っている。浮彫りは唐代に遡る。それは西欧で取り上げられた主題と瓜二つである【図135】。こうした遠方の国々の岩山に預言者の樹がはえていたら、ヨーロッパ人旅行者には聖書的夢幻の第二の啓示となったのではなかろうか。そして福者の足許同様、ユダ諸王の足許に草花が咲き乱れるという、このより神秘的な姿で構成は中世に蘇ったのだ。

同じ樹枝網は家系図にも利用された。ヘラルト・ダーフィトは聖アンナの祖先のため、[*27]ジーモン・ベニング〔一五〇八―六一年、ダーフィトの追随者〕はアラゴン王[*28]のためにそれを作った。ボーヴェ（一五一〇―三七年）ではサン＝リキエやルーアンのそれにも似た植物が単純な楯形の萼をつけている。[*29]王侯の館、[*30]あるいは修道院でさえ、自分たちの先祖を似たような台座の上に表している。一四八四年のニュルンベルクのある版画では、中国への布教団とはすなわちフランシスコ会士たちのことだが、その一族全体が永遠の法悦にひたる仏陀のごとく花冠台の上で揺らめいている。[*31]

描画体系は金銀細工にも使われた。十四世紀中葉になると、一連の聖遺物箱にそれが利用され、天使および聖人像は花をつけた枝の先に安置される。[*32]ヴェネツィアのサン・ジョヴァンニ教会の奇跡の十字架（一三六九年）は後代のいくつかの作品にも再現されているが、そこでは磔刑十字架の周囲に聖母と使徒たちが集められている。[*33]しかし、ほとんどの場合は、文字通りの植物というよりむしろ、人像が花冠台座の上に燭台の蠟燭のように立っている、一種の多灯燭台の形式に近い。仏教美術では金銀細工だけでなく石碑浮彫りにも同じ配置が使われている。[*34]

西欧では、これら金銀細工の構成のように、聖性を帯びていないもののほうが自由度が高かった。芽は欄外の蔓草の上にまで花開く。この軽快で芳しい台座の上では聖人、天使、騎士の像がなよやかに均衡を保っている。ときには、花が人を乗せたまま、突風にあおられたように舞い上がり、茎を持たずに空を翔んでいる。[*35] それらに詩情をもたらしたのはもちろん東アジアであった。オランダ語のある『時禱書』（一四六八年）にはその証しがある。[*36] 写本欄外は花冠台に坐した人物で飾られているが、人物のなかの一人が口髯のある平板な顔立ちをし、頭に円筒帽を被り、袖口の締まったモンゴル服を身に着けているから【図136】。それは、すでに指摘した、花冠台座に坐る東洋人、マニ教写本のそれにも似た東洋人の肖像なのだ。[*37] ゴシックの写本彩飾師はシナ＝インド系か、さもなくばそれに近い画派のミニアチュールを手許に置いていたに違いない。ルネサンスはこうした花の御座所を継承し、ウィトルウィウスが悪趣味であると断じたヘレニズム的ファンタジーでもって、それらにかたちを与えることになった。

仏の台座は西欧で採用され、人像の表現に洗練をもたらした。仏の光輪も西欧に啓示を与えた。聖人像は中世末期まで金の、あるいは木地の上に金箔を張った不透明な光背、文様・銘文・真珠のついた金銀細工品をつけていた。ときには、カロリング朝時代の金銀製装身具のように、高価な宝石がちりばめられていることもあった。この場合には何も透しては見えない。[*38]ときによると、天空全体がこうした円楯で遮られてしまうこともあった。

仏教美術でも光線を遮る光背は利用されていたが、それと同時にまた別なタイプの光輪も見られる。すなわち、むくの円盤の代わりとなる、気体の環がそれである。頭部は背景を遮ることのない輝く陰によって取り巻かれている。うっすらとした気体に覆われてはいるが、鮮明で、完全で、しかも断絶のない、風景や事物がそこに出現する。暈は、あるいは細かい罫によって、あるいは明るい線によって描き出される。色と映り込み《ルフレ》が周辺部分に集まると光輪は水晶球のようになる。

この種の光背は伝呉道子筆と伝李龍眠派筆の絵に見出される。[*39]それは元代から近代に至るまでよく見られた。聖人の肩の上には気泡のお化けが乗っている。背後に浮かび上がる岩山、流水、竹林もまた、そのなかに封閉されているかのように見える【図138】。いうなれば、自然の一部が上蓋の下にそのまま取り込まれているのだ。水晶のなかには人物もまるごと閉じ込められた。羅稚川筆の画巻（十三世紀）では一人の阿羅漢が躰にまといつく怪物とともにそのなかに封じ込まれている。[*40]僧ソット＝ナム（一四三九―一五〇五年）の夢を表したチベット絵画では、うら若い天女二人が長い布の両端を持ち、まるで球のなかにいるかのように光背に包まれた童子がその上を渡っている[*41]【図142】。壁は透明だが、その表面は硬そうに見える。

東アジアの神話にも不思議な水晶があり、白い象に乗った仏陀の姿が水晶の奥の明るいところから浮かび上がったという。[*42]

西欧ではロヒール・ファン・デル・ウェイデン、[*43]ペトルス・クリストゥス、[*44]〈エクスの受胎告知の画家〉[*45]の作品に透明な光輪が現れる。十五世紀中葉になると使用頻度も増してくる。フランドルからイタリアにかけては、聖人の後頭部に添えられていた、輝く、量感のある円盤が、重さのない、光沢のない環にとって代わられるようになる。初めのうちは、周りが一、二本の罫で囲われた完全に透明な盤であった。風景と事物が窓からの眺めのようにそのなかに見えている。それは丸く縁取られ、背景から離れ、独立したメダイヨンをかたちづくっている。ときには、硝子製品などでよくあるように、こうした暈に不透明の光背の装飾文様が持ち込まれることもあった。《キリスト昇天》の三連祭壇画（一四八〇年頃、プロヴァンス派）では、樹木、家並、草花、キリストの弟子の顔が切り金格子の向こう側に見えている。[*46]場の空気の純粋さ、絵具のいまだ高度な品質、この絵の持つまさしく彫刻的な量塊の厳しさ、そうしたものが光輪の完璧な透明さに影響を与えたのだろう。映り込みがそれに生気を吹き込み、そしてそれと同時に盤が球に姿を変えることになる。

マティアス・グリューネヴァルトの《シュトゥパハの聖母子》（一五〇八―一二年）は球状の気体に包まれている。それは虹にも間違われ、聖母と世界の一部を密閉しているかのようだ

【図137】。スウェーデンの聖女ブリギッタ（一三〇二―七三年）の啓示では、夢のなかで聖母の声が光輝く環から発せられたとされている。マリアは「両端が大地に触れる虹」にも喩えられた。光輪の新しい表現はこれを翻訳してみせているのだ。[*47] メムリンクは聖霊の鳩をまるで硝子の鳥籠に入れるかのようにその輝きのなかに置いてみせる。[*48] ピーテル・ホイスの作品とされている聖クリストフォロスはボスの伝統を引いているのだが、仏教の夢の童子のように球内に閉じ込められたキリストを背中に担いでいる[*49]【図147】。この球は光背であるというだけでなく、宇宙球でもあった。聖人は流れを渡り切ってから岸辺に〈幼児〉を降ろし、自分の両肩に乗っていたのが全世界とその〈創造主〉であることを知った、という伝説が思い出される。宇宙はその光と同様キリストから流出するが、その重さたるや途方もない。

この透明な球のなかにヒエロニムス・ボスは〈天地創造〉の光景を入れてみせた。[*50] 平らな大地はプトレマイオス地図のオケアノスの流れに周囲を囲まれ、光った壁の光背の内側に広がっている。玉も同じ材料で吹かれており、とてつもない大きさを有している【図139】。メムリンク、ファン・クレーフェの作品でも同様にキリストは硝子の世界球を手にしている。[*51] 科学的な詩情もそうした観念へ立ち戻った。ジョゼフ・デュ・シェーヌは錬金術に関する本のなかで、諸天球の閉鎖性とそれらの透明な外殻のことを改めてほのめかしている。[*52]

……これは、水晶あるいは水の第五元素、
あるいはそれに似た透明で、きわめて美しい体《たい》である……

詩句はこれらの形象にそのままあてはまる。光を透し、音を響かせる質料の概念は蒼穹図と関連づけられるのが常である。宇宙は凝固し、規則的な形体へ還元されるうち、次第にモノに似たものとなる【図140】。

この球体世界は神の流出源であるというだけでない。人の居場所であり、彼らの隷従や悲惨さも併せ持っている。パティニールに帰せられる絵（一五二〇年頃）では樹、岩、水、小屋、十字架などと一緒にそうした球体世界が見られる。[*53] 二人の人物が、といっても二人ともそれよりもっと大きいのだが、その両側にいる。片方は壊れた球壁の口からなかに入ろうとするが、持っている真っすぐな棒がその邪魔になっており、もう片方は腰をかがめ曲がった棒を手に反対側から逃れ出ている。世間を渡ってゆくための身の処し方〔出世を望むなら、身を低くしなくてはならない〕を説いているのだ。ブリューゲルの作品《フランドルの諺》（一五五九年）では〈風船世界〉がいちだんと小型化し、庭もない。[*54] 男は、今度は四つんばいになってなかへ入り込もうとするが、やはりうまくいかない。《人間嫌い》（一五六八年）では財布をくすねようとする泥棒が硝子の球に軟禁されている[*55]【図141】。被害者は黒ずんだ色の服を着けて、立ち去る。題辞に曰く、

かくも欺瞞に満ちし世界を眼に、
われは喪に服す。

〈世界＝宇宙〉は軌道上に十字架を保持しているものの、悪徳、堕落に満ちた〈世間〉に姿を変えている。こうした災いに揺さぶられ球《モノ》はいまにも粉々に砕け散りそうだ。硝子の世界はモノの脆さの観念を秘めている。主題はゲーテの『ファウスト』の一場面にも霊感を与えた。魔女の厨房で球を弄ぶ猿も、そうした見方を改めて確認している。

これが世界だ、
上ったり下ったり、
たえず転がる。
硝子のように、
すぐに壊れる……*56

フランドル美術ではこうした球に悪魔的人像の入っていることもある。ブリューゲルの《怒りのマルガレータ》（《悪女フリート》）ではシャボン玉に似た光背が小舟の上に乗っている。そのシャボン玉光背のなかには、風船を抱きかかえている者を含め、三人の皺だらけの異形が見えている【図143】。同じ絵のまた別な場所では、人間もどきの生き物のつめこまれた、文字通りの壺が長い吊材からカンテラのように吊り下げられている。同じ画家の《邪淫》の素描（一五五七年）では硝子の珠が、真珠のお化けのように口をわずかに開いた貽貝のなかで膨らんでいる。[*57]ボスは《快楽の園》において、植物にそれを被せ、蒲公英《たんぽぽ》の痩果のように見せている。[*58]硝子の壁の向こうでは恋人たちが戯れ合っている。トルナイはそれを、

幸せと硝子は、
すぐに壊れる[*59]……

という古い諺で説明しようとしている。ゲーテの猿の歌に構成し直されているのは、韻〔Glas と das〕を踏んだこの格言であったのだ。

球状容器のなかの人物。この主題は透明宇宙の変質から生じたものだが、それはまた地獄の寓話とも一脈通じていた。思えば、仏陀は一万の鬼神の母すなわち歓喜母〔鬼子母神〕の末児を仏鉢のなかに軟禁した。その鉢は硝子でできており、球状をしている【図144】。伝李龍眠筆

の画巻では、母神の配下が戦闘を繰り広げるなか、仏鉢が足場から吊り下げられている。童子の姿もはっきり見えている。[*60]この構成法は、そうした硝子の容器が暴れまくる異形の群のなかにも姿を現すフランドル的ファンタジーにおけるものと同じである。悪魔がフラスコのなかに閉じ込められるという伝説もまた中世にかなり広く流布していたが、[*61]われわれが手にしうるもののなかで、もっとも古く、これらのヴィジョンにもっとも近い表現は、ゴシックの地獄《タルタロス》の先駆けとなる、百鬼を描いた中国の画巻のなかに見られるのだ。

第二節　生動する自然

動物のかたちをした山岳と岩山。中国の地占術——風水、地に棲息する青龍と白虎。中国の画論における人間と動物のかたちをした風景。主山と客山。ペルシアの動物のかたちをした岩山。ゴシックの植物図譜における風水体系。西欧における生ける自然。壁の染みについてのレオナルド・ダ・ヴィンチと宋迪の解釈。

人間や動物など増殖した生命が森羅万象を少しずつ占領していく。山岳や岩山にまでそれが見出される。トルナイによればブリューゲルの絵には居眠りをしている怪物の姿を連想させる丘が見られるという。[62]「彼ら怪物の背には樹木と灌木がはえている。体が折れる凹側が密で凸側が疎となる体毛のように」。あるものはなだらかであり、あるものはごつごつしている。それぞれが固有の姿と命を持っているのだ。動物のかたちをした自然という観念はニコラウス・クサヌスとマルシリオ・フィチーノによって理論化され、この画家の絵で造形的なかたちをとることになった。十五世紀の人文主義者は古代エジプトの諸要素をギリシアの仲立ちを介して受け取ったが、自然を動物のかたちで表すという発想の原点は東アジアにあったのだ。

ステルランは西欧と中国の幻想的風景のあいだにいくつもの相似性が指摘できるとしている。[63]同じような山水の景、似たような流麗さ、奇想、ごつごつとした岩塊と泉石、しかもそれら個々の細部にまで同一性が認められる、と。動物的風景はこうした照合を補完する。中国以外のどこにもそれほど明快な理論は存在しないからだ。

「風のごとく理解しがたく、水のごとく捕えどころがない」地誌的体系。風水システムは全面的にその原理を踏まえている。[64]それは占星術的教義に依存しているが、天の影響を伝達するのは大地である。したがって、大地の凹凸は星座と同等の価値を有しており、それと同じように読み解かれるのだ。

秘められた力が地を生動させる。それらの力は二つの系統、すなわち男性的なるものと女性的なるもの、陽なるものと陰なるもの、青龍と白虎から成り立っている。自然は、その輪郭が地表に浮き出るこれらの獣とともに呼吸をし、生動している。龍の軀幹や四肢は山や丘のなかに描き出される。そこには龍の静脈と動脈が見出される。しかし龍はけっして単独ではいない。その近くにはつねに虎が潜んでいるからである。怪獣の躰は不動ではない。それらは動き、分泌物にも似た霊的エネルギーを放っている。そのエネルギーは秘められた力を活性化させる大地の息のようなものだ。有害な風と有益な風とがあり、動物の躰の中心に向かって強く吹いたり、端の方で弱く吹いたりしている。大地はそれぞれがこうした獣の気によって支配されている。気の強さを知るには、真の龍と真の虎の正確な居場所をつきとめねばならない。そのほかにも重要な要素がある。すなわち、尖った山頂は火星に、高いがしかし丸い山頂は金星に。このように、ある種の山頂はそれの影響を受ける星と対応しているからだ。釣鐘形をした山で、頂に金星の特徴を持っていれば、致命的な光を大熊座に散らす。とくに不吉なのは馬の眼、亀、籠のかたちをした丘である。景観の地誌においてはあらゆるものが意味を持ち、地面の凹凸のそれぞれがそこへ身を置く人間の運命に作用を及ぼしている。

こうした地占術は自らの遺志を墓石に刻ませる死者の信仰との関わりから考え出されたもので、その起源ははるか昔に遡る。漢の時代からすでに実践されていたが、今日残っているような最終的・方法的性格を帯びるに至ったのは宋代においてである。風水原理は外人租界の有害な気を探すのに、いまなお役立てられている。

このように、生ける有機体を命なき塊の内部に探り出すための一連の方法が、世界についての教説のなかにすべて含まれていた。風水は形而上学的な思想だが、しかし様式と芸術的観念をも含み持つ。それは、獣と巨人の闘うなかに聳える岩山がまるで先史時代の生き物のように頂から湯気を噴きながら休らっている、中国絵画の幻想的風景を理解する鍵となる。唐代に描かれたものだろうが、景観のなかに聳え立つ岩崖には、野獣と人間の横顔を認めることができる。[*65] 伝李山筆の山水図（十三世紀初頭）では、ごつごつとした岩が縦横に重畳し、人間や動物の顔が、景観の広がりへ迫り出すかのように、あらゆる角度から描かれている[*66]【図145】。それらの顔は霧の流れ、墨のたまりのようにも見えるが、注意して見れば混沌たる岩塊のなかに生き物が潜んでいるのに驚かされる。怪物をまるごと飲み込まんとする流水の岸辺の岩礁にも獣顔が浮かび上がって見える。画論はしばしばこうした解釈を思い出させる。宋代の論客、黄休復は地占術師としてこのように言う――「山は血脈を持たなければならない、そうすれば山は生身の肉体に似たものとなり、死んでいるもののようにはならない[*67]」。画論はつねにこの二重の意義に言及していた。張彦遠（十世紀）は、魏の絵画の群峰を、伸ばした腕の先で開かれた五本の指に喩えている〔即ち臂《うで》を伸ばし指を布くが若《ごと》し[*68]〕。山の構造を決めるため考え出された唐代の筆法には、鬼神の顔もしくは人の骸骨のような皴法、馬の歯のような皴法、牛の毛のような皴法がある。[*69] 群峰には「客」山より高く聳えた山頂すなわち「主」山がつねに必要だと韓拙は主張する[*70]〔「山に主客尊卑の予《ことわり》あり」『山水純全集』、一一一九年〕。ある時期生み出されたイメージの言葉も終いには純粋な術語に変わる。しかし仮にそうだとしても、それは哲学的な解釈の名残りをとどめているものなのだ。

イスラームはこうした動物形体を型通りの幻想的な岩山に踏襲している。これはすなわち、中国の岩山の転調にほかならない。一三九三年の『王書』の一写本では丘の頂に虎が二頭含まれており、花が絨毯のようにちりばめられている[*71]【図146】。虎の輪郭が硬く線引きされているため、その姿がくっきりと浮かび上がって見える。獣はいまにも地面を蹴って自分の餌に跳びつきそうだ。一三八八年の『自然の驚異』のなかに表された、龍涎香《りゅうぜんこう》の山の起伏には人の顔が現れている。[*72] 鉱物性の生き物は、影と色価を井桁彫りで転写することから生まれた、ティムール朝の画家たちの海綿質の岩とともに増殖していく。こうした手法を用いると、煙霧や流動感は多孔質の隆起に結晶し、岩崖は瘤に似て、そこから生命のある生き物のかたちが見えてくることもよくある。線や点は[*73]、それら瘤状の突起物の周りに集まり、口と無数の眼を描き出す。[*74] それらの重畳、それらの綾のなかに人物や動物の頭部全体がくっきりと浮かび上がっている。[*75] ある狩猟図[*76]（ヘラート派、一四六〇年頃）の荒涼たる風景には野獣の顔と異形の顔とがひしめいている。その絵ではシナ風の雲の低くたれこめるなか、馬で疾走する騎士が虎や山羊でなしに石の方に的を定めているように見える。シーラーズ派のある写本（一五三九年）その他でも、葵色、赤、薄茶に塗り分けられ、虫跡形装飾文様が施された、動物のかたちをした丘が見られる。[*77] 重畳した身体を持つこれらの山々が、雑多な生き物の寄せ集めによってかたちづくられる、インドの象や駱駝を思い出させることもある。動物のかたちをした自然、そのなかで万物が生成流転する。あちらでもこちらでも獣面や人面や鳥嘴が警告を発しているのだ。

ヨーロッパでもブルネット・ラティーニ[*78]とレオナルド・ダ・ヴィンチ[*79]が死せる塊としての世界の裡に生ける有機体を見ていた。彼らはそれを人間に擬してみせる。すなわち、地面の支えとしての岩に相当する肉の支えとしての骨、無数の河川に枝分かれする大海に相当する無数の静脈に枝分かれする血の湖、潮汐に顕現する地上的息吹を持った小宇宙《ミクロコスモス》に喩えられる、と。ニコラウス・クサヌス（一四〇〇―六四年）は大地を、その体毛が森を形成する動物と結びつけている。[*80] もっとも、彼が問題にしていたのは、東洋の地誌の場合のような直截的ヴィジョンより、むしろ推論や比較の方であったのだが。

西欧においては、風水体系が、こうした哲学的書物においてでなく、ラピス・ラズリのイメージとして十四世紀のゴシックの『植物図譜』のなかに映し出される。[*81] そこではラピス・ラズリが不即不離の中国の二匹の獣すなわち虎と龍をともなっている。猫科動物は岩塊そのもののなかから浮かび上がる。斑文のある頭部と爪の伸びた足が岩崖にはっきり現れている【図146】。

男が一人、正面から鶴嘴《つるはし》を振るっている。岩を掘っているのか、虎の出現にびっくりして身を護ろうとしているのかは定かでない。が、いずれにせよ動物が息をしていることは確かである。天体の光がそれに照っており、このことが星と虎との関係をあらわにしている。虎は天体が表す鉱物の輝き、すなわちみごとな群青色をしている。爬虫類もそこに居合わせるが、こちらは頂で身構えているにすぎない。風水の教説全体がイスラーム的風景画よりずっと明快な方法で、この構成のなかに要約されているのだ。

この挿絵は、同じ地占術に関する十七世紀の素描と関わりがありそうだ。アタナシウス・キルヒャーによって描かれた「キアムジ地方の山――最高所と最低所が二つの頂に分かれて闘おうとしている龍と虎をそれぞれ表す」では、理論上二匹の動物がなかに含まれているはずの岩の表面に、なるほど動物が二匹見られる。[*82] 二つの図像に共通する要素は、似た手本からもたらされていたに違いない【図146】。

しかし、しばらくすると今度は龍の方が地形に組み込まれることになった。ヴィンタートゥールとディジョンでは聖クリストフォロスの後方にある丘が息づいている。[*83] それは眼を持ち、顎を開いて聖人を脅しているように見える【図147と図148】。ブリューゲルの《傲慢》（一五五七年）では山が顔を持っており、その脊柱部に、樹だけでなく、ギザギザの突起まではやしている。ボスは世界の動物的形体を強く意識していた。地全体が生動状態にある。化け物が群れているだけでなく、地そのものも一個の巨大な怪物と化している。全地表が痙攣するかのように震えている。隆起は筋肉の動きを、溝は傷痕をそれぞれ想い起こさせる。《快楽の園》では火を吐き出す火山がレビヤタンの顎を押し開いている。ベルリンのあるクロッキーでは、黙示録の怪物の脇腹、ティムール朝絵画の岩山のように、野原に眼状斑があり、そして森のなかには人間の耳が二つ立っている。[※84] 素描は「森に耳あり、草原に眼あり」というフランドルの諺を表しており、魔性的風景の場合と同じ観念を取り上げている。この地方にも不吉な風が吹いていたのだ。一般に東アジアの絵画は暗示によって処理したが、対する西欧はその獣的生命をことごとく開陳してみせる。画法は様々なかたちで形成された。中国ではこれが煙霧に包まれた岩山であったが、ペルシアでは硬い描線によるエナメル質の岩山に化ける。フランドルではおよそ物質的な現実感を持った岩山となった。

西欧絵画も、自然の骨であるというだけでない岩山に、人像まで浮かび上がらせてみせる。これははたして偶然か。だがしかし、その最初の形象の一つが、東洋の岩壁が李山の岩礁のなかの頭部の一つのように、髯をはやし樹で頭を飾った顔の特徴をまとっている、マルコ・ポーロの見聞録のなかに登場する[※85]【図149】。ブリューゲル派のある誘惑図では山のなかに彫られた頭部が二つ見え、その片方はシナ風の丈の高い、先の尖った帽子を被っている。[※86] 〈フレマールの画家〉の作品では、二人の巨人を想わせるみごとな岩が二つ、街の上に覆いかぶさっている。[※87]

それらはディルク・ボウツの作品（ルーヴルの地獄図）に、その顔を背景の青白い空に暗く浮かび上がらせながら再び姿を見せる。そこでは額、鼻、口、顎の各部をはっきりと識別できる。頂からは一匹の悪魔が神に見放された者を深淵に投げ込んでおり、石の顔は彼らの転落ぶりを注視しているようにも見える。峰の高みから投じられた人物の挿話は敦煌の石窟（十世紀前後）にも見られる。[※88] 山賊に金剛山の高みから突き落とされた男が、そこでは観自在の奇跡によって空中で受けとめられている。真逆さまになった男は構図の同一点上で宙吊りにされている【図150】。シモン・マルミオンの作品では二人の巨人が人間の魂の創造に立ち合っているのに対し、ボスは森の縁に立った不思議な巨像の眼前でエバを誕生させている。[※89] これは、髪を編み、羽根帽子を被った峻険な山だ。巨像はおよそ無関心な風情で創造の光景を眺めている。重畳した山塊は飾りとして立っている。ばかりか、科白《せりふ》なしの役者として劇に参加してもいるのだ。

　中国でも人間化した岩はよく似た特徴を持っている。李成（十世紀）はそうした〈岩〉を雪の降りしきるなか、独り静かに渓谷で坐らせている。[※90] いまにも眠りこけそうだ。玄冬の静けさは雪の絨毯によってよりも、むしろこうした岩像によってよりよく暗示される。十世紀初頭の画家で、元代に高い評価を得た関同の作品では、〈人間＝岩山〉が草木の繁った、入りくんだ急斜面のなかに堂々と突き立っている。[※91] それは、横向きの頭部をくっきりと浮かび上がらせ、口を結び、虚ろなまなざしで他を圧している。この岩山は磨崖の客を迎える「主」山である。

高さといい、景中の位置といい、ボスの岩崖とよく似ている【図151と図152】。

東アジアと西欧は同じメタモルフォーズの温床となった。不規則性のなかから、鉱物の凹凸のなかから見つけ出された有機的な生き物がどちらも同じ方法でかたちづくられているのだ。ある場合にはそれら東西の一致を解釈の相似によって説明しうる。同一のイメージは同一の形体から霊感を得ている。とすれば、岩山はあちこちにこうした類似性を隠し持っているのではないか。それらの特徴を浮彫りにしたければ、レオナルド・ダ・ヴィンチがあの有名な条《くだり》で叙述した方法に倣って、壁の表面に現れた染みを自然のなかに屹立する岩石に見立てれば事足りよう。

それら〔染み〕を注意深く考えるならば君は、画家の天分がそれを利用して動物と人間の闘い、風景や怪物、悪魔、その他、君の名誉を高からしめる幻想的な事象等々を構成しうるところの、とくにみごとな創意をそこに発見するであろう。これら紛らわしい事象のなかで天分は新たな創意に目覚めるのであるが、しかし、動物の諸部分のように等閑にされる四肢、そして風景、岩山、植木などの外観も上手にこなす術《すべ》を知らなければならない。[*92]

技法ならびにこれらの構成の主題そのもの、非有機的なスクリーンの背後でのイマジュリの戯れが簡潔に要約されている。ここには、たしかに、十四世紀に入り西欧で利用されるようになった手段の形式的記述がある。しかし、ペトルッチはこのレオナルドのテクスト全体を十一世紀の宋迪によって著された画論と対照させている。*93

汝まず當に一敗牆を求むべし、絹素を張り訖《おわ》らば之れを敗牆の上に倚《よりた》て、朝夕、之れを観よ。之れを観ること既に久しく、素を隔てて敗牆の上を見れば、高平曲折、皆な山水の象を成さん。心存目想すれば高き者は山と為り、下《ひく》き者は水と為り、坎《あな》は谷と為り、欠けたる者は澗と為り、顕かなる者は近と為り、晦《くら》き者は遠と為る。神さとり意造れば怳然として其の人禽草木飛動往来の象をみ、了然として目に在れば即ち意に随って命筆せよ。默するも神を以て会し、自然の境は皆な天就し、人為に類せず。

天才の出会いなどと言っても信じがたいが、両者は観念ばかりかその表現までそっくりである。ただし、石壁の手前に張られる絹布だけは、さしものレオナルドにも出てこない。西欧人には布の上から影や特徴を見分けるなどできない相談だろう。中国人ですら長い静観の後にはじめてそれらを識別するというのだから。「中国人は両眼でものを見る人々だ」が西人は片眼である、とハイトンは言っていなかったろうか。

第三節　生命ある器物

ボスとブリューゲルの作品における器物の反乱。東アジアにおける人間化した器物と生ける道具類。

生体と無機的な物との結合は器物自体に避けがたい一つの強迫観念となった。器物は動物から爪、歯、騒々しさ、荒々しさを譲り受けた。四足獣や人間と一体化したものも見られた。鉄や粘土や木も肉体と混淆した。マイエンスの『健康の園』（一四九一年）の動物たちのなかには〈魚＝呼子〉が姿を見せるし*94【図153】、一三四〇年になるとラウトレルの『詩篇集』のなかに車輪に乗った龍すなわち東洋の怪物が現れる*95【図154】。ケルンの『聖書』（一四七八年頃）では待ちわびた聖ヨハネに書物を授ける黙示録の天使が、シナ風のくねくねと曲がる雲の胴と腕、柱の脚を持っている*96【図155】。ここでは、

我また一人の強き御使《みつかい》の雲を著て天より降るを見たり……その足は火の柱のごとし

（「ヨハネの黙示録」一〇章一―四節）

という一節の逐語的絵解きが重視されていたのだろう。だが、それこそまさに新機軸であった。これと同じ場面の表現に、合成された天使などおよそ見られたためしはなかったからだ。天使像はデューラーによって聖別された（一四九八年）ことで、聖ヨハネの幻視すべてに後々まで見出されることになる。

フランドルの奇形表現はこうした器物と生体の組み合わせに長けており、ボスにそのもっとも美しい集大成の一つが見られる。プラドの誘惑図では聖アントニウスが、とり憑いてくる怪物のなかから、四肢と眼を持った物体の現れ出るのを眺めている。小川のなかでは小石が聖人を凝視している。槌を振り上げながら、小塔のかたちをした箱が彼の方に近づいてくる【図157】。アラール・デュ・ハメールの版画によって知られる《最後の審判》では龍がむっちりとした足を使って駆けている。[*97] リスボンの誘惑図には馬の脚を持った瓶が描き込まれている。[*98]《乾草車》の悪魔の鼻は喇叭である。[*99] こんな家具動物はついぞ見られなかったのだ。以来、そうした家具動物たちは絵画と写本欄外に流布していった。ピーテル・ホイスの作品では水差しが人に化けている。[*100] 頭部と腕を持っているが、足はない。十六世紀のカンブレの写本には壺で構成された鳥、垂乳根、驢馬頭を持った甕、ボスの悪霊のごとく鼻に化けた長い喇叭などが見られる[*101]【図156】。

ブリューゲルもこうした取り合わせを増殖させるのに余念がなく、腕を持った水差し、足を四つ持つ樽、人間に見立てた建物と風車、貯金箱と争う金庫などを創り出した。[*102] 世界を分かっていた垣根が次々と取り払われていった。人造の物体も自然の物体の後に続き、生命ある被造物として敵陣に加わった。それらはいまや、自らを造ってくれた人間を襲うべく待ち伏せをしている。反乱は万物に及んだのだ。

この動物誌のなかには十三・十四世紀にイスラームがその伝統を受け継ぐことになったギリシア＝ローマの壺を思い出させるものもいくつかある。たとえば、ピーテル・ホイスの壺はたしかにカノポス壺〔オシリスの神体、転じて神や人の頭をかたどった蓋を持つ、ミイラの内臓を収めた壺〕である。しかし、生命ある器物はどれも陶器の混血種よりさらに毒々しく、不敵で、幻想的な性格をあらわにする。そればかりか、こうした道具類と獣の合成体にかくも強烈な生命感と情念を付与する術《すべ》を最初に会得したのも、やはり東アジアの人々であった。これら組み合わされた生き物が絵画に表現されているのが真先に見られたところは東アジアであり、また東アジアだけだった。そこでは、ときとしてそうした生き物が叛徒として、悪魔の共犯者として騒乱の只中に姿を見せる。

今日残されているそれらの形象のなかでもっとも古いものは、中国でなく、日本からもたらされている。土佐光顕の手とされる、鬼形の襲来を受ける頼光を描いた画（十四世紀中葉）では、嵐の晩、主人公が怨霊によって連れてこられた家の一隅で従者四人と一緒に鬼の襲来を受けながら坐っている[*103]【図158】。頼光は僧のごとくに静観している。すると、不気味なざわめきが四方八方から沸き上がってくる。幽霊や亡霊が蘇り、彼めがけて近づいてきたのだ。鬼形と獣が夜の闇から浮かび上がり、そしてそれらと一緒に器物の行列も姿を現した。椀は逆立ちし、腕を使って走りまわる。龍は眼と口を持ち、人間のような姿をした生き物の背にまといつく。小刀は鞘に入ったまま二本足で歩きまわる。これは一幅の誘惑図にほかならぬが、しかし、西欧の大構図より時代的に一世紀以上も早いのだ。主題は東アジアのイマジュリに広まっており、十八世紀になってもなお数多く見られる。[*104] 生命ある器物の無数の変異――それ自体の姿が変わっている器物、四肢が付け足されている器物、他の生き物の器官の上に移植された器物――のなかで、擬人化された器物もこれらの動物誌特有のもののようだ。器物はそれ自体なんの変哲もないが、それに動きをつける人物の形姿の延長と化している。像は箱や鍋などを被ったり、まとったりした人間のそれである。とはいえ、それは文字通りの人でなく、人の姿形と知性を付与され、人間化した食器であり、箱なのだ。伝土佐光信（一五二五年歿）筆の百鬼夜行図はそれら生ける器物の群を解き放つ。[*105] 悪魔の肩口や頭を、鐃鈸、水壺、甕、皿が駆けまわる。日本の画家の同時代人であるボスの作品でも似たような生き物が暴れまわっている。すなわち、オックスフォードの素描では帽子が、ウィーンの《最後の審判》では鐘が、他のところでは柳行李が人像にすっぽりと被さって徘徊している【図159、図160、図161】。それらはどれも東アジアの軍勢に加わって、少しも違和感がなさそうだ。ましてや、これら合成怪物の氾濫する西欧的誘惑図の多くには仏教的な夢幻が貫入していたわけだから。

原註

＊1——ベルジュロン『アジア旅行記集成』、第三書、七章、一二八頁。

＊2——A. Schramm, *Der Bilderschmuck der Frühdrucke*, III, Leipzig, 1921, pl. 465.

＊3——L. Maeterlinck, *Le Genre satirique dans la peinture flamande*, Paris, 1907, fig. 157.

＊4——A. Schramm, *op. cit.*, XVII, pl. 165, fig. 420.

＊5——写本四一一番、十五世紀末。

＊6——パリ国立図書館 ms. fr. 15106 十四世紀。テクストは A. Hilka, *Eine altfranzösische moralisierende Bearbeitung des Liber de monstruosis hominibus Orientis aus Thomas von Cantimpré « De naturis rerum », Abhandlungen der Gesellschaft der Wissenschaften zu Göttingen*, III, 7, Berlin, 1933 により、刊行・註解されている。

＊7——パリ、アルスナル図書館 ms. 5193 ブルゴーニュ公の書庫から出た写本 H. Martin, *Le Boccace de Jean sans Peur*, Brussel, 1911, pl. XCIV.

＊8——P. Durrieu, *Le Boccace de Munich*, München, 1909, pl. XVIII.

＊9——大英博物館 Roy. ms. 14 E. V., F. Saxl, H. Meier, H. Bober, *Verzeichnis astrologischer und mythologischer illustrierter Handschriften in englischen Bibliotheken*, London, 1953, pl. IX, 25.

*10——パリ国立図書館 ms. fr. 225, f° 1, c. 1503-18, G. Ritter et J. Lafond, *Manuscrits peints de l'école de Rouen*, Paris, 1913, p. 38, pl. XVI.

*11——F. de Mély, *De Périgueux au fleuve Jaune*, Paris, 1927, fig. 28 と 29.

*12——E. Mâle, *L'Art religieux du XIIe siècle en France*, Paris, 1922, p. 169 以下；A. Watson, *The Early Iconography of the Tree of Jesse*, London, 1934, pl. I プラハ大学の写本、十一世紀、pl. IV ポワティエのノートル＝ダム・ラ・グランド教会の浮彫り、pl. VI チトーの『伝説集』、pl. VIII『ザルツブルクの交誦聖歌集』、pl. XII シュミレ＝シュル＝アンドロワのフレスコ、pl. XXXII『愉楽の園』。

*13——A. Watson, *op. cit.*, pl. III サン＝ベナーニュの『聖書』Dijon, ms. 2, pl. V, Dijon, ms. 129 一一二五年以前。

*14——A. K. Coomaraswamy, *The Tree of Jesse and Indian Parallels in Source*, *The Art Bulletin*, 1929, pp. 216-220；A. Watson, *op. cit.*, chap. V, *Parallels in Oriental art*；F. Portal, *Des couleurs symboliques*, Paris, 1837, pp. 270-273 においてすでに主題の照合はなされている。A・キングズリー・ポーター（*Spain or Toulouse and Other Questions*, *The Art Bulletin*, 1924, p. 15）は、中国領トルキスタンのベゼクリクの絵のなかに〈エッサイの樹〉の祖型を見ている。

*15——G. Ritter et J. Lafond, *op. cit.*, pl. LXIX アルスナル図書館 ms. 416『ルーアン使用時禱書』。

*16——A. Blum, *Les Origines de la gravure en France*, I, Paris, 1928, pl. LXII；A. Schramm, *op. cit.*, fig. 329.

*17——ピュジョル（ロ・テ・ガロン県）、歴史記念局写真資料館のネガ九六三〇〇番、サン＝セーヌ＝ラベイ（コート＝ドール県）のネガ一一七九九四番、サン＝ブリ（ヨンヌ県）。

*18——アンドレジー（旧セーヌワーズ県）、ボーヴェ、グロスレー（旧セーヌワーズ県）、リッシュブール（旧セーヌワーズ県）、サンス、ヴィリ＝アン＝オクスワ（コート＝ドール県）。

*19——一四八三年 R. Hamann, *Deutsches Ornament*, Marburg, 1924, fig. 34-35.

*20——十六世紀初頭、施療院の礼拝堂、窓の両側の左右相称の樹。

*21——一五一一—三二年、デ・ゾーボーならびにニコラ・クネル、リシャール・ルルーの作 A. Loisel, *La Cathédrale de Rouen*, Paris, s. d., p. 64.

*22——ティボー・ド・バイエンクールの時代のもの、一五一一—三六年 G. Durand, *L'Église de Saint-Riquier*, Paris, 1933.

*23——E. Chartraire, *La Cathédrale de Sens*, Paris, s. d., p. 9 通称アブラハムの館。

*24——A. Mau, *Scavi di Pompei, 1888-1890, Mitteilungen des deutschen archäologischen Instituts*, Roma, 1890, fig. p. 128 ; S. Reinach, *Répertoire de la statuaire grecque et romaine*, Paris, 1910, IV, p. 236, fig. 2.

*25——C. Perrault, *Les Dix Livres d'architecture de Vitruve*, Paris, 1684, p. 242.

*26——V. Segalen, G. de Voisins, J. Lartugue, *Mission archéologique en Chine*, II, Paris, pl. CXXXIX.

*27——E. Verlant, *La Peinture ancienne à l'exposition d'art belge à Paris, en 1923*, Paris, 1924, pl.

XLIV リヨン美術館。

*28——P. Durrieu, *La Miniature flamande au temps de la cour de Bourgogne, 1415-1539*, Paris, 1921, pl. XCI 大英博物館 Add. ms. 12331, 1530.

*29——V. Lebond, *La Cathédrale de Beauvais*, Paris, 1926, p. 58.

*30——H. Schmidt, *Bilder Katalog zu M. Geisberg, Der deutsche Einblatt-Holzschnitt in der ersten Hälfte des XVI. Jahrh.*, München, 1930, nos 1299 と 1300 ヴィッテルスバハの家系図。A. Schramm, *op. cit.*, I, fig. 699 アウステルリッツの家系図。

*31——F. M. Haberditzl, *Die Einblattdrucke des XV. Jahrh. der Hofbibliothek zu Wien*, Wien, 1920, fig. 161 ; L. W. Schreiber, *Handbuck*, IV, n° 1777.

*32——J. Braun, *Die Reliquaire des christlichen Kultes und uhr Entwicklung*, Freiburg im Breisgau, 1940, pl. 54 と 58.

*33——Ph. Pouncey, *The Miraculous Cross in Titian Vendramin Family*, *Journal of the Warburg Institute*, II, 1938-39, pp. 191-193. 十字架は、ジェンティーレ・ベッリーニとティツィアーノによって一五九〇年の版画に再現されたペルジーノの絵（一四九四年）の上に描かれている。

*34——E. Chavannes, *Six Monuments de la sculpture chinoise*, *Ars Asiatica*, II, 1914, pl. XII 五四三年に遡る石碑。

*35——P. Durrieu, *Les Très Riches Heures du duc de Berry, Jean de France*, Paris, 1904, pl. XIX およ

び *Heures de Turin*, Paris, 1902, pl. xlii.

＊36——A. W. Byvanck et G. J. Hoogewerff, *La Miniature hollandaise dans les manuscrits des XIVe, XVe et XVIe siècles*, I, Haag, 1922, pl. 73 クラクフ、チャルトリスキ美術館、三〇九一番。

＊37——A. von Le Coq, *Die buddhistische Spätantike in Mittelasien*, II, *Die manichäischen Miniaturen*, Berlin, 1923, pl. 7, p. 46 著者によれば九世紀。E・ブロッシュ（*La Peinture des manuscrits orientaux de la B. N.*, Paris, 1914-20, p. 212, note 1）によれば、ミニアチュールは一二三〇—一六〇〇年に遡るだろうという。

＊38——透明な光輪は、サンタ・マリア・マッジョーレの身廊アーチ、ラテラノ洗礼堂のサン・ヴェナンツィオの祭室に例外的に登場する。古い時代のこうしたマンドルラの観念が光・力の流出を象徴しているとすれば、それらも東洋的諸要素の決定的な影響によるものだということになる。L. Stephani, *Nimbus und Strahlenkranz in den Werken der alten Kunst*, *Mémoire de l'Académie des sciences de Saint-Pétersbourg*, IX, 1859, p. 22 以下と O. Brendel, *Origin and Meaning of the Mandorla*, *Gazette des Beaux-Arts*, 1944, p. 13 および fig. 4 を参照。

＊39——S. Tajima, *Masterpieces Selected from the Fine Arts in the Far East*, VIII, Tokyo, 1920, pl. v と xxiv ; M. W. de Visser, *The Arhats in China and Japan*, Berlin, 1923, fig. 15 と 20.

＊40——K. Tomita, *Portfolio of Chinese Painting in the Museum of Boston*, Harvard University Press, 1933, pl. 112.

＊41——P. Rousseau, *L'Art du Tibet*, *Revue des arts asiatiques*, 1917, pl. vii, p. 21 以下 ; J. Hackin,

Guide du musée Guimet, Les Collections bouddhiques, Paris, 1923, p. 111.

＊42——F. Hadland Davis, *Myths and Legends of Japan*, London, 1912, p. 89 と 357.

＊43——ウフィツィ美術館の《キリストの埋葬》。

＊44——L. van Puyvelde, *Les Primitifs flamands*, Paris, 1941, pl. 37《聖エリギウスの伝説》、一四四六年、ニューヨーク。

＊45——Ch. Sterling, *Les Peintures du Moyen Age*, Paris, 1941, pl. 82《聖女マドレーヌ》、リッチモンド、クック・コレクション、一四四三年。

＊46——Ch. Sterling, *Les Peintures du Moyen Age*, pl. 101.

＊47——*Les Révélations de saints Brigitte de Suède*, Paris, 1724, p. 223, 402, 501.

＊48——M. J. Friedländer, *Memling und Gerard David*, Berlin, 1928, pl. xxiv ニューヨークにある《受胎告知》、一四八二年。

＊49——K. Pfister, *Hieronymus Bosch*, Potsdam, pl. 15 ラインハルト・コレクション、ヴィンタートゥール。ボスに帰すことは Ch. de Tolnay, *Hieronymus Bosch*, Basel, p. 105 の疑問視するところでもある。

＊50——《快楽の園》の裏面については Ch. de Tolnay, *Hieronymus Bosch*, p. 34, pl. 69 を見よ。

＊51——G. Marlier, *Memlinc*, Brussel, 1934, fig. 32.

＊52——Joseph Du Chesne, *Le Grand Miroir du monde*, Lyon, 1587, p. 113.

＊53——L. Maeterlinck, *op. cit.*, fig. 196.

＊54――Ch. de Tolnay, *Pierre Bruegel l'Ancien*, Brussel, 1935, pl. x-16, xi-18.

＊55――*Ibid.*, pl. XLXV-128.

＊56――Das ist die Welt ; Sie steigt und fallt / Und rollt bestardig, Sie klingt wie Glas ; Wie bald bricht das...

＊57――同じモティーフは、ルーカス・クラーナハ派に帰されている《聖アントニウスの誘惑》（ローマ、ガレリア・コロンナ）にも見出される。P. Lafond, *Hieronymus Bosch*, Brussel, 1914, pl. 56 参照。

＊58――Ch. de Tolnay, *Hieronymus Bosch*, pl. 70.

＊59――Gluck und Glas, Wie bald bricht das...

＊60――容器の丸い形体はチベット絵画にも見出される。R. Linossier, *La Peinture tibétaine, Mélanges Linossier*, Brussel, 1932, pl. I を見よ。

＊61――教皇ヨハネス二十二世（*Bulle Super illius specula*, 1326, *Bullarum collectio, opera et studio Caroli Cocquelines*, Roma, 1743, III, とくに II, pp. 194-195）によれば、悪霊はフラスコによって拘束しうる。イタリアとフランスで売られている、瓶に閉じ込められた悪霊たちのことに触れている著述家もいる。一三二四年に書かれた『人間救済の鑑』（*Speculum Humanae Salvationis*）では、伝説を動物に移したものが見られ、そこでは駝鳥の雛がソロモン王によって硝子壺のなかに閉じ込められている。駝鳥は、不思議な虫のおかげで、首尾よく子供を助け出す。寓話はオリエント起源で、ペトルス・コメストルの『スコラ的聖書史』（第三書、

八章）から借用されている。それは、ティルベリーのゲルウァシウス（『皇帝の閑暇』巻二、一〇四章）とボーヴェのウィンケンティウス（『自然の鑑』、二〇書、一七〇章）にも見出される。J. Lutz et P. Perdrizet, *Speculum Humanae Salvationis*, Mulhouse, 1907, pl. 56, p. 220 および G. Baring-Gould, *Curious Myths of the Middle Ages*, London, 1874, pp. 386-416 を見よ。

＊62——Ch. de Tolnay, *Pierre Bruegel*, p. 7, 12, 15, 60, note 2.

＊63——Ch. Sterling, *Le Paysage dans l'art européen de la Renaissance et dans l'art chinois*, *L'Amour de l'Art*, 1931, p. 9 以下と p. 101 以下。また J. Baltrušaitis, *Le Paysage fantastique au Moyen Age*, *L'Œil*, octobre 1955, pp. 18-25 も見よ。

＊64——E. J. Eitel, *Feng Shoui ou Principe de sciences naturelles en Chine*, *Annales du musée Guimet*, I, Paris, 1880, pp. 203-253.

＊65——北京国立博物館 L. Bachhofer, *Chinese Landscape Painting in the Eighth Century*, *The Burlington Magazine*, LXVII, 1935, p. 189 以下。

＊66——フリーア美術館、ワシントン O. Sirèn, *Histoire de la peinture chinoise*, II, Paris, 1935, pl. 73 これは Ch. Sterling, *Le Paysage*, pl. p. 18 に再録。

＊67——R. Petrucci, *La Philosophie de la nature dans l'art d'Extrême-Orient*, Paris, 1910, p. 130. H・A・ジャイルズ（*An Introduction to the History of Chinese Pictural Art*, Chàng hǎi, 1905, p. 147）は黄休復を元代に位置づけている。

*68―Wou Ti-fen, *Le Développement de la peinture de paysage en Chine à l'époque Yuan*, Paris, 1932, p. 21.

*69―R. Petrucci, *op. cit.*, p. 122 と pl. XI.

*70―*Ibid.*, p. 130 元代。

*71―カイロのエジプト図書館 L. Binyon, J. V. S. Wilkinson and B. Gray, *Persian Miniature Painting*, London, 1933, p. 62 と pl. XXIX, A. 32.

*72―パリ国立図書館 suppl. persan 332, f° 220, H. Masse, *Le Livre des Merveilles du Monde*, Paris, 1944, pl. XVIII.

*73―A・サキジアン（*La Peinture persane du XIIe au XVIIe siècle*, Paris, 1929, p. 44）は、この点描法の起源が中国にあることを指摘している。

*74―L. Binyon, J. V. S. Wilkinson and B. Gray, *op. cit.*, pl. XXXVI, B. 44, 1410-20 および *Survey of Persian Art*, Oxford, 1938, pl. 868.

*75―L. Binyon, J. V. S. Wilkinson and B. Gray, *op. cit.*, pl. XXXVII, B. 45 シーラーズ派、一四二〇年、pl. LXXIV, B. 91, attribué à Behzad ; A. Sakisian, *op. cit.*, pl. XXXVI, fig. 56 ヘラート派、一四三一年、pl. LII, fig. 90 カーシム・アリー作、一四九四年。

*76―F. R. Martin, *The Miniature Painting and Painters of Persia, India and Turkey*, London, 1912, pl. 60 と 61.

*77―G. Marteau et H. Vever, *Miniatures Persanes exposées au musée des Arts décoratifs*, Paris,

1913, pl. LXXXI, fig. 101.

*78——Brunet Latin, *Li(Les) Livres dou(du) Tresor*, éd. P. Chabaille, Paris, 1863, p. 115 以下と p. 172. とりわけインドでは、一日に二度海の潮の満ち引きがある。大地には魂があり、その座所は海の奥底である。潮汐は生きている巨大な肉体の息であるという人もいる。

*79——G. Bilancioni, *Leonardo da Vinci e la dottrina del macro e del microcosmo. Miscellana di Studi Lombardi in onore di E. Verga*, 1931, pp. 1-17. また M. Herzfeld, *Leonardo da Vinci, der Denker, Forscher und Poet*, Jena, 1926, p. 53, XXVII, p. 54, XXIX, p. 56, XXXIV および A. Chastel, *Léonard de Vinci par lui-même*, Paris, pp. 147-148 も見よ。

*80——N. de Cusa, *Opera*, Basel, 1563, p. 42.

*81——E. B. Toesca, *Un Erbolario del' 300, La Bibliofilia*, 1937, p. 341 以下 fig. 6 フィレンツェ、国立図書館 Cod. pal., ms. 586.

*82——A. Kircher, *China illustrata*, Amsterdam, 1667, pp. 170-174. 中国人たちは「山占い」を使って、動物のかたちをした山の外形に、占星術師たちが天空から看取しうるものを見ることができるが、著者はこの風水理論全体をマルティーニ神父を参照しながら展開している。「シナ人たちは山々の姿を細心に検討し、血管と臓腑すべてを探し出し、調べ上げ、幸いなる大地、すなわち龍の頭、尻尾、心臓などを見つけるまで苦労も出費もいとわない……」とは、まさにこの問題についてマルティーニ神父の書いていることだ（*Novus Atlas Sinensis*, Haag, 1655, p. 17)。

＊83——K. Pfister, *op. cit.*, pl. 15.

＊84——O. Benesch, *Der Wald der sieht und hort, zur Erklärung einer Zeichnung von Bosch*, *Jahrbuch der preuss. Kunstsammlungen*, 1937, pp. 258-266.

＊85——オックスフォード、ボドリアン図書館 ms. Bodl. 264, *The New Palaeographical Society*, série I, London, 1905, とくに III, pl. 69 十四世紀末—十五世紀初頭のフランス語写本。また P. Lavedan, *Représentations des villes dans l'art du Moyen Age*, Paris, 1954, pl. 8 も見よ。

＊86——ジェノヴァにあるバルビ美術館 E. Castelli, *Il Demoniaco nell'arte*, Milano-Firenze, 1952, pl. 45 と 46.

＊87——Ch. de Tolnay, *Le Maître de Flémalle et les Frères Van Eyck*, Brussel, 1939, pl. 19.

＊88——J. Hackin, *Les Collections bouddhiques*, p. 42. 図像表現ならびに場面のその他の例については J. Leroy Davidson, *The Lotus Sutra in Chinese art*, Yale University Press, 1954, pp. 81-83, pl. 26 も見よ。

＊89——P. Durrieu, *La Miniature flamande au temps de la cour de Bourgogne*, pl. XXXII.

＊90——O. Sirèn, *Histoire de la peinture chinoise*, I, Paris, 1934, pl. 91 弟子の許道寧筆による、倣李成筆《雪中行旅図》の模写。

＊91——*Ibid.*, pl. 89 bis.

＊92——Léonard de Vinci, *Traité de la peinture*, éd. Péladan, Paris, 1928, pp. 66-67.

＊93——R. Petrucci, *op. cit.*, p. 117.

＊94——J. Baltrušaitis, *Réveils et prodiges, Le Gothique fantastique*, Paris, 1960, p. 263, fig. 23.

＊95——*Ibid.*, p. 293, fig. 22.

＊96——*Ibid.*, pp. 273-274.

＊97——Ch. de Tolnay, *Hieronymus Bosch*, pl. 112.

＊98——*Ibid.*, pl. 42.

＊99——*Ibid.*, pl. 32.

＊100——E. Castelli, *op. cit.*, pl. 70 プラド美術館にある《地獄の幻想》。

＊101——A. Durieux, *Les Miniatures des manuscrits de la bibliothèque de Cambrai*, Cambrai, pl. 17, ms. 124.

＊102——Ch. de Tolnay, *Pierre Bruegel*, pl. xxxiv と cx ; R. van Bastelaer, *Les Estampes de Peter Bruegel l'Ancien*, Brussel, 1908, fig. 119, 129, 130, 137.

＊103——O. und C. Graf, *Japanisches Gespensterbuch*, Leipzig, 1925, pl. i, p. 10.

＊104——O. und C. Graf, *op. cit.*, pl. 12, p. 30 ; W. Anderson, *A Collection of Japanese and Chinese Paintings in the British Museum*, London, 1886, p. 109.

＊105——*Selected Relics of Japanese Art*, XIII, Tokyo, 1906, pl. 25 と 27. 田島によれば、この絵は光信以前に遡るだろうという。

●図133——多臂神｜布絵　チベット　パリ　ギメ美術館

●図134——多臂神｜左上：マーラ襲来図の鬼神　敦煌　10世紀頃　パリ　ギメ美術館／右上：ヴォルゲムートによる『ニュルンベルク世界年代記』の驚異　1493年／下：〈運命〉　ジャン無畏公の『ボッカッチョ作品集』　1409-19年　アルスナル図書館（ms. 5193, f° 229）

●図135——花冠台座に配された人物たちのいる樹｜左上：ヴィシュヌの樹　タトン　ビルマ／右上：歴史的な仏陀とその先師たちの樹　四川省夾江県の石窟　唐代／下：〈エッサイの樹〉　ルーアン大聖堂　1511-32年

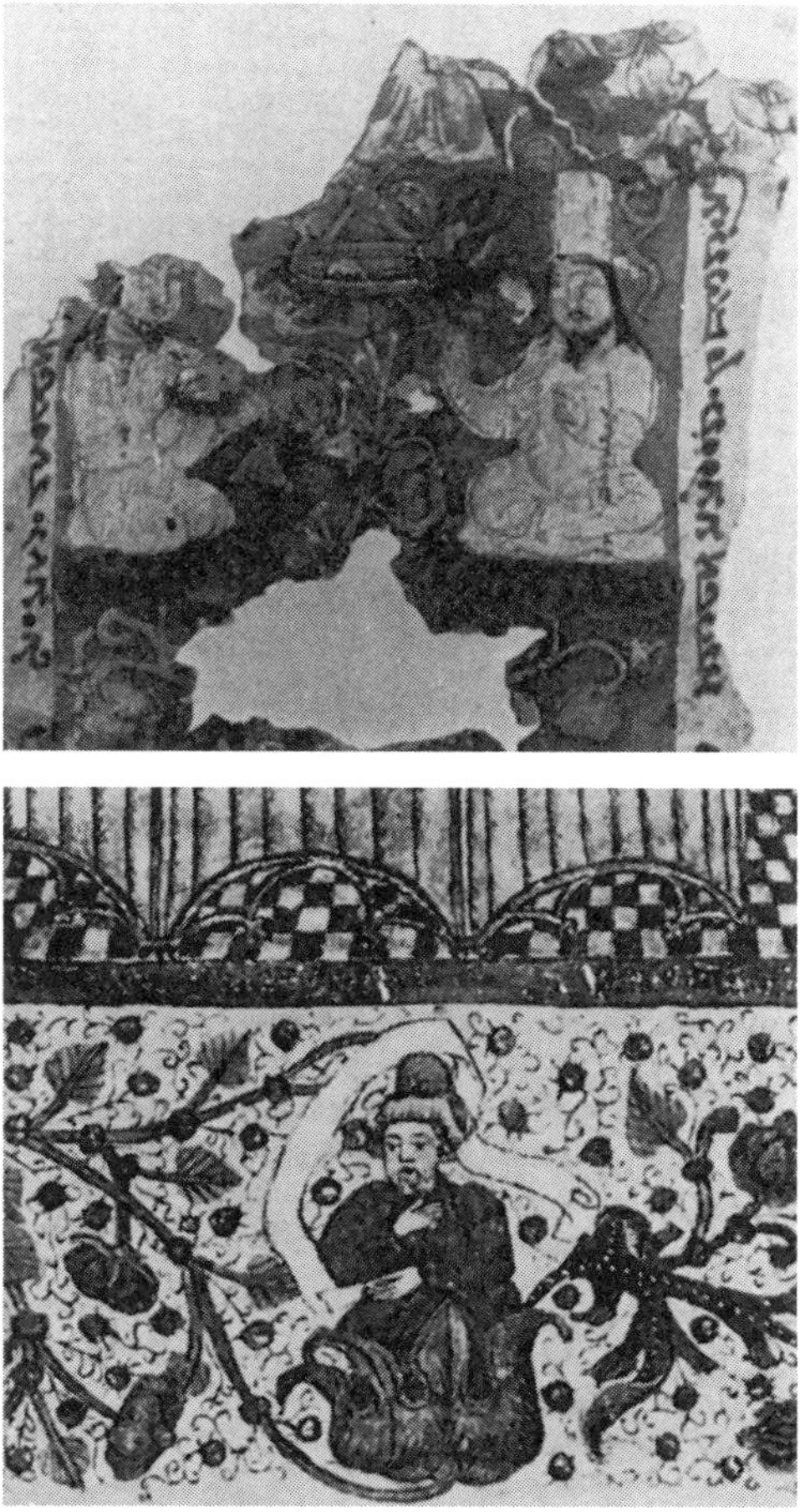

●図136――花冠台座に坐るモンゴル人｜上：カラホージョのマニ教写本／下：オランダ語の『時禱書』 1468年

●図137, 138——水晶光輪｜上：マティアス・グリューネヴァルト《シュトゥパハの聖母子》シュトゥパハ（ドイツ）の教区教会／下：周季常・林庭珪による瞑想する阿羅漢　1160年頃　ボストン美術館

●図139——透明な宇宙｜ヒエロニムス・ボス《快楽の園》の裏面　1500年頃　マドリード　プラド美術館

●図140――水晶の球｜ヨース・ファン・クレーフェ《世の救い主》（部分）16世紀初頭　パリ　ルーヴル美術館

●図141――水晶の宇宙｜財布泥棒　ピーテル・ブリューゲル《人間嫌い》（部分）
1568年　ナポリ国立美術館

●図142, 143——硝子の光背｜上：僧ソット＝ナム（1439-1505年）の幻視　チベット絵画　パリ　ギメ美術館／下：マンドルラのなかの異形　ピーテル・ブリューゲル《悪女フリート》（部分）1564年　アントウェルペン王立美術館

●図144——硝子の壺のなかに閉じ込められた人物｜上：仏陀によって仏鉢のなかに閉じ込められた鬼子母の息子　李龍眠様　1081年　パリ　ギメ美術館／下：水晶球のなかの人間たち　ピーテル・ブリューゲル《悪女フリート》（部分）　1564年　アントウェルペン王立美術館

●図145——人間と動物のかたちをした岩山｜李山　13世紀初頭　ワシントン　フリーア美術館

●図146――山のなかの虎と龍｜上：アタナシウス・キルヒャー『シナ図説』 1667年 「虎岩」と「龍岩」／中：『自然誌』 イタリア 14世紀／下：『王書』 シーラーズ 1393年

●図147, 148——動物のかたちをした山｜上：ピーテル・ホイス《聖クリストフォロス》 ヴィンタートゥール　ラインハルト・コレクション／下：ヒエロニムス・ボス派《聖クリストフォロス》 ディジョン美術館

●図149——人間の顔を持った山｜マルコ・ポーロ『大ハーンの書』 1400年頃
オックスフォード　ボドリアン図書館

●図150——岩山から突き落とされる人間｜上：観音の奇跡〔観音諸難救済図〕 敦煌石窟　10世紀前後　パリ　ギメ美術館／下：ディルク・ボウツ《神に見放された人々の転落》（部分） 1470年頃　パリ　ルーヴル美術館（リール美術館寄託）

●図151, 152――人間のかたちをした岩山｜上：関同　10世紀初頭　台北　故宮博物院／下：ヒエロニムス・ボス《乾草車》の翼画（部分）　マドリード　プラド美術館

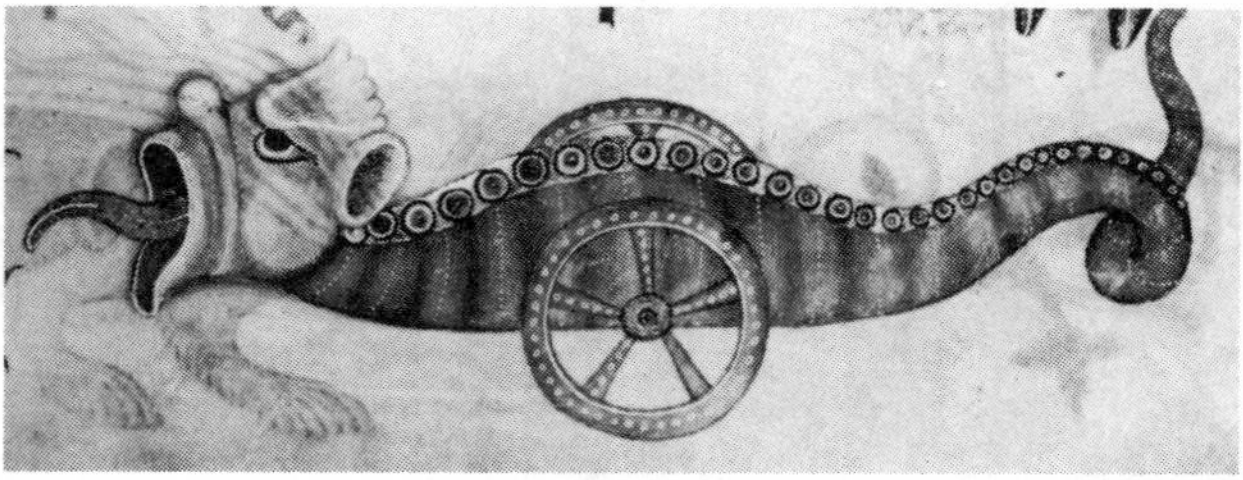

●図153（上）――魚のかたちをした呼子｜『健康の園』　マイエンス　1491年
●図154（中）――車輪を持った龍｜『ラウトレル詩篇集』　1340年　ロンドン　大英博物館
●図155（下）――「柱の脚」を持つ天使｜ケルンの『聖書』　1478年頃

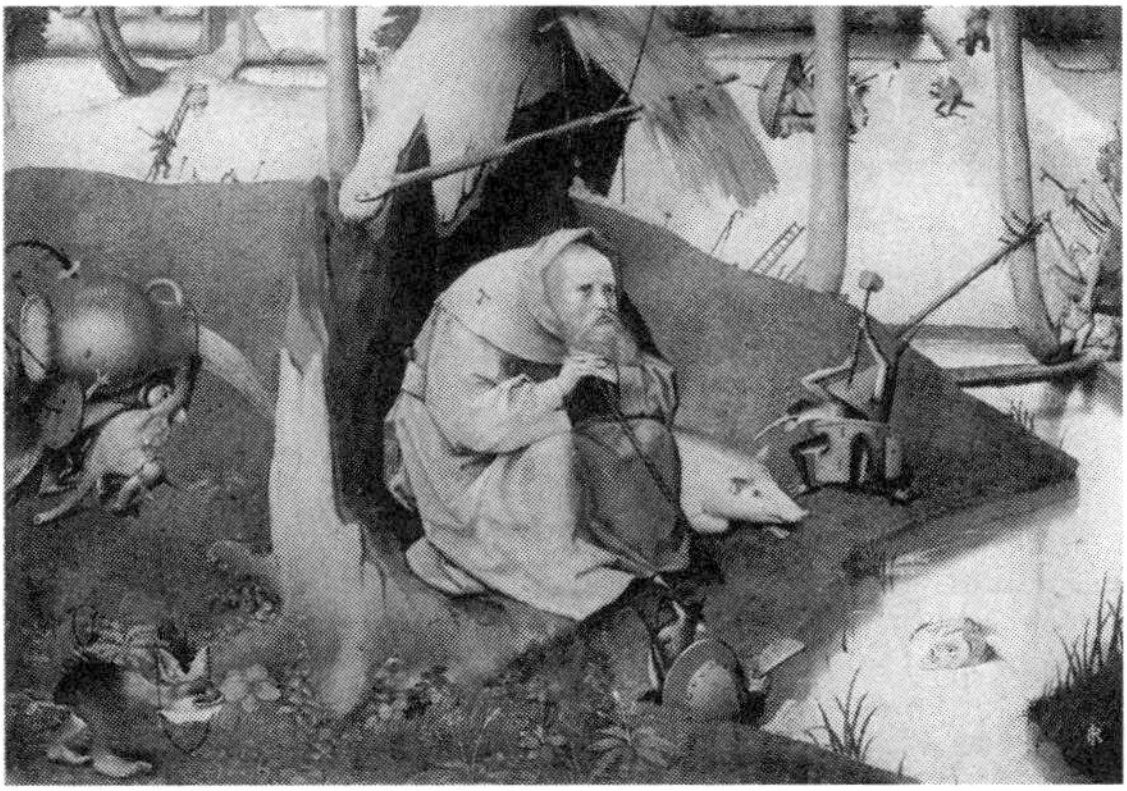

●図156, 157, 158——生命を持った器物｜上：カンブレ　写本124番　16世紀／中：ヒエロニムス・ボス《聖アントニウスの誘惑》（部分）　マドリード　プラド美術館／下：土佐光顕　器怪に襲われる頼光　14世紀中葉

●図159, 160, 161――人間の姿をした器物｜上：土佐光信〔伝光信〕　百鬼夜行図 15世紀〔16世紀〕初頭／下左：ヒエロニムス・ボス《最後の審判》より／下右：アラール・デュ・ハメール　ヒエロニムス・ボス《最後の審判》より

第七章　大いなる仏教的主題

第一節　仏教と西欧の誘惑図

東洋と仏の誘惑図。オリエントの聖アントニウス伝説。聖アントニウスの誘惑
――万物襲来による絶えざる試練という主題の変容。

頼光が鬼形に囲まれている光景は異象と悪霊が四方八方から襲いかかる一幅の誘惑図を思わせる。歓喜母の軍勢の殺到と百鬼の夜行はどちらも自然の猛威である。それは、西欧の人々が隠遁聖人の周囲に繰り広げてみせるのと同じ大蜂起、あらゆる敵対力のとてつもない襲来だった。しかし東アジアでは誘惑図が仏陀伝説とともに数を増す。釈迦牟尼は智者であり全能者だが、そうなる前に釈迦自身が悪魔と闘うことになったからである。

釈迦の悟りの位相を簡単に振り返っておこう。菩薩としての釈迦は完璧なる智に到達し世界の救済者となるべく菩提樹の下に坐し、禅定に入った。パーピーヤーン（魔王マーラ）はこの

ときとばかり攻撃を加えた。マーラは選ばれた人にまず「神も人もそれまで見ることはおろか聞いたこともないような、素晴らしい、四軍団から成る軍隊」を差し向けた。『ラリタヴィスタラ』にはこれらの軍勢についての記述がある。[*1] そのなかには「顔を様々に変化させ、十億通りに化ける能力を具えた」生き物、「歪んだ腹、足、手……恐ろしい光を放つ顔、歪んだ顔と歯を持つ」生き物が見られ、「あるものは火焰に包まれた躰を持っていた……あるものは燃える山の躰を持ち、それとは別な燃える山に乗って堂々と近づき……あるものは象耳、垂耳を持っていた。あるものは山のような腹を持っていた……あるものは壺のような腹を持っていた……あるものはひと山の白骨でかたちづくられた脆い躰を持っていた」。地獄の化け物が総出でこの闘いに結集し、「黒雲を生ぜしめ、暗い夜を生み出し、騒がしい音をたてる」。彼らは矢、石、斧を投げつけたが、それらはみな花と化してしまった。そこでマーラは雨を呼び聖者を洪水で飲み込もうとしたが、釈迦が蛇神ムシリンダのとぐろのなかに身を隠し難を逃れたため、もはや悪魔には色仕掛けという最後の切り札しか残されていなかった。マーラは自分の娘を遣わし、着けていたヴェールをはずし乳房をあらわにする、脚輪を鳴らし象の鼻のような太腿を剝き出しにする、などといった女の妖かしの三十二手で仏陀を誑かそうとする。だが、娘たちの肉体的魅力のひけらかしは失敗に終わった。聖者は娘たちを「脆弱で苦悩に包まれた、衰える肉体」を持つ穢らわしくて不純なものとみなし、ここでもまた勝利したのだった。図像においては、男たちのなかに老いさらばえた醜女、あるいは老婆に身をやつした娘たちなどが見られることもよくある。[*2] 聖者は自らの思惟に没頭し、ついには菩提（悟り）を得て、最終的な聖化へ辿り着く。菩薩はすなわち仏陀になったのだ。

右の場面は彫刻や絵画にしばしば表される。敦煌のある石窟〔降魔成道〕（十世紀頃）ではその野放図な大きさが素晴らしい【図162】。チベットの作例の方がもっと古拙な性格を保ってはいるが、しかしどこでも典拠に忠実である。鬼神の画家たちはそれをよく参照している。そうしたこともあって、伝李龍眠筆の画巻で、歓喜母の列のなかにいる、岩を運び岩壁によじのぼる鬼は所定の一節に呼応している。東アジアの誘惑図はすべて多少なりとこのヴィジョンから霊感を得ており、したがって、その展開が再び聖アントニウスの最終形態に反映されることになったのだ。

コプト＝エジプトはオリエントの大潮流と交流があった。そこで成立したキリスト教隠修士の師父聖アントニウスの伝説は、その同時代人聖アタナシオス〔二九六頃―三七三年、アレクサンドリア司教〕の伝記に描かれている通りのものだが、これまた仏教神話と関わりがあるとされている。何人かの学者はパレスティナ的でなく、むしろインド的な性格がこの隠遁聖人に見られるとしている。[*3] 一三四二年ドミニコ会士アルフォンスス・ヒスパヌスによって翻訳されたアラビア語文献の一異本では、ある女王が隠者を自分の宮殿で誘惑するというオリエント的小話が聖アントニウス伝説のなかに依然として採り入れられている。[*4]

伝説によると隠修士には克服すべきいくつかの試練があった。すなわち、墓のなかでの悪霊の攻撃、獣（狼、豹、熊、獅子、蛇、蠍）の姿をした悪霊の襲来、法悦によって空中浮揚した聖人の周囲での天使と悪霊の闘い、銀の円盤と金の塊との誘惑、大網で罠を仕掛ける世界の幻視、そして最後の、女、ファウヌス、ケンタウロス、黒い童子、彫像の姿をした悪魔の出現といったものがそれである。物語には個々別々の場面がなく、ただ一度の襲来があるだけだ。また魔性の怪物も、文学的典拠と直接関連のない、フランドルの最終形態とはわずかながら異なっている。ラ・ヴァレットの聖アントニウス伝説集成の彩飾挿絵（一四二六年）、同じくフィレンツェのそれ[*5]（一四三五年）、〈ミュンヒェンの聖女パレンテの画家〉の板絵[*6]（一五〇〇年頃）は、説話に準じて隠者の出会いを中心的題材としている。これらの作品では誘惑図がひと続きの小画面のなかに挿話ごとに配されている。

悪の勢力の大々的な跋扈はショーンガウアーの銅版画（一四七三年以前）の聖アントニウスの周囲でも起こっている。この作品は、法悦で浮かび上がり悪魔の掌中に落ちた聖人を天使が地上に連れ戻そうと手助けした、という挿話を表すもののように考えられている。だが実際のところ彼は魂の拉致でなく、むしろ異形の生き物の群によって捕えられているのであり、一柱の天使だにそこには見あたらないのだ。

ショーンガウアーの図像は十三世紀前半のイギリスのある素描に描かれた聖グスラックの形象と対照されている。というのも、そこではこの形象が、クロウランドの小島の隠者グスラックが地獄に誘い込もうとたくらむ悪霊の手によって空中を運ばれるという、九世紀のある物語のテクストと完璧に呼応しているからだ。[※7]激しい旋風、生き物たち、振りかざされた棒などには似通ったところがある。どうやら、ショーンガウアーは古い源泉へ立ち返って、二つの伝説を混淆させたようだ。[※8]十五世紀における誘惑図の復活は借用と混同から始まり、[※9]出自もバラバラなファンタジーと異形性を増しながら、ボス、マンディン、ホイス、メット・デ・ブレス、ブリューゲル、さらには彼らに連なる画家たちの作品において、ヴィジョンをめざましく発展させることになったのだ。

アントニウスの誘惑図は聖人伝の伝統から次第に離れていった。孤独者はあらゆる幻想と幻覚世界とを再興するための一つの口実、一つの興味の中心にすぎなくなった。隠者は、そのような攻撃に晒されていたわけでは断じてなかった。サタンが神に抗して立つという伝承に思いをはせぬわけにはいかない。西欧の誘惑図はその放埒ぶり、絵画性や異形ぶりのゆえに、キリスト教史家たちの説話よりむしろ、『ラリタヴィスタラ』のテクストと多くの類縁性を持っている。誘惑図に出てくる地獄の生き物や異形異類は中世の、しかし新しい精神のなかで豊かさを増し再編された主要なレパートリーに依存しているのだ。修道士は樹の下で釈迦のように坐っていることが多く、[*10]彼を苦しめる諸々の幻は本来の冒険とさして関わりがない。銀の円盤と金の塊、罠の網、彫像、ファウヌスとケンタウロスが消え、そしてそれらの代わりに「一億通りに化ける」軍隊が姿を現す。自然自体も聖者の周囲の大洪水のように、それらの軍隊と連携しているかのようだ。ここでもまた火は大地と山々を真赤に燃やす。憐れな孤独者にこのような暴風雨を猛り狂わせる必要がはたしてあるのだろうか。魔性の器物を描いたプラド美術館のボスの誘惑図はキリスト教の伝承よりむしろ〈鬼形＝水差し〉の仏教的ヴィジョンと関連が深い。マリーエンフェルトの祭壇画（十一世紀初頭）では、聖人が樹の下で、その試練とは無関係ながらもマーラの軍勢のなかに登場する骸骨の攻撃に晒されている。[*11]最後の、色仕掛けの場面は一風変わった様相を呈している。パーピーヤーンの襲来の場合のように先頭には女たちがいる。遊女や女王がその魅力のすべてを駆使してなんとか隠者を誑かそうとしているのだ。ヤン・デ・コックの誘惑図では、異形でなく、薄衣をまとい王冠を頭に戴いた魔性の女が聖人の前に四人立っている。[*12]メット・デ・ブレス風のある作品[*13]では、ずっしりとした首輪と奇妙な被り物を着けた、胸もあらわな若い娘二人を、鹿角を手にした遣手婆が、「ごらんあれ、月に似た顔、初々しい蓮に似た唇、優しくて心奪わんばかりの声、雪にも銀にも似た歯、さあこの娘たちを」とでも言いたげに紹介しており、一方の聖人は「肉体は不純なる物質と蛆のたぐいで溢れ、やがては破滅と病に苦しめられるもののように私には見える」（『ラリタヴィスタラ』、一二五三年）とでもいうような態度で応えている。リスボンにあるボスの板絵ではこれが、なかに黒人女を一人含む異邦人である。ピーテル・ホイスの作品（ルーヴル蔵）では腹から腰にかけて塗りもののある罪深き女、オリエント風にヴェールをまとう女、駝背の老婆となっている【図163】。この老婆は道化の一団とさりげなく融け合いながらも、うら若い好色な美女と隣り合わせになっている。パティニールあるいはマセイスに帰せられる誘惑図[*14]（プラド美術館）でもまた、聖アントニウスに林檎を差し出す娘たちのなかに老いた魔女が見られる。皺だらけの膚、歯の抜けた口、弛み切った乳房をさらけ出すその老婆は、どうやら虚栄の象徴らしい。マーラの襲来に出てくる年老いた女はこのような他の意味内容を持っていなかったからである。

誘惑のヴィジョンはその最終的な展開のなかで、誕生までそれを育んできた源泉へ立ち返り、構成し直され、誇張された。それは、翻案すなわち直接的改変でなく、想起であり、脈絡のない借用であり、漠然とした記憶の再生であり、意図的ないし自然発生的な符合だった。諸事象は同一の劇的圏内で生起し、ついにそれらの主題を繰り返してきた誘惑図すべてが混淆し合うことになった。こうした魔性の襲来図にはなんでも入り込む余地があったはずである。しかし、そうした壮大な構成をともなうものはこれしかなかった。聖人の生涯ははるか彼方の不可思議な神格の物語を前に影が薄くなった。中世の古い地獄によってまず再活性化された〈聖アントニウスの誘惑〉は、東洋的思潮から感化を受け、単なる隠者伝よりもっと広範な神話の影響の下で宇宙的な広がりを持つようになったのだ。

第二節　〈死の舞踏〉と朽ち果てた死骸

中世における死者との出会い、横たわる死者、立つ死者、踊る死者。古代の死霊。菩薩の第三・第四の出会い。西欧における死の諸相。墓碑彫刻。立つ死者——キジルおよびイタリアのフレスコ画における骸骨と修道士の問答。魔物化した骸骨、ヴェターラ、チティパティ。ラマ教の〈死の舞踏〉。ラマ教とフランシスコ会の中心地、北京。ヴォルゲムートのチティパティ。

衰退しつつある中世のもう一つの幻夢、すなわち〈死の舞踏〉も東洋の作品群と類縁性を持っている。研究量が豊富なわりに対象とされた題材の数は多くない。[*15] 思えば、図像表現は、三人の若人が三つの死骸と出会い、俗世の空しさを痛感させられるという、『三人の死者と三人の生者の対話』から始まった。[*16] 主題はまずイタリアで描かれた。メルフィ近郊のサンタ・マルガリータ、アトリ大聖堂（一二六〇年頃）のフレスコ画から、スビアコ（一三三五年）、ピサ（一三五〇—六〇年）、クレモーナ（一四一九年）、クルゾーネ（十五世紀）へと続く作品群に発展した。

死者は開かれた棺のなかで、あるいは立った姿で、あるいは横たわった姿で表されている。隠者がそこに居合わせることもよくある。

だが、この題材についてもっとも古いボードワン・ド・コンデの詩(一二七五年頃)とニコラ・ド・マルジヴァルのそれ(一三二〇年以前)が残っているのはフランスである。十二世紀の英語版(ゴーティエ・マップ)とイタリア語版は原典として広く引用されていたが、いまでは両方とも偽作として退けられている。絵の方はフィリップ豪胆公の後妻マリ・ド・ブラバンのために編まれた詩集(十三世紀末)およびメッスのフレスコ画(サント＝セゴレーヌ、十三世紀末―十四世紀初頭)にすでに存在していた。[*17] ついでケルマリア、ジュエ(ヴィエンヌ県)、ラ・フェルテ＝ルピエール、ヴィリエ＝サン＝ブノワ(ヨンヌ県)、エンヌザの各壁画、およびベリー公の『時禱書』と印刷本(ジャン・デュ・プレの『時禱書』)にそれが見られる。ベルギーのアル、ブリュッセル(サブロン教会)では拱廊状装飾の隅迫持の浮彫りに表されている。骸骨は磔刑の十字架の下のアダムの墓にもほぼ同じ頃出現するが、しかし生者を夜宴に誘うようになるのは十五世紀になってからのことである。[*18] パリのサン＝ジノサン墓地にもこの図像の初期のもの(一四二四年)が一つあったが、残念なことに今では壊されてしまっている。次にはロンドン(一四四〇年頃)、ケルマリア(一四五〇―六〇年)、リューベック(一四六八年)、ラ・シェーズ＝デュ(一四六〇―七〇年)、バーゼル(十五世紀中葉)が来る。十五世紀後半にはこうした絵が一般化してくる。一四八五年にはギュイヨ・マルシャンが最初の『死の舞踏』を出版している。翌年には第二版が刷られ、それと同時に女性版『死の舞踏』も現れた。ヴェラールはこの成功を妬み、一四九二年に海賊版を出版している。リヨンとトロワの本屋も同じ轍を踏むことになった。人間と骸骨の行列は人に死の前での平等を思い出させた。キュンストレとマールは、初期の静的なイメージと動的なイメージとのあいだに実際の見世物芝居が介在していたことを明らかにしている。

要するに、亡者の出現はまず、しゃべり、動き、立っているが、いまだなお生命そのものとは一体化しておらぬ段階、ついで、といってもかなり後になってからだが、人々のあいだに侵入し、彼らを踊らせる段階という二つの段階を踏んだのだ。いまや死骸はいたるところに存在した。墓の上にすらあった。若さと美しさを誇った、重い墓石の上に眠る亡霊たちも十四世紀後半には風化し始めた。フランソワ・ド・ラ・サラ（一三六二年歿、ラ・サラス）、シャルル・ド・アンジェ（一三八八年歿、ダヴァンクール）、ギヨーム・ド・アルシニー（一三九三年歿、ラン）、ラグランジュ枢機卿（一四〇二年歿、アヴィニョン）は乾涸びるという恐怖のなかに屍を晒した最初の人たちだった。フランスではこうした腐乱死体像が十五世紀初頭に、ドイツでは一四七〇年以降に増加した。ヘルムはそれらのリストを作成している。[*19] ジゾール（一五二五年）、クレルモン・ドワーズ、ボワローグ、ムラン大聖堂（一五五七年）では、腐乱死体像が人々に自分たちを待ち受けるものを想起させるための偽墓碑になった。中世末期は朽ち果てた肉体、骸骨のこうしたヴィジョンに溢れていた。嘲笑う髑髏とカタカタ音をたてる骨との喧噪が、そこには充満していたのだ。

これらの構成のなかには古代的主題と明白な類似性を持つものがいくつかあった。クマエのある浅浮彫りでは、片方に冥土の住人が、もう片方に踊る三体の骸骨がそれぞれ見られる。[*20] 墳墓用ランプも似たような図像で飾られていた。[*21] ボスコレアーレのゴブレット[*22]（ルーヴル美術館）では、かたや〈欲望〉と〈快楽〉を表し、かたや〈ソフォクレス〉〈モスコス〉〈メナンドロス〉〈エピクロス〉を表す死者が輪になって踊っている。骸骨は肉の歓び、陽気な光景と結びつけられるのが通例である。それ自体が面白おかしさに満ちているからだ。キマイラの傍らにも骸骨が見られる。彼らは竪琴とアンフォラをつかんでいる。[*23] 死の訪れぬうちに生を楽しもう、と死骸は慇懃な身振りで誘っているのだ。『サテュリコン』の物語るところによれば、トリマルキオの家の宴席では関節の曲がる銀製の死霊人形が運ばれてきて、それが躰を異様に振りながら招待客を生の歓びに誘ったという。だが、こうした、立ったまま、生きている者のように振舞う死者の姿は、キリスト教思想と対立する快楽主義的精神のなかから生み出されたものであるにもかかわらず、それを玉石彫刻の上で見知っていたであろう中世[*24]を驚嘆させずにおかなかった[*25]【図164】。ともあれ、ゴシック美術における死の作品群ともっとも多くの類縁性を持つ主題や図像が見出されるのは中央アジアと東アジアである。すなわち、あらゆる設定——朽ち果てて横たわる死者、立ったままある死者、踊る死者——が、重大にして差し迫った警告という、ゴシック美術のそれと同じ雰囲気のなかでそこに出現していたからだ。

キュンストレはアラビアの詩人アディ（五八〇年頃）に生者と亡霊の邂逅がすでに存在すると指摘している。ヒーラの王ノマンと一緒に馬で墓場へ出かけた彼は亡者たちに語らせる、「われわれもかつては今のあなたのようであったが、あなたもいずれは今のわれわれのようになるでしょう」と。だが、題材はもとより仏教的であり、聖者伝説そのものが挿話の中核をなしていた。思えば、菩薩たる釈迦は大いなる遁世の前に、神々が彼の行く手にあらかじめ配置しておいた老人、病人、死人、世捨人と順に対面する。これら四つの出会いは世俗の空しさを彼の前に明らかにし、地上的な歓びを捨て去るよう決心を促した。釈迦はとくに死骸にとり憑かれた。眠られぬ一夜、彼は自分の愛妾とその侍女の眠っている前を通りかかった。彼には彼女たちが生命なきモノと見え、墓場にいるような気になった。当惑した釈迦に対峙する死者と修道士。これこそ西欧版『三人の死者と三人の生者の対話』を予告するものであり、そこには同じ教訓が含まれている。フランスやイタリアの造形表現に出てくる隠者は恐ろしい啓示に慰めと救いの道とを与える第四の出会いに相当する。[*26] 東洋の図像でもこれら単独場面が合体されている。ドラマの構成の面でも、宗教的教義の精神の面でも、これほど似通ったものはない。

『ラリタヴィスタラ』は「壮麗に飾られた遊楽の園」へ向かう菩薩が、輿に乗せられて運ばれる死者に眼をとめたとしている。[*27] それに対し、絵画や浮彫りでは亡者が地面に置かれ道を塞いでいる。亡者の躰は禿鷹のせいで穴だらけだ。[*28] すなわち、一方には華やかな行列とその絵画的な群像があり、他方には肉をついばまれた死骸がある。ピサのフレスコ画はそれ以外何も表していない。グリュンヴェーデルはもう一つの仏教的主題、すなわち狩人に襲われる死霊の例を挙げながら、両者の呼応関係を指摘している。[*29] この点については、カンポ・サントの絵が中国の鬼神で溢れていたことを思い出そう。スピアコ（一三三五年頃）、ベルナルド・ダッディの板絵（一三四〇年頃）、ヤコポ・デル・カゼンティーノの板絵（一三三〇―四九年）、ブランシュ・ド・サヴォワの『聖務日課書』（一三五〇年頃）、クレモーナ（一四一九年頃）などに展開されている、横たわる死者をともなう図像構成のすべてが同じ〈出会い〉を想い起こさせるのだ。[*30]

中世に人気を博した聖者伝説のキリスト教版『バルラアムとヨサファトの物語』にも同じ場面が出てくる。[*31] まずパフラヴィー語〔中世イラン語〕で知られていた物語はやがてあらゆる言語に訳された。ボーヴェのウィンケンティウスの『歴史の鑑』の第一六書にもそれが見られる。ヨサファトもまた苦行の使命に燃えるインドのある王子であった。彼も悪霊の誘いを受け、一つの死骸と出会った。彼も釈迦と同じように心を揺さぶられ、生の意味について思いをめぐらすことになった。十四世紀セルビアのある写本には、ヨサファトが開かれた墓のなかの死体と一人の修道士を前に立っているところが表されている。*32

ヴィジョンの西欧的転調のなかで死者は数を増すが、しかしそうした繁殖もまた対応するものを遠方に持っていた。三つの死骸はそれぞれが似通った腐敗段階にあるわけではない。ある仏教的証言にもある通り、腐敗に九相を区別し漸進的な解体を見せているからである。東洋の方が形体の定義は厳密にして克明である。

『死後における肉体の九相』の描写・図像〔九相詩または九想詩〕には、十一世紀中国の詩人（蘇東坡）によるもの、日本のものなどを含め多くの異本がある。*33 死体の風化過程はこうだ。

第一相——鉛色をした顔。その美しさは花に似て速やかに消え去る。

第二相——膨張した屍。かつてあれほど美しかった躰がいまや見るかげもない。

第三相——腫れきった屍。命とはなんと移ろいやすいものか。

第四相——腐乱した屍。頭や胸の骨があらわになる。われわれはどうあがいても、この屍の運命をすべて甘んじて受け容れざるをえないのだろうか。

第五相——屍は畜生の餌となる。腹が破れる。われわれの躰には崩壊を免れるところなどどこにもない。

第六相——屍は腐り、緑に変色する。いまだ血に染まったままの骨が肉から露出している。

われわれの屍は飢えた犬の貪り喰うところのものとなる、どうすればこのことを思わずにいられようか。

第七相――もはや屍は白骨にすぎない。四肢はまだつながっているが。男と女の違いは肉だけ。白骨ならどちらにせよ同じである。

第八相――白骨が砕け散る。われわれが屍についてもっとも好んで瞑想するものすべてが朽ち果て、塵になって消え去る。

第九相――鬱蒼たる草葉の下の古墓。鳥辺山に墓参に来たとき、われわれは草葉の露以外の何をこの墓の上に見るのだろうか。

あとかたもなく消え去る哀れな死体はよく知られた女性のものであった。あるいは九世紀に生きた（檀林）皇后〔橘喜智子〕の死体。あるいは八六六年の大旱魃のさいに歌を詠んで嵐を呼び飢饉から世を救ったといわれる、優雅の鑑にして才女であった小野小町のそれ。

西欧でも無への漸近は似たような階梯を踏む。スビアコでは、三つの死骸のなかの最初のものにはまだほとんど変化が見られない[※34]。死後硬直を別にすると腐敗の跡がないのだ。それは東アジアで第一相とされているものに相当する。二番目の死骸はすでに腐敗し始めており、三番目のものは朽ち果ててしまっている。そこでは第四相の兆候がすべて正確に現れている。四肢はいまだ肉に覆われているものの「頭や胸の骨」が見え始めている。崩壊相は三人の生者に順序立てて教授される。ヤコポ・デル・カゼンティーノの板絵とピサ〔のカンポ・サント〕では第二相から変化が起こっている【図165】。一番目の肉体は膨張し、頬が膨らみ、腹部が異様に突き出ている。二番目の死者は第四相、三番目のそれは第六ないし第七相の状態にある。この後者について、骸骨に血糊がついているのか否かの判断はつきかねる。クレモーナ、ベルナルド・ダッディに帰せられている二連祭壇画（一三四〇年頃、フィレンツェ）では死骸が三つまとめて一つの墓へ納められている。[*35] このグループ全体においては、個々の死者が、（王、高位聖職者、騎士などに）分明に描き分けられるというより、むしろ解体の新たな過程を表している。ポッジョ・ミルテートでは、冠を被り、馬に乗った一人の王の前に将来の凋落ぶりを示すと思われる、王の死骸が三つ横たえられている。[*36]『三人の死者と三人の生者の対話』は転じて『三相の物語』となった。簡略化されてはいるものの、仏教的展開も同じ観念を同じ言葉で表していたのだ。

墓碑に見出されるのは棺のなかで朽ち果てている死体である。半開きになり、中身をさらけ出した墓。それは『物語』の、現実への翻案と別物なのだろうか。劇は本物の生者と死者へと引き継がれ、魂であれ、また神の似姿としてつくられたその躰であれ、滅びゆくものなど何ひとつないというキリスト教の聖なる伝統を脅かした。ゴシックの屍体像《ジザン》は眼を見開いたまま安息の時を過ごし、喇叭が鳴るのを待っている。彼らを変えてしまう責苦などおよそありえなかった。彼らはすでに永遠の秩序に属していたからである。死は罪過を消し去り、若さを取り戻させる。どの死者も神学者がキリストの復活の年齢と定めた三十三歳になって久しかった。ルイ十一世は自らの墓を注文するにあたって「若くて皺のない……そして禿のない……できる限り美しい顔」にしてほしいと注文書に特記することになった。*37 芸術家は安息と全き美しさとを死者に付与することで、自らの信仰箇条そのものを表したのだ。

死者を腐敗した姿で表すという考えはさらに仮借ない宗教に依存している。それは、ホイジンガが『中世の秋』のなかで仏教的観念との驚くべき類似性を指摘した、生を恐れ、華美と幸福を忌むキリスト教の禁欲的思想に応えていた。*38 墓碑彫刻は死骸を瞑想用の見世物として提供するものだが、これは前世紀から朽ち果てた死者を描いてきた絵画からそのままもたらされている。もっとも古い年記の作である一三六二年の墓碑彫刻は、イタリアへの入口にあたるスイスのラ・サラスにあり、アルプス地方のフレスコ画の主題を踏襲している。フランスにおいて墓の上に自らの朽ち果てた姿を晒そうと考えた最初の人物の一人、ラン出身の〔医師〕ギヨーム・ド・アルシニー（一三九三年歿）は東方を訪れているが、イタリアを経ての帰国の途次にピサで〈出会い〉の大画面を実見することができた。*39

これらの浅浮彫りは銘文をともなうことが多い。そこにはゴシックの画工の霊感源となった古い金言からの言葉が繰り返されている。

かつてわれらも汝の今あるごとくあり、
汝もやがてわれらが今あるごとくならん……

十三世紀のある物語のなかで、かつて枢機卿であった者を含む死者たちはこのように高言してはばからない。一四〇二年にアヴィニョンで死んだ枢機卿ラグランジュ、ピサのフレスコ画の三番目の死骸と同じ腐敗の相で表された彼の遺骸の上部につけられている帯状銘文は、「やがて、われのごとく悪臭を放つ屍となり、蛆虫の餌食とならんものを」を思い出させる【図166】。だが、警句は東洋の詩、「われわれの屍は飢えた犬の貪り喰うところのものとなる、どうすればこのことを思わずにいられようか」とも呼応し合う。同じアヴィニョンの街には、開かれた棺のなかに一人の女性の朽ち果てた屍、すなわち西欧版小野小町を次のような墓碑銘と一緒に描いた絵も見られた。[※40]

かつてはすべての女に優りて美しかりしわが身も、
死によりてかくなりぬ……

ムランでは死者を腹の破れた姿（第五相）で晒す偽墓碑に「かつて美しかった私の躰はもはや腐敗物でしかない」という銘文がついている。これもまた、「かつてあれほど美しかった躰がいまや見るかげもない」という『九相詩』のなかの一節を想い起こさせる。キリスト教的卑下も同じ響きを持った言葉によって説かれていたのだ。埋葬平墓石の上に似たような警句がもし刻み込まれていたとしても、それは碑銘のかたちを借りたものであり、造形的転調がまったくなかった。[*41] それに対し、中世末期には、いちだんとわかりやすいものとなったテクストが、それらのテクストを絵解きしてみせる戦慄すべき挿絵と一つになった。西欧では〈出会い〉の仏教的構図が自然発生的に組み替えられ、墓参者や見物人が釈迦の代わりを務めることになったのだ。

この出会いの、立っている死者によるヴァリアント、メルフィ近郊のサンタ・マルガリータ、アトリ大聖堂、サン・フラヴィアーノ・デ・モンテフィアスコーネからフランスの詩文・図像まで続く、これら一群の表現に見られるヴァリアントもまた同じ神秘劇の確実な一異本と呼応し合っている。すなわち、中央アジアのキジルにある、ル・マランの石窟の九世紀以前に描かれた絵では、骸骨が横たえられておらず、一人の僧の前に立っているからである。[*42] 髑髏は僧の方に向き直り、彼に話しかけている。アッシジのサン・フランチェスコ大聖堂下院には死者を指さす一人のフランシスコ会修道士――おそらくは聖フランチェスコその人だろうが――の描かれている図像（一三二五年頃）があるが、それとよく似ている[*43]【図167】。このように劇を役者二人に還元するというのは例のないことではなかった。パドヴァ（サン・タントーニオ教会の参事会堂）、コモ（ブロレットのフレスコ画）、ナポリ[*44]（サン・ピエトロ・マルティーレの彫刻平墓石、一三六一年）、十五世紀のあるフランス語写本[*45]にもそうした実例が存在するからである。しかし、図像の展開のもとにこうした省略形式があったとか、また、それから人物の数が教訓としてもっと効果を上げるため三位一体の象徴表現の名において三人に増やされたとか、そこまで言えるかどうかは疑問である[*46]。

これらのヴィジョンから、新しい要素を一つ指摘できそうである。横たえられている人間は不動性と静寂に還元され、その屍は漸次無に帰していく、そのことがリアリズムの強烈な肯定、自然の避けがたい掟であるのに対し、立ち、話をし、躰を動かす骸骨はそれらの掟に背き、超自然的なものの世界に与《くみ》するということである。「死者たちはこの世紀のうちに蘇るだろうか」という問いにシドラハは『学問の泉』のなかでこう答える――「ほんの一瞬だけ、真の預言者（イエス・キリスト）の到来のさいと最後の審判において[*47]」。とすれば、人の前で起き上がる死者は真正の死者でなく、魔界と通じた、死骸の姿を借りた霊であるということ。地獄図は肉体の崩壊と重なり合い、それに活動的な力を授けた。こうした雰囲気のなかでわれわれは〈死の舞踏〉が〈出会い〉を引き継ぐかたちで不気味に広がっていくのを見ることになる。

ラウファーは〈死の舞踏〉の起源が東洋にあることを見抜いていた。[*48] 仏教神話ではいたるところに生きている死骸が登場し、それらが鬼神の世界と結びつくこともよくあった。パーピーヤーンの手下のなかには死神の徴を身につけた者がいた。『ラリタヴィスタラ』は、すでに見た通り、「ある者はひと山の白骨でかたちづくられた脆い躰を持っていた……またある者は乾涸びた皮と肉と血を持っていた」とそれを列挙しており、そのなかの頭蓋を仮面代わりにしている者はガンダーラの浮彫りにも見られる。[*49] 敦煌の石窟（十世紀頃）ではマーラの襲来〔降魔成道〕にこうした骸骨が二体見られる。片方は生首を振りかざしており、もう片方の、燃えさかる盤の上で足をふんばって矢を射ている方はすでに踊りのステップらしきものを踏んでいる【図168】。宋代の画家、龔開筆の画巻《中山出遊図》では、痩せこけた鬼の一群が渋面をつくろい、関節をきしませながら前進している[*50]【図169】。

ヴェターラ〔屍鬼〕やチティパティ〔墓守〕といった墓場の霊も似たような姿をしている。ヴェターラとは墓にとり憑き、死者に乗り移り、彼らに魔力を与える霊のことである。死者は目覚めて生に立ち返る。ヴェターラに憑かれた死者は動き、話をする。ヴェターラの二十五の物語が『屍鬼二十五話』のなかである死骸によって語られている。屍鬼のなかには人間の様々な冒険のお供をする者もいた。インドで知られていた寓話は偉大な魔術師の国チベットで発展し、そこでは屍鬼をお祓いするための特別な典礼まで設けられていた。墓場の霊は絵にも描かれた。あるメダイヨンの縁飾りでは墓場全体が活気に満ちている。[*51] 死者はヴェタータの魔力によって立ち上がらされ、そこで〈死の舞踏〉を演じるが、彼らはまだ肉の衣を身に着けている。逆に、墓場の守護者チティパティは純然たる骸骨だ。そのなかの二人は地獄と死の神ヤマの取巻きの常連に仲間入りした。[*52] 二人組は亡骸の上で舞う。敦煌の〈鬼神＝骸骨〉と同じく彼らも火焔に包まれている。彼らの骨のせわしない、乾いた摩擦音が聞こえてきそうだ。異形と神々の喧噪のなかでもっとも激しく足を踏み鳴らすのも、やはり死者なのだ。

西欧の場合と同様、〈死の舞踏〉は仏教儀礼のさいに演じられる演劇に持ち込まれた。何年か前まで北京のラマ教寺院は髑髏に見立てた仮面と骸骨様に塗り分けられた衣裳とを保存していた。敦煌の石窟の鬼神の一人は、自らそのように装ってみせることで、こうした衣類が当時からすでに用いられていたことを証してみせようといわんばかりだ。[*53] チベットでは一組のチティパティがツァム踊りに加わり、そこで泥棒鴉に跳びかかる。また中世の絵にある通り、白と黒で骨を模した衣裳の死霊が人を捕えてみせる遊びもある。

蘇った死者が出てきて、荒涼たる雄大な風景のなかで、千年来変わることのない身振りや動きを再現してみせる中央アジアの舞踏、これについてはすべての旅行者の語るところとなっている。[*54] 周知の通り、それを始めたのは八世紀パドマサンバヴァ〔蓮華生〕である。密教の盛んなウディヤーナ地方〔パキスタンのスワート地方〕からやって来た妖僧にしてチベット仏教の使徒ともいえる彼が建てたサムエ寺では、列聖の儀式のさいに祖師伝の無言劇が演じられていた。[*55]その祖師伝は聖人伝の諸要素を踏襲しながらも、最初から最後まで舞踏と死骸との強迫観念に貫かれていた。彼も仏陀と同じく王族出身で、しかも白蓮から生まれた。彼も流浪の道を選ぶが、しかし暗殺をきっかけにその道へ入ったため「骨をあしらった屍衣」を着けて踊りを舞う。彼も仏陀と同じく誘惑を受けた。場所は墓場。しかも誘惑者が頭蓋骨を手にする吸血鬼ダーキニー〔荼吉尼〕であり、彼に祓魔の手ほどきをした死霊だった。これらの地域には、釈迦牟尼の教えの穏やかな神秘思想の対極にある荒々しい信仰が行きわたっていたのである。陰鬱な主題は華麗なスペクタクルと妖術めいた典礼に結びつくのが常のようで、主題にまつわる約束事も典礼と同じく定式化されている。『ギエル・ラブ』〔チベット撰述仏典〕によると、ツァム踊りは仏教徒の初代国王ソンツェンガンポの時代（六三〇年頃）からすでに行われていたのではないかという。一三二七年にほかならぬサムエ寺で古い文献を基に編まれた『チベット史』には、人々で埋めつくされた広場の喧噪と楽器の音色の混じり合うなかで似たような踊りが舞われたとの記述がある。[*56]リュブリュキ[*57]とオドリーコ・ダ・ポルデノーネ[*58]は、チベット人に言及するさい、父母の頭蓋骨を皿や盃に使うと言って死のイメージの下に彼らを紹介している。地元の伝承のなかにも、飲用の血をなみなみと注ぐ頭蓋骨〔カパーラ〕について触れたものがある。[*59]

ラマ教の普及はちょうど十三世紀から十四世紀にかけての出来事だった。一二六四年北京《カンバリク》に落ちついたモンゴル宮廷はラマ教を特別に厚遇した。ラマ僧パスパは漢語の転記をより確かなものとするためチベット文字からパスパ文字なるものを考案した人物だが、フビライは彼を仏教界の最高権威にまつり上げた。また、大密教僧ドルジェパル（一二八四—一三七六年）は典礼の視察を任されていた。元朝の末期になると北京はラマ教の総本山となった。*60 司教区の置かれていた北京は、同じモンゴル宮廷に信任状付きで派遣されたフランシスコ会宣教師もそこにいたことから、同修道会の拠点にもなった。したがって、彼ら托鉢修道会士がラマ教の玄義に通暁していたということも大いにありうる。ところでマールだが、彼はヨーロッパにおいて〈死の舞踏〉を創案したのは、ほかでもないフランシスコ会士たちであると言ってなかったろうか。*61

〈死の舞踏〉はどうやら身振り入りの説教から生まれたようだ。死に関する自らの想いをかたちにして見せるため、托鉢修道会士が実演してみせたのではないか。説教壇の前では王、聖職者、兵士、農夫の衣裳を着けた踊り手が屍衣をまとった役者の手にかかる。こうした無言劇は死者と踊る人物の数を増やしつつそのまま踏襲されていった。アッシジのフレスコ画では聖フランチェスコがまるで弁士のような素振りで骸骨を指さしているが、それは〈死の舞踏〉誕生の証拠たりえないだろうか。

このアッシジの絵は数世紀前に遡る中国領トルキスタンのフレスコ画とたいへんよく似ている。教会堂で演じられた神秘劇はラマ教の舞踏と同じ性格を持っているように思われる。説教師は幽霊を使って生者を捕えさせる。とすれば、それはすなわち妖術師であり、その仕草の全体も敬虔な寓意劇というよりむしろ祓魔の儀式に近い。[*62]

踊る死者像もまた描画を通じて直接に伝達された。ヴォルゲムートとその工房によって挿絵の付けられたシェーデルの『ニュルンベルク世界年代記』（一四九三年）には、生身の人間と一緒ではなく、一つの死骸、これもまた躰を動かし始めるのだが、その上を跳びはねる骸骨像が二つ見られる。[*63]チティパティの二人組はニュルンベルクの版画においても変わることがなかったのだ【図170】。

中世末期における死《マカブル》の主題の開花には、進化していくというその主題の属性が幸いした。新しい受難信仰、黙示録、地獄の蘇り、音楽劇、寓意劇といったものへの嗜好が大きな刺激となり、死《マカブル》のヴィジョンをいっそう豊かなものにしていったからである。だが、横たえられた屍、立つ屍、踊る屍が順々に風化してゆく姿、これらにはどれも仏教的アジアにとり憑いて離れぬ死霊の姿が映し出されている。役者によって演じられる舞踏はそれら一連のものへ、さらにもう一つ、しかもけっして些末でない要素を上乗せすることになった。

第三節　マンダラ

仏教的マンダラ。ゴシック的マンダラ。輪廻の輪とその西欧的変容。

古典古代は身振りをする死霊や骸骨のなかに、中世に流布する死の作品群《サイクル》の萌芽を孕んでいた。しかし、その展開をすべての位相においてまた同一の教訓精神において直接に先んじ、かつまた収斂していく網の目のなかで自らの優位性を主張したのは、むしろ中央アジアと東アジアであった。

現象は重要であり、かつ異質な勢力多数が突如場へ加わり、激しくぶつかり合いながらもよく似た画法を伝播させていた当時の様相全体を規定している。われわれはそうした例をすでにいくつも指摘してきた。

頭腹霊はまずギリシア＝ローマの潮流に迎え入れられ、ついで東洋的な地獄絵によって関節のすべての部分にはびこる顔とともに伝達し返された。生命ある器物は古代のカノポス壺と同じように復元されはしたが、しかし獣や人の躰全体にまで拡大され、魔性化されて東アジアの誘惑図のみならずフランドルの動物誌のなかにまで流布していった。西欧においては、花冠台座が仏教やヒンドゥー教の神々の台座と同じように開花しはしたが、その開花法はルネサンス期にようやくにして立ち返るヘレニズム的気紛れと同じではなかった。

　中世の動乱から身を護るようにして、遠方の工房のなかに、地中海世界と東洋の同じ基調から考え出された主題、ヘレニズムを感化したオリエント的主題、オリエントの諸文明に伝えられたヘレニズム的主題が恒常性を持って生き残り、それらが二つの世界のあいだを再び往き来し始めた。これらの、要素の呼応と同一性はギリシア＝仏教の複合体によって条件づけられ、いまやそれら両主題の西方への新たな移入の助けとなっている。より安定した文化圏内に長期滞在した後の幻想的形体群全体のかかる奔出、かかる回帰、それはなんとも奇妙なめぐり合わせであった。それらの主題はインド、北アジア、中国を経て、姿を変えながらも、意味と伝承とを担い、西欧の叙事詩に再統合されやすいかたちでそこから帰還してきたからである。

　キリスト教の星図では福音書や聖書の諸場面、聖なる記号、寓意像がカロリング朝時代に生まれた大気や天体の円花窓、黄道十二宮の円環などの内側に場所を占めているが[*64]、そうした驚くべき形象もやはりこうした継起的・収斂的な潮流の感化を受けてきた。それらの形象はバビロニア占星術を蘇らせたヘレニズムに依存しているというだけではない。ある時期に同じ源泉を母胎として生まれた仏教的主題がそれらのある側面を一新させていたのだ。宗教的な諸像を順序よく並べた、メダイヨンの網の目の広がりとして知られる最古の構成もまた、そうした東洋的思弁と組み合わされていたからである。こうしたものは仏教的文明とイラン的文明の出会う工房、すなわち中国、インドと近東つまりアフガニスタンとをつなぐルート上に出現する。

カクラクでは墓所〔祠堂窟〕の円天井全体が重畳する環群によって、すなわち一つは天頂の上にあり、他の七つが互いに外接しながらそれを取り巻く計八つの輪によって飾られている。[*65] だが、それらの輪の各々もまた同じ円環でかたちづくられている【図171】。ために、全体としては無数の円盤が入れ子された時計仕掛けの観を呈する。これらの円盤は百仏の光背を構成している。中央部ではイランの太陽神ミトラと縁続きの弥勒菩薩が十六坐像に囲まれている。外接する輪のなかでは十一の小坐仏が中心の大坐仏を取り巻いている。絵全体は後光が次から次へと流出し聖なる数や曲線に合うように寄り集まった神的光明をもとに秩序づけられている。それは目眩く光景だ。バーミヤーンでもJ窟とK窟で似たような構成が指摘されている。[*66] クシャン＝ササン朝のある三日月形三面冠飾は狩猟する王によって被られたものだが、年代――五世紀前半――とこうした構成の起源の両方を教えてくれる。すなわち、占星術的思弁の故郷に直接眼を向けたペルシアに由来するものであることを。宗教的表象の周りにある、球と光の網の目はペルシアの宇宙構造の幾何学や図像に拠っていたのだ。

チベットや日本ではこうした図像構成が典礼や祭式と一つになった。mandalas あるいはチベット語で mandaras と呼ばれるものがそれだ。不滅の神々や象徴の位階全体が、そこでは本源的な力の周りに広がる圏域すなわち天国のなかに並べられている。釈迦牟尼仏の像を含むそれら八つの像が不空羂索観音像すなわち観音菩薩像の周りに並ぶ。[*67] 摂一切仏頂つまり混淆的仏頂からはその直接的流出として八仏頂、八大菩薩、八大妙王が次々に現れる。[*68] 神や霊の輪舞を随えた十六菩薩と三十二菩薩が同心円を描く。[*69] ときには尊像と黄道十二宮が互い違いになる。[*70] こうした構成のなかには智慧すなわち真実を照らし悪を制する叡知と、慈悲すなわち宇宙的な力の寛容な慈しみのなかにすべての存在を包み込む愛情とが等しく表されている。[*71] 圏域は文字と尊像の力とを増大させながら増殖していく。動きが動きを呼び、それが連鎖する。精神世界の、半抽象的なものから成る図解がかくも純粋に、かくも知的に構築されたためしはなかった。大いなる奥義への導き、さらには涅槃《ニルヴァーナ》すら、それらについて瞑想することによって達成されていたのではなかったか。これは幾何学者の思弁である。がしかし、これはまた魔術のそれであり、招喚の手段でもある。インドばかりではない。万物が、そこにある大陸、天空、そこに住む衆生、七つの貴重な事物と宝〔転輪聖王の持物で輪宝、女宝、主丘宝、象宝、馬宝、主蔵宝、珠宝の七宝を指す〕、これら一切を併せ持つ宇宙の全体が、日々聖者に捧げられ、三十二の円盤の埋めつくす網の目に縁取られているのだ。

そうするあいだにも、アラビアの占星術師の影響を受けてきた西欧的構成は、ヘレニズム化した画法よりもっと厳密で、もっと荒々しい一個の古い東洋的基調を復元しながら、結局のところ過剰な抽象と象徴を採用することになった。十五世紀になると輪形の形象のいくつかが真正なマンダラになる【図172】。トラウトの版画では大きな三つの同心円のなかに十五の円盤がきちんと嵌め込まれている。それらの同心円は三重の円花窓を成す、というよりむしろ福音書の諸場面が展開する輪の列を成している。中心の「天国」のなかには三位一体が配されている。聖母も聖アンナと一緒にその圏内にいる。円環のなかには、光背を透しての神的な力の流出のように見える、聖母の五つの〈喜び〉、五つの〈悲しみ〉、五つの〈勝利〉が順序よく配されている。東洋の場合と同様、事柄どうしの秘められた関係が一連の円運動によって明示されているのだ。

一四九〇年頃に制作されたバイエルン派の版画では〈悪徳〉と〈美徳〉が似たような仕掛けのなかで回っている。[*72] 銘文のついた円盤が九十個、四つの同心円の内側で嚙み合っており、その中心には〈全能者〉がいる。五番目の黒い環〈枢要罪〉のなかに、〈傲慢〉と〈堕罪〉の場面によって支配された衛星を含め、都合五十七の円盤が展開している。ここでもまた力と力の結びつきが、相互に伝達し合う旋回運動によって図解されている。警句や、様々な〈美徳〉に関する語が〈創造主〉から波紋のように広がり、それらに拮抗する周りの〈悪徳〉とぶつかり合う。それがため〈寛容〉と〈敬愛〉は、〈怒り〉〈憤り〉〈冒瀆〉の正面に位置する。暗い圏域は明るい圏域の炸裂によって消し去られる。こうした方法で再現してみせられると、道徳的世界も知解可能なものとなる。しかし、その奥義伝授もマンダラのときと同じように魔術的性格を帯びていた。円環の戯れは〈悪徳〉とその〈対抗力〉の機制や力関係を明確化し、それらの名前と数字を計算に従って変化させながら、全体として悪しきものを祓うのに役立っていたからである。[*73]

構成には新しい要素が含まれていた。すなわち、輪は、大きさの等しい七つの界にそれを分割する光線によって放射状に仕切られているから。とはいえ、描画法もまた仏教的であり、〈輪廻＝バヴァチャクラ〉の輪と結びついていた。仏教聖典の第二蔵『ヴィナヤ〔毘奈耶〕』すなわち律蔵によると、釈迦牟尼は〈輪廻〉の表象を次のような方法でもって僧院の所定の場所に描くよう自ら命じていたといわれる。

円く輪を作り、その中央に車軸を配すべし。ついで表象を五道に分けられるよう五つの輪を引くこと。すなわち、車軸の下側および両側には餓鬼と畜生を、上には人間と神々を描くこと。[*74]

生き物の罪業と功徳とによる地獄、餓鬼、畜生、人間、天上という五つの再生道は、〈生〉の無限の循環すなわちサンサーラの内側で回っている。車軸には、仏陀の像とそれにともなう、〈渇き〉を象徴する鳩、〈怒り〉を象徴する蛇、〈無知〉を象徴する豚の動物像三体が含まれる。

像はアジャンターで六世紀に造られ、チベットでも現代中国の寺院でもいまだ変化せずにある。[*75] ただ一般には、阿修羅界での再生という第六の道が新たに加わり、他方、車軸のなかには天上界に向かって昇る人々と地獄界に再び堕ちる人々とが付け加えられる。すべての界は、平らな区域というより宇宙へ向かって開かれた窓のように組み合わされている。

この絵にはバイエルン派のマンダラと合致する要素が二つある。一つは、生の継起に別々の区域で重なり合う〈悪徳〉と〈美徳〉という精神的主題。もう一つは、罪業と功徳に従った再生道を画定する仕切りの形体である。ボスによる《七つの大罪》の図では類似がいっそうはっきりしている。[*76] その図は同一の方法で分割され、またメダイヨンも取り払われた、輻を持つ同じ輪のなかへ嵌め込まれているからである。しかもそのなかで展開しているものは文字でもなければ、抽象的寓意でもない。独立した小世界を思わせる、風景や建物のなかで場面が展開しているからである。ここでもまた輪は円花窓のように見える。これはアジャンターのものと同じ魔法の遊びなのだ。

ドイツの版画にある『知恵の鏡』は処世の様々な術とそれらの果報を〈生〉と〈死〉のサイクルによって示しているが、これもバヴァチャクラの影響を受けている【図173】。車軸が拡大されてはいるが、しかし、仏教の輪廻図のように、階段を昇り、ついでそこから降りる、かたや悪霊に、かたや死神にまとわりつかれた巡礼者がそこにも見られる。輪廻のなかで継起する生、魂の運命、これはキリスト教の教義に倣ったものだが、両者の呼応には驚くべきものがある。ここにも六つの再生道が見出されるからである。下部の地獄界の再生域にレビヤタンの獣面が配され、上部の天上界の再生域には三位一体が聖母や選民らとともに配されている。左側の畜生界の再生域には享楽的な宴によって示される罪深い生が描かれ、人間界のそれには有徳の生が磔刑十字架の置かれた礼拝堂の暗がりのなかに描かれている。正面には死者の復活と最後の審判の場面が二区域に描き分けられている。選民は阿修羅界の再生域におり、地獄に堕ちる人々は餓鬼界のそれにいる。図像は天使像、銘文盤と交互になっているが、こうした配置は因果に応じて報われる新しい生命という仏教の教えに適う。版木は一四八八年頃に、ヴォルゲムートが何年かして二人の踊るチティパティを刻むことになった場所すなわちニュルンベルクで彫られたものだという[*77]。

メートル・エルマンゴー〔エルマンゴー・ド・ベジエ、フランスの吟遊詩人〕の『愛の手引書』（十四世紀）では六界から成る輪に、人の一生でなくして世界の歴史が収められている[*78]。世界の幼年期、少年期、青年期、壮年期に対応する聖書上の諸年代とそれらを再生させるキリストの年齢とが輪廻の輪におけるように円盤の内側で展開されているのだ。

こうした仏教的形体はイスラーム化した古代的伝統を受け継ぐ円い網の目と重ね合わされ、回転運動を増大加速させながら網の目を再構成していった。それは、よりいっそう厳密でしかもより複合的な、それらの新展開に霊感を与え、受肉と聖なる啓示というはっきりした主題を導入した。同様にして、死者の招喚、絵柄を回転させる円花窓や環状図、幾何学的宇宙における名称と象徴も、魔術と踵を接しながら中世を異国の万華鏡で彩っていたのだ。

第四節　ゴシックの幟

西欧では宇宙誌的な輪ばかりでなく、純然たる光背までもがしばしば波状《フリル》に取り巻かれている【図174と図176】。これは、しばらく前から広く流布していた、中国の雲の常套表現すなわち〈幟〉である。それが装飾文様の基本モティーフの一つとされていたペルシアでは、神がその慈悲と愛の影によって預言者を生き延びさせたという、小さな雲の伝説に天象図が結びつけられることもあった。しかしペルシアの雲は、布地や絨毯の上で草花の周りに浮遊し、それらを清涼感で包み込む紋様として流布していたのだ。[*79]これに反し、ゴシック美術では一般にその本来の象徴表現が失われずにあった。しかも幟の図柄はかなり早くからゴシック美術に出現していたのだ。アングロ＝ノルマン系黙示録や十三世紀中葉のある『詩篇集』のなかで、すでに「シナ風」の雲が指摘されている。[*80]切り込みが深く入った雲の花綱も、初めのうちは古風な厚みや硬さを持っていた。しかし、ジャン・ピュセルの作品や同時代のいくつかの写本のなかでは本来の優美さや繊細さを具えるようになっている。[※81] 紫煙は光背の周囲に巻きつくか天空にカーテンのごとく吊るされるかした、薄いが肌理の細かい不透明な布地のようになり、複雑な暗号どうしを結び合わせている。

常套的な雲はこうしたかたちで恒常的に利用されるようになった。父なる神、三位一体、キリスト[※82]の周囲では雲が天使群と融け合い、宇宙の輪を縁取っているのが見られる。[※83] クロケは天使や聖人の幻視の装飾枠や支持台の表現において重要な役割を果たすギザギザのフリルについて言及しているが、実際には幟のことを叙述していたというわけだ。[※84] ときにはそれが、ペルシア絨毯とヨーロッパ産絹織物に模倣されているような、くねくねと折れ曲がった、写本の周囲を走る本物の帯飾りにもなった。[※85]〈幟〉の画法は十五世紀にはすでに定まっていた【図175】。曲線はより規則正しいものとなり、厳密に左右相称になる。雲はもはや吹流しではない。つねに同じパターンを繰り返す、ところどころに節のある、もっと重量感のある布地なのだ。新しい配置も、雲が龍衣すなわち天上的な衣となり人の躰をまるで宇宙の柱かなにかのようにその布で包み込む、東洋の形体や象徴に直接的に依存していた。神と人が着ける外套や首飾りはこうした宇宙の体系によって説明されていたのだ。[※86] 元来は布地によってかたどられていた雲も次第に硬さを増しながら終いにはそれと混淆し、円形襞襟、頭巾、スカートの裾の折り返し、フリルなどの上を走る折り目正しい飾りとなった。伝李龍眠筆の画巻でも歓喜母の鬼神がこうした装いに縁取られた着物をつけており、図柄はゴシックの幟とまさにそっくりである【図174】。キリスト教の天空は中国服のように装われていたのだ。ケルンの『聖書』(一四七八年頃)では黙示録の天使が、あの重苦しい雷文をまとっている【第六章、図155】。

原註

*1——Ph.-Ed. Foucaux, *Le Lalita-Vistara*, *Annales du musée Guimet*, VI, Paris, 1884, chap. XXI, p. 261 以下。本書は六五年に漢訳されている。

*2——J. Hackin, *Guide-catalogue du musée Guimet*, *Les Collections bouddhiques*, Paris, 1923, p. 73 および *Les Scènes figurées de la vie de Bouddha*, *Mémoires concernant l'Asie orientale*, II, 1916, pl. IV.

*3——B. Laufer, *Neue Materialen und Studien zur buddhistischen Kunst*, *Globus*, 73, 1898, p. 27 ; A. de Gubernatis, *Le Bouddhisme en Occident, avant et après le Christianisme*, *Rivista degli studi orientali*, II, 1908-1909, p. 210 以下 ; H. Günter, *Buddha in der abendlandischen Legende*, Leipzig, 1922, pp. 259-262.

*4——J. Damrich, *Antonius der Einsiedler, eine legendarisch-ikonographische Studie*, *Archiv für christliche Kunst*, 1901, p. 81 以下 ; J. List, *Das Antoniusleben des Hl. Athanasius des Grossen*, Athens, 1930.

*5——R. Graham, *A Picture-Book of the Life of Saint Anthony the Abbot, Executed for the Monastery of Saint Anthoine de Viennois*, *Archaeologia*, 1933, p. 1 以下と E. Castelli, *Il Demoniaco* nell'arte, Milano-Firenze, 1952, p. 115 以下。

＊6――H. Reiners, *Dir Kölnische Malerschule*, Leipzig, fig. 212.

＊7――A. Goldschmit, *English Influence on Medieval Art, Medieval Studies in Memory of A. Kingsley Porter*, Harvard, 1939, II, p. 721. 依然としてロマネスク的な聖グスラックの画巻は一二〇〇―四〇年に遡る。

＊8――悪魔が人間の周りで騒ぎまわる場面は『スーラスの果樹園』（パリ国立図書館 ms. fr. 9220）とシュテファン・ロホナー（ケルン美術館）の地獄図にも同じものが見出される。

＊9――ショーンガウアーの構成は、ルーカス・クラーナハの作品（一五〇六年）、おそらくボスを下敷きにしたと思われるコックの版画、さらには〈聖女パレンテの画家〉のパネルの一場面に踏襲されている。それは一連の構成に霊感を与えている。『聖アントニウスの誘惑』の話については A. Chastel, *La Tentation de saint Antoine, Gazette des Beaux-Arts*, 1936, p. 217 以下；Cl. Roger-Marx, *Les Tentations de saint Antoine, La Renaissance*, mars-avril 1936；E. Castelli, *op. cit.*,；J. Baltrušaitis, *Réveils et prodiges, Le Gothique fantastique*, Paris, 1960, p. 291 以下。

＊10――ヒエロニムス・ボス、プラドとリスボンの《誘惑》、ヴェネツィアの《隠遁聖者の祭壇画》。ヤン・マンディン、ローマとハールレムの《誘惑》。ピーテル・ホイス、ルーヴル、アントウェルペン、ニューヨークの《誘惑》。偽メット・デ・ブレス、ヴェネツィアの《誘惑》。バーゼルにあるニコラス・マヌエル・ドイッチュの素描とオックスフォードにあるブリューゲ

ルの素描。ルーカス・ファン・レイデンの版画。

＊11——M. Geisberg und B. Meier, *Das Landsmuseum der Provinz Westfalen in Münster*, I, Berlin, 1914, nº 75, p. 35, pl. XVI.

＊12——E. Castelli, *op. cit.*, pl. 88 ルガノ、ティッセン・コレクション。

＊13——*Ibid.*, pl. VII ヴェネツィア、コレール美術館。

＊14——M. J. Friedländer, *Quentin Matsys*, Berlin, 1929, fig. 31, pl. XXX.

＊15——主な研究としては E. H. Langlois, *Essai sur les Danses des Morts*, Rouen, 1851 ; A. de Montaiglon, *L'Alphabet de la Mort de Hans Holbein*, Paris, 1856 ; P. Vigo, *Le Danze Macabre in Italia*, 1901 ; E. Mâle, *L'Idée de la mort et la danse macabre*, *Revue des Deux Mondes*, avril 1906 ; W. Fehse, *Die Ursprung der Totentänze*, Halle, 1907 ; K. Künstle, *Die Legende der drei Lebenden und drei Toten und der Totentanz*, Freiburg im Breisgau, 1908 ; L. Bégule, *La Chapelle de Kermaria-nisquit et sa danse des morts*, Paris, 1909 ; W. F. Storck, *Die Legende von drei Lebenden und den drei Toten und das Problem des Totentänzes*, Tübingen, 1910 ; A. Dürrwächter, *Die Totentanzforschung*, München, 1914 ; A. Vicard, *Les Fantômes d'une danse macabre*, Le Puy, 1918 ; E. Mâle, *L'Art religieux de la fin du Moyen Age en France*, Paris, 1922, pp. 247-389 ; W. Stammler, *Die Totentänze*, Leipzig, 1926 ; E. Döring-Hirsch, *Tod und Jenseits im Spätmittelalter*, Marburg, 1927 ; R. Helm, *Skelett und Todesdarstellungen bis zum Auftreten der Totentänze*, Strasbourg, 1928 ; F. Warren, *The Danse of Death*, London, 1931 ;

R. van Marle, *Iconographie de l'art profane*, II, Haag, 1931, p. 372 以下；St. Kozaky, *Geschichte der Totentänze*, Budapest, 1936 がある。また M. Meiss, *La Mort et l'office des morts à l'époque du Maître de Boucicault et des Limbourg*, *Revue de l'Art*, n°s 1 と 2, 1968, p. 17 以下も見よ。

*16——S. Glixelli, *Les Cinq Poèmes des trois morts et des trois vifs*, Paris, 1914 ; K. Künstle, *op. cit.* ; G. Servières, *Les Formes artistiques du « Dict des trois morts et des trois vifs »*, *Gazette des Beaux-Arts*, 1926 ; R. Ligtenberg, *Over de legende der drie levenden en drie dooden*, *Coll. Francis. Neerl.*, III, 4, 1934 ; L. Guerry, *Le Thème du Triomphe de la Mort dans la peinture italienne*, Paris, 1950, pp. 38-57.

*17——アルスナル図書館 ms. 3142. 同時代のイギリスの写本、大英博物館 Arund. ms. 83（W. F. Storck, *Bemerkungen zur französisch-englischen Miniaturmalerei um die Wende des XIV. Jahrh.*, *Monatshefte für Kunstwissenschaft*, IV, 1911, pl. 36）およびパリ国立図書館 ms. fr. 378 にも似たようなミニアチュールが見出される。

*18——ストラスブール大聖堂の西側ファサードのテュンパヌム R. Helm, *op. cit.*, fig. 1.『愉楽の園』ではアダムの骸骨が墓のなかからわずかに見えている。

*19——R. Helm, *op. cit.*, pp. 67-69.

*20——A. de Jorio, *Scheletri Cumani dilucidati*, Napoli, 1810.

*21——E. Le Blanc, *De quelques objets antiques représentant des squelettes, Mélanges d'archéologie et* *d'histoire, École française de Rome*, 1887, p. 251, pl. VII.

＊22——A. Héron de Villefosse, *Monuments et Mémoires Piot*, V, 1899, p. 58, pl. VII と VIII.

＊23——J. Witte, *Note sur un vase de terre, Mémoires des antiquaires de France*, 1869, p. 160 以下；J. Dubois, *Description des pierres gravées, Revue archéologique*, 1845, p. 487, n° 39；S. Reinach, *Pierres gravées*, Paris, 1895, pl. 43, fig. 91-93.

＊24——こうした関係はすでに、C・ヴンデラー（*Ein antiker Totentanz, Illustriertes Universum*, 1897-98, p. 555 以下）とF・X・クラウス（*Geschichte der christlichen Kunst*, II, Freiburg, 1897, pp. 448-451）とによって検討されている。この後者は死に関連するラテン語・ギリシア語の碑銘を手がかりとしている。

＊25——E. Tölken, *Erklärendes Verzeichniss der antiken vertieft geschnittenen Steine*, Berlin, 1835, VI；J. Winckelmann, *Description des pierres gravées du feu baron Stosch*, Firenze, 1760, p. 517, n° 241；A. Furtwängler, *Beschreibung der geschnittenen Steine im Antiquarium zu Berlin*, Berlin, 1896, n°s 6518 と 6519；E. Babelon, *Intailles et camées donnes à la Bibliothèque nationale*, Paris, 1899, pl. IX, 160.

＊26——髑髏に、それを棕櫚で触りながら話をさせているのは、一般にエジプトの隠者マカリオスである。フランス系統では単なる話者にすぎない。L. Guerry, *op. cit.*, pp. 51-52 参照。

＊27——Ph.-Ed. Foucaux, *Le Lalita-Vistara*, chap. XIV, p. 167 以下。

＊28——J. Hackin, *Les Scènes figurées de la vie de Bouddha, Mémoires concernant l'Asie orientale*, II,

1916, p. 15, pl. 2 ; E. Chavannes, *Mission archéologique dans la Chine septentrionale*, Paris, 1909, pl. CIX, nº 209 ; C. M. Plevte, *Die Buddhalegende in den Skulpturen des Temples von Bôrô-Budur*, Amsterdam, 1901, fig. 58.

＊29——A. Grünwedel, *Mythologie du Bouddhisme au Tibet et en Mongolie*, Leipzig, 1900, p. 3 と 238.

＊30——アルティ（一二六〇年頃）、ヴェッツォラーノ（一二八〇年頃）、モンテフィアスコーネ（一三〇二年頃）、ジャン・デュ・プレの『時禱書』においては、隠者が立っている死者たちと同じ側に現れる。

＊31——F. Liebrecht, *Die Quellen des Barlaam und Josaphat, Jahrbuch für romanische und englische Literatur*, II, 1860, pp. 314-335 ; H. Yule, *Buddha and St. Josaphat*, *Academy*, 1er sept. 1883 ; J. Jacobs, *Barlaam and Josaphat, English lives of Buddha*, London, 1896.

＊32——J. Strzygowski, *Die Miniaturen des serbischen Psalters der Kgl. Hof-und Staatsbibliothek in München*, Wien, 1906, pp. 11-12, fig. 8.

＊33——W. Anderson, *A Collection of Japanese and Chinese Paintings in the British Museum*, London, 1886, p. 87, nº 77(9) と p. 121, nº 205 ; E. Deshayes, *Makémonos Japonais illustrés du musée Guimet*, 刊年不明（複本）。

＊34——G. Servières, *op. cit.*, fig. p. 27.

＊35——K. Künstle, *op. cit.*, pl. IV および L. Guerry, *op. cit.*, fig. 19.

＊36——L. Guerry, *op. cit.*, fig. 17.

＊37――E. Mâle, *L'Art religieux de la fin du Moyen Âge*, p. 401 ; L. Courajod, *Leçons professées à l'École du Louvre*, Paris, 1901, pp. 453-454.

＊38――J. Huizinga, *Le Déclin du Moyen Âge*, Paris, 1932, p. 167.

＊39――E. Fleury, *Antiquités et monuments de l'Aisne*, Paris, IV, 1882, fig. 668 と p. 241.

＊40――アヴィニョンのセレスタン会修道院にあったこの絵は、伝統的にアンジュー王ルネに帰せられていた。*De Quatrebarbes, Œuvres du roi René*, Angers, 1845, p. CL を参照。

＊41――たとえば、一〇七二年に歿したオスティアの司教聖ペトルス・ダミアヌスの墓碑銘――「われらがかつてあったところのもの、それは今あるものであり、後にあるものであろう」、あるいはオーヴェルニュにある一二七〇年の墓の墓碑銘――「今あなたは私がかつてあったようであり、やがてあなたは私が今あるようになるだろう」。L. Guerry, *op. cit.*, pp. 46-47 参照。

＊42――A. Grünwedel, *Alt-Kutscha*, Berlin, 1920, pl. XVIII, 44.

＊43――B. Kleinschmidt, *Die Basilika San Francesco in Assisi*, II, Berlin, 1926, p. 210, fig. 143.

＊44――H. Schluz, *Denkmäler der Kunst des Mittelalters in Unteritalien*, III, Dresden, 1860, p. 53, fig. 135.

＊45――パリ国立図書館 ms. fr. 1023.

＊46――G. Servières, *op. cit.*, p. 24.

＊47――シドラハの『学問の泉』は、十三世紀の第四・四半世紀に編まれている。Ch.-V. Langlois,

La Connaissance de la nature et du monde au Moyen Age, Paris, 1911, p. 250 参照。

*48——B. Laufer, *Origin of our Dances of Death*, *The Open Court*, pp. 579-604 の抜刷、刊年不明、ドゥーセ図書館。

*49——A. Grünwedel and J. Burgess, *Buddhist Art in India*, London, 1901, p. 99.

*50——十三世紀、ワシントン、フリーア美術館。

*51——A. Grünwedel, *Mythologie du bouddhisme*, p. 194, fig. 163.

*52——A. Grünwedel, *Mythologie du bouddhisme*, fig. 144 ; E. Pander und A. Grünwedel, *Das Pantheon des Tschangtscha Hutuktu*, *Veröffentlichungen aus dem Kgl, Museum für Völkerkunde*, I, Berlin, 1890, p. 98, nº 253 ; R. Linossier, *Les Peintures tibétaines*, *Mélanges Linossier*, Paris, 1932, nº 41 ; チェルヌスキー美術館 *Quatrième Exposition des arts de l'Asie*, *Art bouddhique*, 1913, nº 313 ; A. Getty, *The Gods of Northern Buddhism*, Oxford, 1914, pl. LII, fig. 6 と pl. LV.

*53——A. Grünwedel, *Mythologie du bouddhisme*, p. 170, fig. 143.

*54——E. F. Knight, *Where Three Empires Meet*, London, 1887, p. 208 以下。ラマ教のこうした神秘劇の内容と図像は L. A. Waddell, *The Lamaism of Central Tibet*, London, 1895, p. 525 と 528 ; A. Posdnayef, *Croquis de la vie des monastères bouddhiques en Mongolie*, Sankt-Peterburg, 1887, pp. 396-397 に収録されている。

*55——J. Hackin, *Mythologie du lamaïsme*, *Mythologie asiatique illustrée*, Paris, 1928, p. 151 ; G. Ch.

Toussaint, *Le Padma Than yig*, *Bulletin de l'École française d'Extrême-Orient*, XX, 1920, p. 13 以下。

＊56——B. Laufer, *Die Bru-zu Sprache und die historische Stellung des Padmasambhava*, *T'oung pao*, 1908, p. 38.

＊57——ギヨーム・ド・リュブリュキ『旅行記』、ルイ・ド・バッケル訳、パリ、一八七七年、一二一頁。ロジャー・ベイコンの兄にあたるベイコン修道士も、その東洋についての叙述のなかで、盃にするため両親の頭蓋骨を保存しておくというチベット人の風習について言及している。ベルジュロン『アジア旅行記集成』、二〇頁を見よ。

＊58——H・コルディエ（*Odoric de Pordenone*, Paris, 1891, p. 449）は、オドリーコが帰国途中チベットに立ち寄り、一三二八年におそらくラサを見ていたであろうと言い、B・ラウファー（*Was Odoric of Pordenone ever in Tibet? T'oung pao*, pp. 405-408）はこの仮説に疑いを挟んでいる。

＊59——G. Ch. Toussaint, *Le Padma Than yig*, *Journal asiatique*, 1923, p. 282. また W. W. Rockhill, *On the Use of Skulls in Lamaist Ceremonies*, *Proceedings of the American Oriental Society*, Philadelphia, 1888 および V. Collin, *Les Crânes humains dans l'art lamaïque*, *Bulletin de l'Association franco-chinoise*, V, 1913, p. 167 も見よ。

＊60——A. Grünwedel, *Mythologie du bouddhisme*, p. 48 以下。

＊61——E. Mâle, *L'Art religieux en France à la fin du Moyen Age*, p. 362.

＊62——B・ラウファー（*Origin of our Dances of Death*, p. 602）は〈狂った死神〉というまた別な要素を指摘しており、これはシェイクスピアの『尺には尺を』の〈阿呆な死神〉になるもので、西欧の〈死の舞踏〉（E. H. Langlois, *op. cit.*, I, p. 139 と p. 253）およびシャーマン的舞踏に共通している。

＊63——F. I. Stadler, *Michael Wolgemut und der nürnberger Holzschnitt im Letzen Drittel des XV. Jahrh.*, Strassburg, 1913, p. 264, pl. 15. 素描はデューラーの弟子によって模写されている。

＊64——J. Baltrušaitis, *Cosmographie chrétienne dans l'art du Moyen Age*, Paris, 1939 ; E. J. Beer, *Die Rose der Kathedrale von Lausanne und der kosmologische Bilderkreis des Mittelalters*, Bern, 1952, pp. 33-47 ; A. Grabar, *Les Voies de la création en iconographie chrétienne*, Paris, 1979, p. 167 以下。

＊65——J. Hackin, *Nouvelles recherches archéologiques à Bâmiyân*, Paris, 1933, p. 42 以下 fig. XI, pl. LIV, LV, LXIX, LXX, LXXXI.

＊66——O. Monod-Byuhl, *Guide-catalogue du musée Guimet*, Paris, 1939, p. 111 参照。

＊67——G. Roerich, *Tibetan Paintings*, Paris, 1925, p. 59, pl. 14 ラサ寺院の天井画。

＊68——Hôbôgirin, *Dictionaire encyclopédique du bouddhisme d'après les sources chinoises et japonaises*, Tokyo と Paris, 1930, p. 149, col. 2, pl. XI.

＊69——W. Anderson, *op. cit.*, p. 81, n° 59.

＊70——『大蔵経』、東京版〔大正大蔵経図像〕、一九三四年、巻七、一〇—一三番。

*71——M. Anesaki〔姉崎正治〕, *Quelques Pages de l'histoie religieuse du Japon*, Paris, 1921, p. 43 以下。

*72——E. Major, *Holzschnitte des XV. Jahrh. in der öffentl. Kunstsammlungen zu Basel*, Strassburg, 1908, pl. 17. 版画の描写については W. L. Schreiber, *Handbuch*, IV, n° 1862 を見よ。

*73——中央アジアや東アジアの民衆版画にも円枠の内側に配された銘文・象徴をともなった絵がしばしばある。敦煌ではそれらのいくつかが見つかっており、なかには十世紀のものもある。M. A. Stein, *Serinda : Detailed Report of Explorations in Central Asia and Westernmost China*, Oxford, 1921, pl. CIX と CII を見よ。

*74——H. Maspero, *Mythologie de la Chine*, *Mythologie asiatique illustrée*, Paris, 1928, p. 346.

*75——L. A. Waddell, *Buddha's Secret from a Sixth Century Pictural Commentary and Tibetan tradition*, *Journal of the Royal Asiatic Society*, avril 1894, p. 367 以下。

*76——マドリード、プラド美術館（エル・エスコリアル旧蔵）Ch. de Tolnay, *Hieronymus Bosch*, Basel, 1937, pl. 3 および J. Combe, *Jérôme Bosch*, Paris, 1946, p. 9 と pl. 2-8.

*77——W. L. Schreiber, *Holzschnitte aus dem letzten Drittel des XV. Jahrh. in der Kgl. Graph. Sammlung zu München*, Strassburg, 1912, pl. 140. 図像表現については W. L. Schreiber, *Handbuch*, IV, n° 1861 を見よ。同じイメージは G. Nagler, *Die Monogrammisten*, III, München, 1858-79, n° 2335 に再録されている『理性の鑑』（*Speculum rationis*）に見出される。

*78——パリ国立図書館 ms. fr. 857. 世界の年代区分はブルネット・ラティーニのなかに出てくる。

図像表現については Didron, *Symbolique chrétienne*, *Annales archéologiques*, I, 1844, pp. 435-436 を見よ。

＊79——A. U. Pope, *Carpet Making, Cloud Forms, Survey of Persian Art*, III, Oxford, 1938, pp. 2421-2426 ; R. Cox, *Les Soieries d'art*, Paris, 1914, p. 87 と pl. 34.

＊80——H. Martin et P. Lauer, *Les Principaux Manuscrits à peintures de la bibliothèque de l'Arsenal*, Paris, p. 21.

＊81——ベルヴィルの『聖務日課書』Abbé V. Leroquais, *Les Bréviaires des bibliothèques de France*, Paris, 1934, pl. XXXV.

＊82——P. Durrieu, *La Miniature flamande au temps de la cour de Bourgogne, 1415-1539*, Paris, 1924, pl. III と VII および *Heures de Turin*, Paris, 1902, pl. XIV, XXXIV.

＊83——J. Baltrušaitis, *Cosmographie chrétienne*, fig. 56.

＊84——L. Cloquet, *Éléments d'iconographie chrétienne*, Lille, 1892, p. 296.

＊85——V. Slomann, *Bizarre Designs in Silks*, Copenhagen, 1953, p. 70 以下。

＊86——S. Cammann, *The Symbolism of the Cloud Collar Motif*, *The Art Bulletin*, 1951, pp. 1-9.

●図162(上)——仏陀の誘惑｜マーラの襲来〔降魔成道〕(部分)　敦煌　10世紀頃　パリ　ギメ美術館
●図163(下)——ピーテル・ホイス《聖アントニウスの誘惑》　パリ　ルーヴル美術館

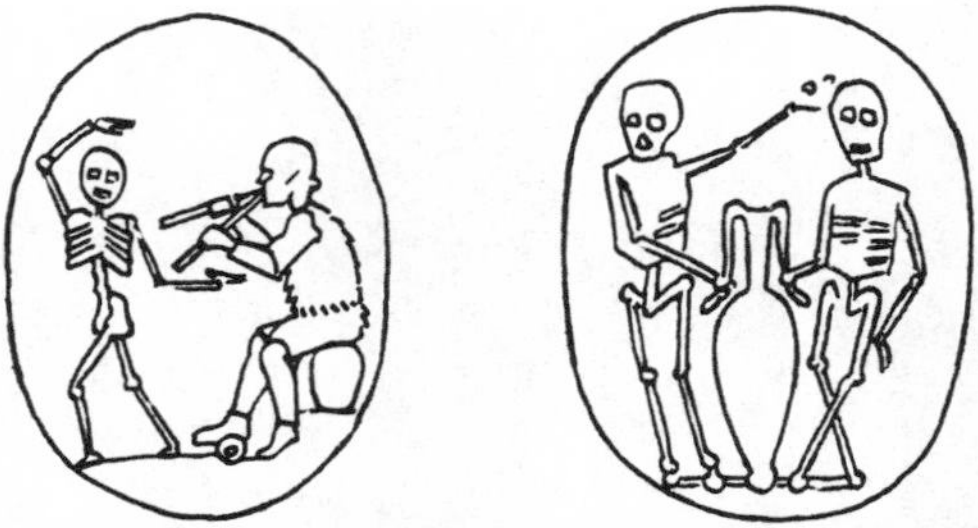

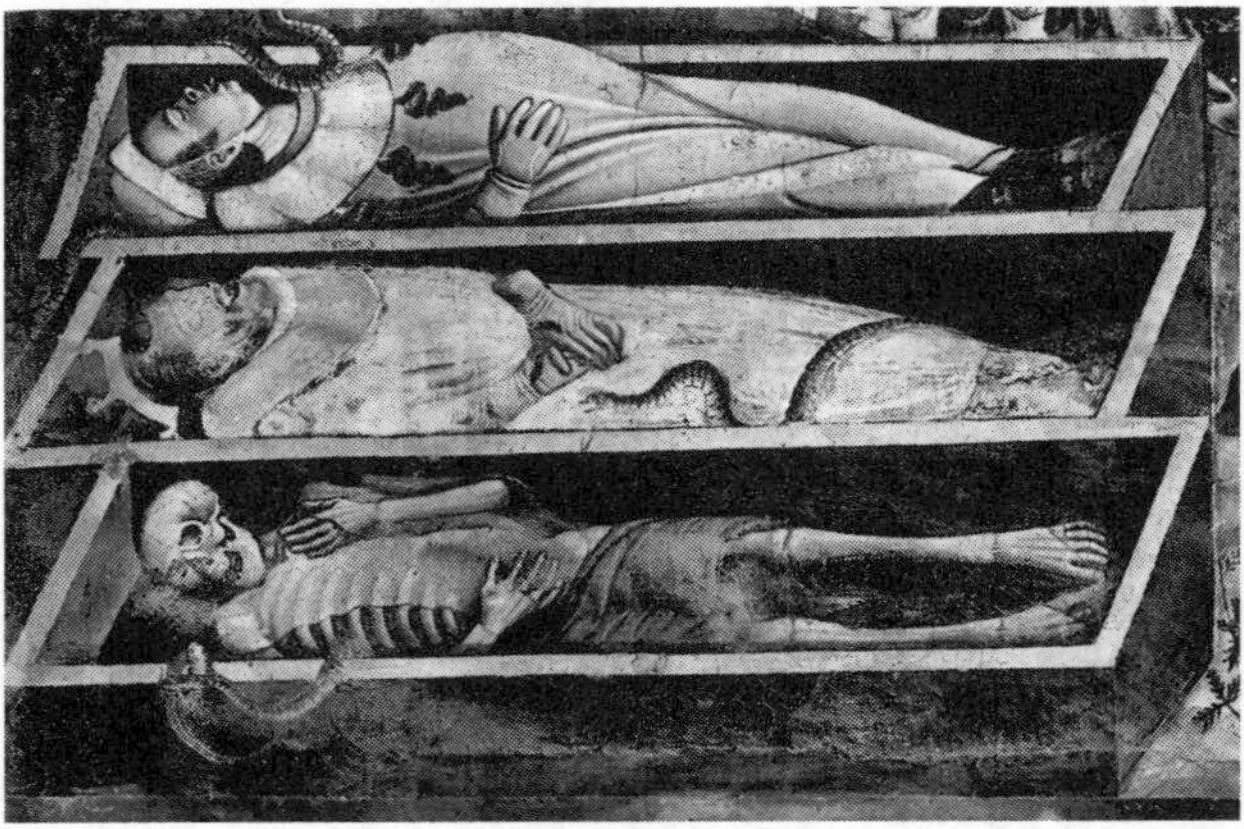

●図164(上)——彫石に彫られている古代の骸骨像
●図165(下)——死体の三段階｜《死の勝利》(部分)　ピサのカンポ・サントのフレスコ　1350-60年

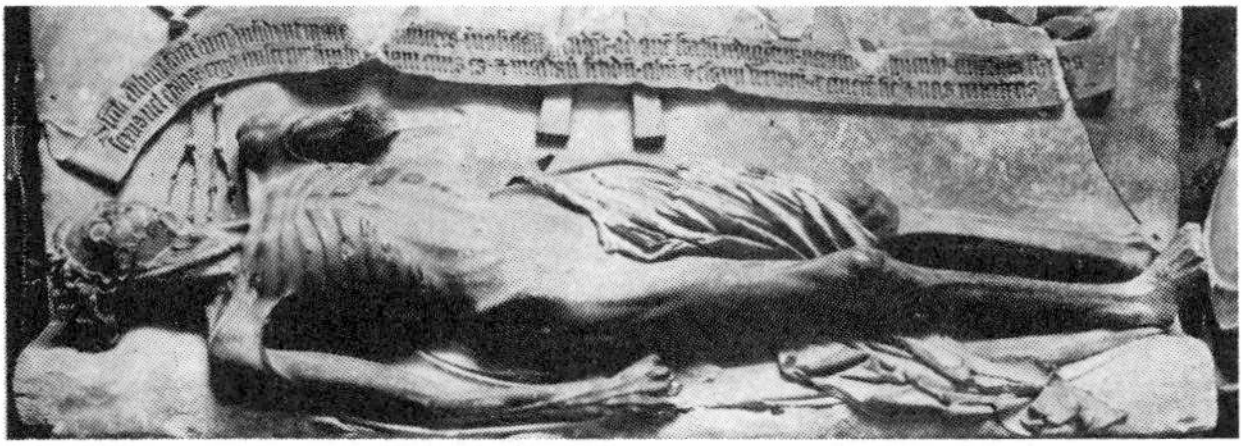

●図166（上）――死体の第三段階｜枢機卿ラグランジュの墓碑　アヴィニョン　プティ＝パレ美術館
●図167（下）――修道士と骸骨像｜左：キジル　中央アジア　9世紀以前／右：アッシジのサン・フランチェスコ大聖堂下院のフレスコ（部分）　1325年頃

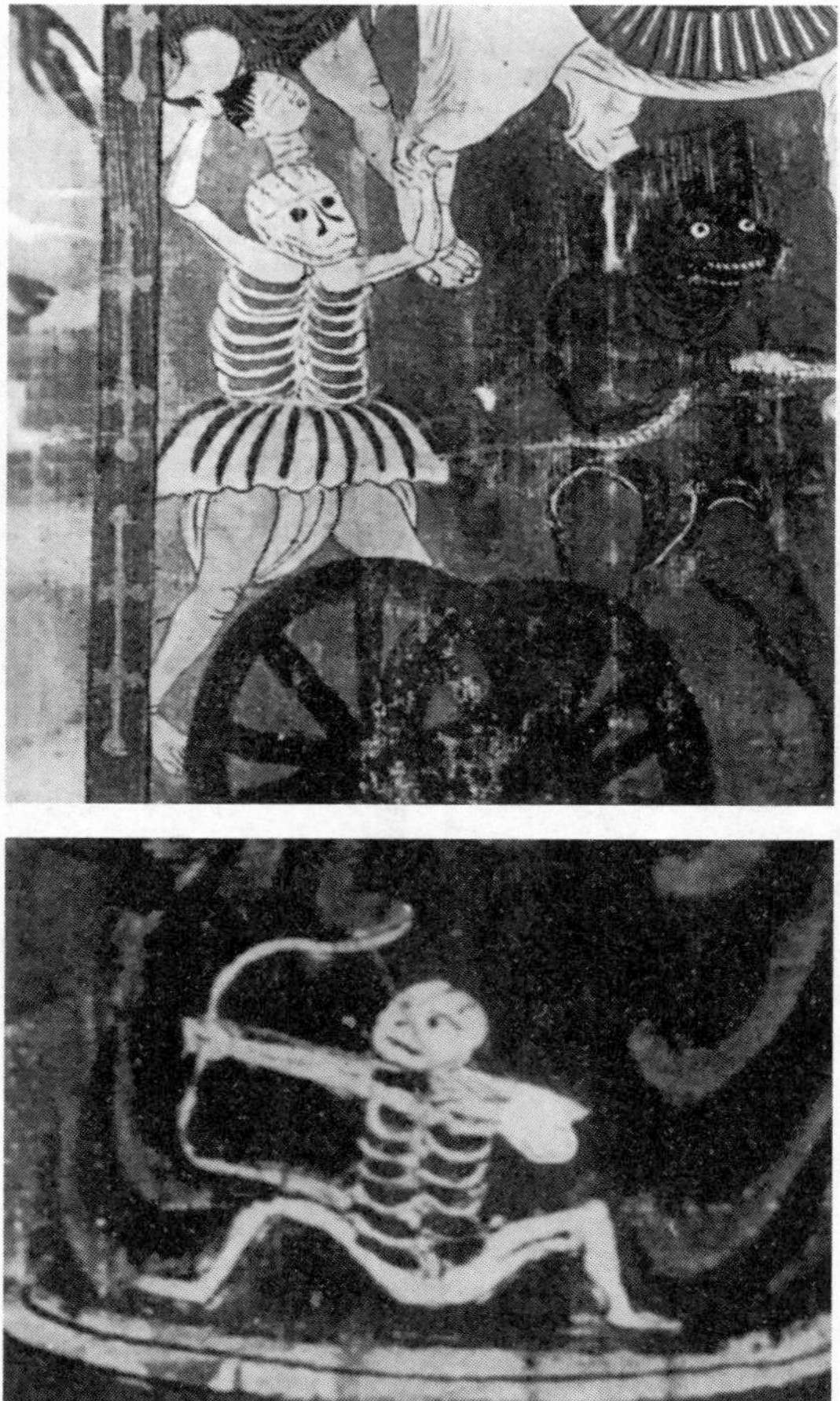

●図168——骸骨の姿をした鬼神｜敦煌　10世紀頃　パリ　ギメ美術館

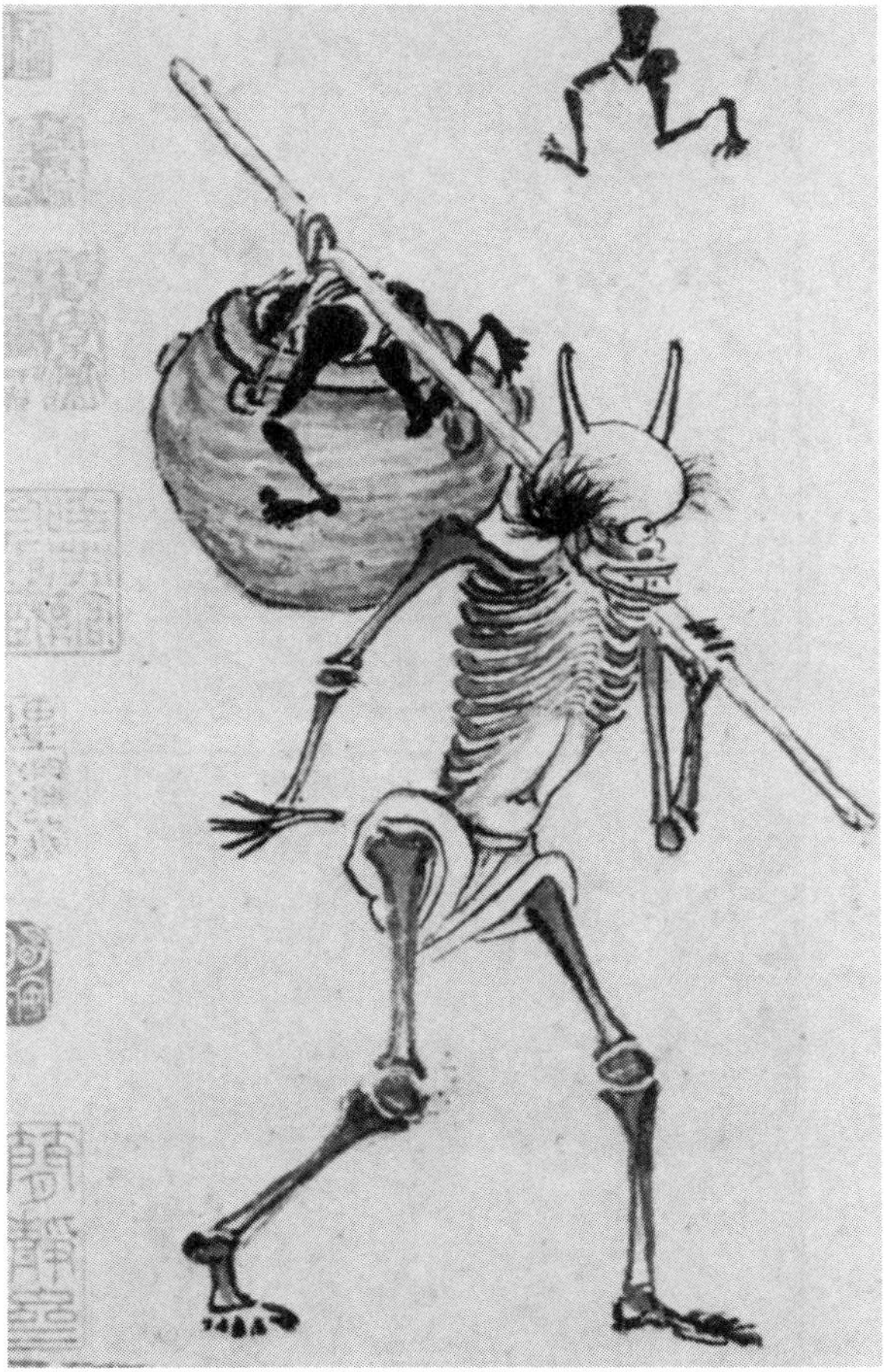

●図169——骸骨の姿をした鬼神｜龔開の画巻〔中山出遊図〕(部分)　13世紀
ワシントン　フリーア美術館

●図170――墓場の主人｜上：チベット絵画／下：ヴォルゲムートによる『ニュルンベルク世界年代記』 1493年

●図171――百仏の宇宙誌的構成｜カクラク　５世紀前半

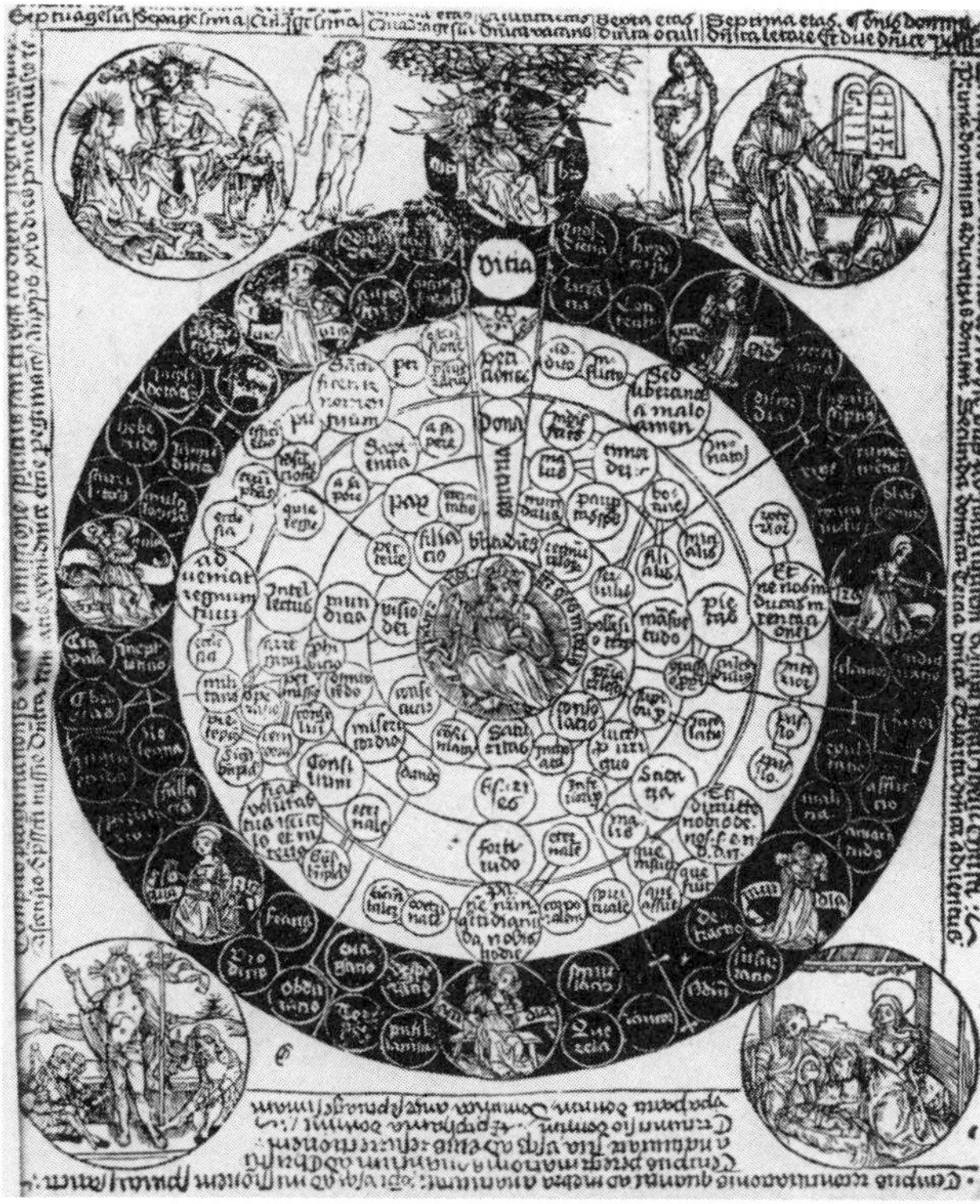

●図172——マンダラ｜右頁上：『大蔵経』 仏教百科辞典／右頁下：W. トラウトによる聖母の喜びと勝利 1510年頃／左頁：悪徳と美徳 ニュルンベルク 1490年頃

Spiegl

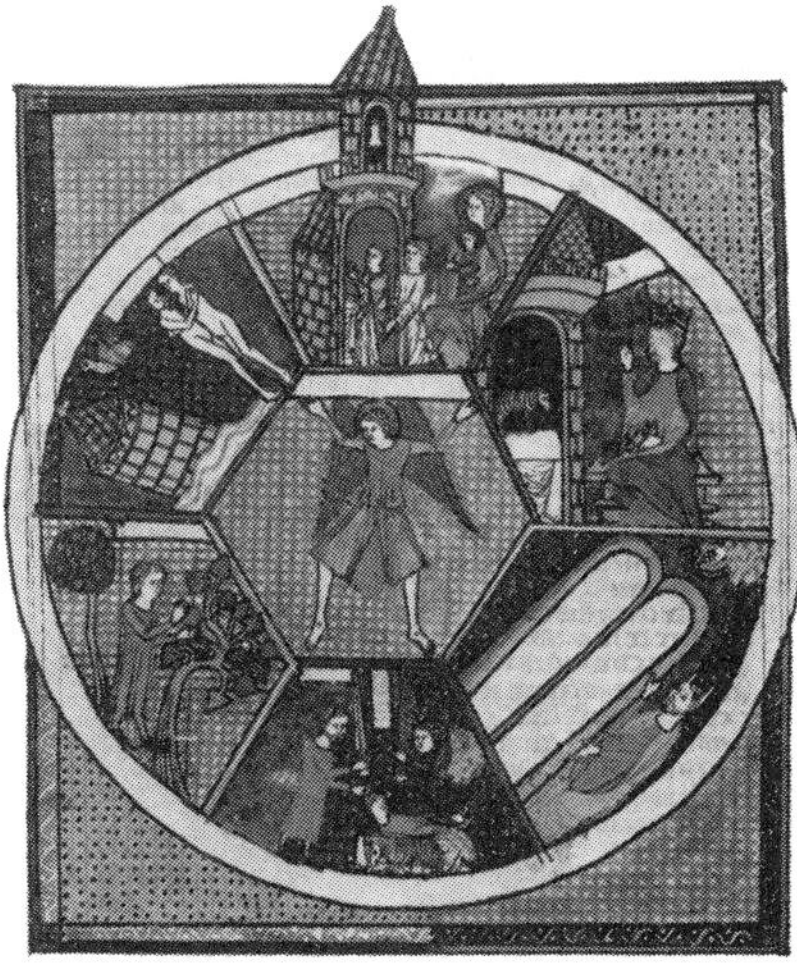

●図173——輪廻の輪｜右頁上：チベット絵画　ハンブルク美術館／右頁下：『知恵の鏡』　ニュルンベルク　1448年／左頁：世界の六時代　メートル・エルマンゴーによる『愛の手引書』　14世紀　パリ国立図書館（ms. fr. 857, f° 56 v°）

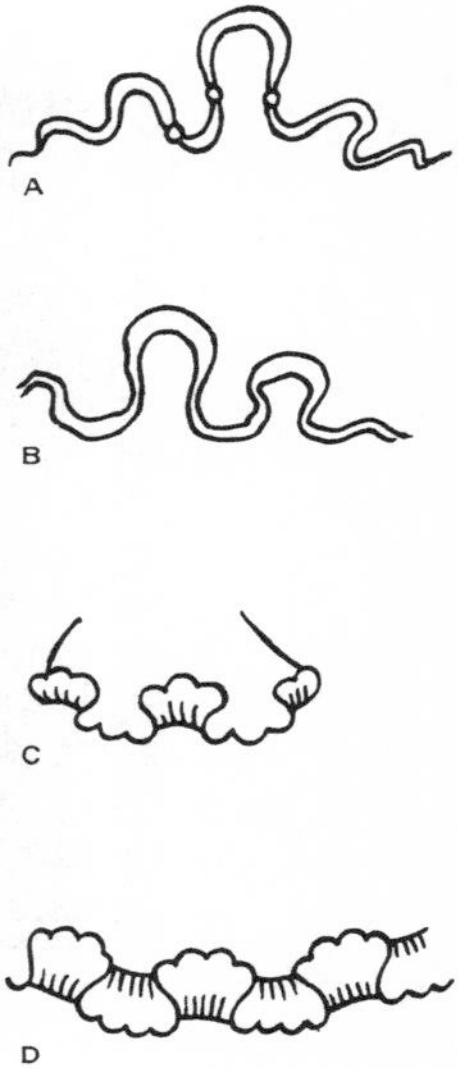

●図174（右上）――伝統的な雲文｜A：中国の幟／B：ゴシックの幟／C：中国の頭巾の縁飾り　李龍眠様／D：ゴシックの光背の雲文　15世紀の版画
●図175, 176（左）――雲幟｜上：樹々の手入れをするイシス〈無原罪の御宿り〉の寓意　クリスティーヌ・ド・ピザン　15世紀初頭　パリ国立図書館（ms. fr. 606, f° 13 v°）／下：雲幟を持ったマンドルラ『神の国』1385年　ローマ　ヴァティカン図書館

第八章　東洋の蓮華アーチ

第一節　東洋の背向曲線

蓮華アーチ――彫刻されたアーチ。インドと中国の石窟寺院。背向曲線の変形版。イスラーム風蓮華アーチとアルメニア風蓮華アーチ。

仏教的アジアは一連の幻想的作例を西欧に伝えたばかりでなく、建築の秩序のなかにも同じ精神の跡を残しながら入り込み、幻想的効果という領域での変化に貢献した。

イギリスと大陸の様々な環境のなかで練り上げられた、晩期ゴシック様式は建物の構造が装飾の侵略を受ける進化段階に相当するが、しかしそれはいくつもの要因や多元的体系に依存していた。なかでも背向曲線は、蝙蝠の翼手、花冠台座、死のスペクタクル、幟の拋り来たる温床でかなり古くから方法的に用いられてきた。

インドでは紀元前三―前一世紀の磨崖窟（ローマス・リシ、バージャー、ベードサー、ナシク、カールラー）のチャイティヤ窟の巨大な入口、扉口、欄干、飾り窓の上部の蓮華状アーチに背向曲線が現れた。アジャンターの五―六世紀のファサードにもそれが見出される。[*1] 背向曲線はヴェーダを踏まえ、蒼穹の地平線に顔を出す太陽の象徴と解釈された。[*2] 技術的観点からすれば、これは骨組工法の石材への転化にほかならない。仏塔の浮彫りに表された屋舎（サーンチー、前三世紀、バールフト、前二世紀、アマラーヴァティー、二世紀）は屋根や屋根窓の部分にしばしば蓮華アーチを浮かび上がらせてみせる。[*3] アーチの軌跡は板の図柄から誕生したが、現場で建材を組む母屋桁が端まで見出される岩壁に移し替えられてもなお、本来の組み立て要素を失わずにいる。

大ファサードが成立するや、たちまちにしてモティーフはすぐれて仏教的なものとなった。磨崖建築は背向曲線を採り入れるうえで障害になる材厚や圧力など構造上の必要を考慮に入れる必要がない。ために、それを石造建築に導入するうえで最良の条件に恵まれていた。背向曲線の公式はそうした磨崖建築とともに成立し、流布し、後にそれがイスラームの記念建造物へと移植される国で生き残る。

伝播はあらゆる方向に起こった。イランの玄関ロバーミヤーンの磨崖聖所（五世紀）と中国の僧院に背向曲線が見出される。[*4]

魏、隋、唐の各時代に穿たれた、五世紀から八世紀にかけての磨崖石窟（雲崗、龍門、雲門山、天龍山）には背向曲線を活用しているものが無数にある[*5]【図177】。蓮華アーチは門口、仏龕、崖に一万の仏が立つ回廊の迷路などの上部に載っている。無限に重なり並列する飾りアーケードが石壁を埋めつくす様はみごとである。リュブリュキが中国旅行記で言及した「二日行程離れていても見えるほど大きい」偶像というのも、おそらくはアーチが幾百もの窟龕に繰り返されるそれら巨大な磨崖仏の一つだったのだろう[*6]。背向曲線は仏塔や石碑のアーチにも使用された[*7]。登封県の少林寺にある五三五年の石碑では七段に並ぶ四十二の壁龕のそれぞれが背向曲線を持っている[*8]【図178】。線の軌跡は石碑そのものとも光背とも合致している[*9]。蓮華アーチは聖者から発するのだ。

中国の蓮華アーチはインドの初期のぼんやりとした線に較べ軽やかにして優美、つねに確固としておおらかなデッサンを有している。骨組工法の直接的模造物のすべて、それらの母屋桁をともなった構成梁が取り去られており、そのことが、新しいシステムにおけるこの統合の新たな位相をしるし、より大きな発展の自由を付与しているのだ。それらの形体もまた、かなり目立つ断面からほとんど感知しえぬ彎曲まで変化に富んでいる。数が増え、多弁形アーチと結びつきながら複合的アサンブラージュを構成しているものも見られる。半円形や籠の把手形の上に配され、曲線を主体とするペディメントの一種をかたちづくることもよくある。

ときには、それが内迫の曲がりくねったデクパージュを決定した[*10]。一三六七年以前に建てられた、神通寺〔山東省〕の龍虎塔〔朗公塔〕では、先端が動物のかたちをした花形棟飾りのアーチが、彫刻された二つの渦形持送りの上に載っている[*11]【図188】。

線はイラン的世界にも持ち込まれた。ベルリンの後ササン朝時代の皿[*12]に表されている要塞でも、チャイティヤ窟のファサードの場合と同様、中央入口の上部に背向曲線が見られる[*13]。この皿にはインドの影響が認められ、そこに表された建造物を復元しようという試みもなされている。イスラームはナイン[*14]〔中央イラン〕（壁龕、九六〇年）からモナスティル[*15]〔チュニジア〕（サイーダ〔奥方〕の壁龕、一〇〇〇年頃）までの広い地域に背向曲線を流布させた。しかし、変形のきかぬ焼成レンガの性質は文字通りの建築における一般化を妨げた。それは、アプリケ装飾にも、また装飾文様や花綱飾りの重なりのなかで輪郭線が見失われる楯飾りの切抜きにもよく利用されている[*16]。

とはいえ、ペルシアの彫刻墓石群で蓮華アーチがはっきりとしたかたちで再興されたことから、十三世紀になるとその流布の新たな段階に突入しようとするインドのイスラーム建築にもそれが方法的に移植され始める[*17]。デリーのマムルーク朝時代の記念建造物にはどれもローカルな形体の遺物として蓮華アーチが採用されている。デリーでは蓮華アーチがクッターブ〔学校〕のファサード（一二〇〇年頃）に根づいた[*18]。スルタン・イルトゥトミシュの墓廟（一二三〇年）ではそれが多弁形アーチと組み合わされており、同じ君主によって建てられたアジャミールのモスク（一二二五年頃）にもその構成が利用されている。これこそまさに一つの回帰であり、また構築的秩序における主題の統合にほかならなかった。その後もモティーフは継続的に取り上げられた。ガウル、グルバルカ、アフメダーバード、マンドゥーラの各モスクは十四世紀と十五世紀の作例を提供してくれる。[*19] モティーフはデリーの大モスク（一六四四—五一年）でも変わることがない。遠方の遺跡にあっても、またそれが埋没してしまっている組み合わせにあってさえ、システムはつねに仏教的出自のしるしを失っていなかったことが指摘されている。[*20]

インド以外では、イスラームの細密画家の建築図に蓮華アーチがいまや恒常的に描かれている。モンゴル派とメソポタミア派【図182】は十四世紀初頭になると、あるいは格間の石組のなかで、あるいはペディメントの頂部でそれを几帳面に見せてくれるが、[*21] これらの新しい系列は同時代の絵画が鋭く感応していた中国の潮流と結びついていたのかもしれない。いうなれば、諸々の影響が一つに収斂したのだ。また蓮華アーチがアルメニアに出現し、そこで窓枠（エンリジャ、十三世紀）【図179】、テュンパヌム（アイサジ、十三世紀末）を飾ったのもちょうど同じ頃だった。[*22] どう見ても入り込む余地などなかったはずのフランボワヤン建築。背向曲線はそうしたフランボワヤン建築に近い姿で墓石（ジュルファ、十四—十六世紀、ガンリ、十五世紀）——ハチカル〔十字架を刻んだ石造記念碑〕——にしばしば描かれている。[*23] モティーフはいまや東洋全域へ広まらんとする波に乗って伝播していた。

第二節　西欧における背向曲線

イギリスにおける蓮華アーチ——花綱飾りの蓮華アーチ、三重蓮華アーチ。フランボワヤン建築における蓮華アーチ——半円形の蓮華アーチ、籠の把手形の蓮華アーチ、平板な蓮華アーチ。土壌と時期の一致。

蓮華アーチの様々な形体のなかで、どれがヨーロッパでもっとも古いかはわかっている。[*24] イギリスでは一二九一年ジョン・オヴ・バトルがノーサンプトン近郊のハーディングストンに建てたアリエノール・ダキテーヌの記念碑[*25]に早くも蓮華アーチが現れており、ウェストミンスターにあるエドマンド・クラウチバックの墓碑（生前の一二九六年に彫られた）でも同じくそれが側面の二つの小尖塔を飾っている。[*26] ついで一二九七年に着手されたノリジ修道院の扉口[*27]、ウェールズ（一三〇三年、ギヨーム・ド・ラ・マルシェの墓碑）、カンタベリー（一三〇四年、内陣回廊）、エクセター[*28]（司教席、一三一二年設置）、イリー（聖母礼拝堂、一三二一年着手）、ウェストミンスターにあるエメール・ド・ヴァランスの墓碑（一三二五年）、ベヴァリー（一三三四年、高廊）に蓮華アーチが見出せる。「盛飾様式」の曲線主体期はヘンリー三世時代初頭に全盛を迎え、そこで蓮華アーチを採り入れた。イースト・アングリア系写本の装飾、イギリスの象牙彫りでも蓮華アーチの成熟はかなり早い。[*29]

フランスではプルイ（一二九四年）、ルーアン（ボードワン・ド・クールセルの墓石、一二九六年、マリ・ラトゥリエの墓石、一三〇〇年、ジャン・ドトゥイユの墓石、一三〇三年）、ヴァルモン（一三〇一年、ニコラ・メリエの墓石）、ロワヨーモン大修道院（ジャン・ド・ランとその娘の墓石、一三〇四年、一三一〇年）、ノートル＝ダム＝ド＝ラ＝ロッシュ（一三一三年、ロジェ・ド・レヴィの墓石）の各所にある陰刻墓石群、[*30]さらにはエクイ参事会聖堂の天蓋（アンゲラン・ド・マリニの墓碑、一三一三年）、サンスの浮彫り[*31]（一三三四年）、オーセール大聖堂の基壇とテュンパヌムにそれぞれ背向曲線が見出される。[*32]最後に一二九八年のニヴェルの聖遺物箱が、中国の「フロントン」〔ペディメント上部の装飾〕の場合と同じく、破風の線に蓮華アーチを二つ持つ。[*33]

これらの系列では二つの事実が指摘できそうだ。第一に、ゴシックのモニュメントで知られる初期蓮華アーチは、彫刻装飾あるいは平墓石表面の陰刻画などのように、内迫（ハーディングストンの例）と破風断面（ニヴェルの例）に浮かび上がって見える。東洋におけるのと同様、背向曲線は組立工法においてでなく、成形工法において明確な姿をとった。というより、截石組積に蓮華アーチが実際的に役立つことは稀であったということ。[*34]第二に、この刷新の年代は東洋からの文物の流入が増加した時期と一致するということ。形体の類似――蓮華アーチもまた尖頭アーチの一つにほかならない——が幸いして、統合は同時並行的でないにしても、どこでも同じ容易さをもってなされた。イギリスではケルトの覚醒とそのおおらかな精神が蓮華アーチの曲線の採用に幸いしたが、構築的秩序がその硬さゆえに長い抵抗を続けたフランスではイギリスでの電光石火ぶりに較べ余分な時間を必要とした。[*35] フランスでシステムが、多くはイギリスからもたらされたものとして恒常的に流布するようになるのは、十五世紀になってからのことである。

「盛飾様式」は曲線のもたらす主題をその最盛期に大々的に発展させた。建物は、気紛れと放恣から出てきているように見えてもつねに同じ軌跡を描いてみせる、うねるような曲線に包まれている。こうしたものにあっては、三重蓮華アーチおよび多弁形の頂点に載った蓮華アーチの二タイプがとくに多い。

われわれの許に届けられた初期蓮華アーチは多弁形アーチと組み合わされた。一二九一年国王エドワード一世によって注文されたハーディングストンの記念碑は王妃アリエノールの遺骸をウェストミンスターに運ぶ葬送行列の通過点の一つとなったが、その第二層のアーチの内迫に登場しているのもこの組み合わせだ。また、一二九六年以前にエドマンド・クラウチバックの墓碑に彫られたものは花綱飾りと一体化している。エクセター、リンカン、セント・オールバンスのセント・マイケル教会、セント・デイヴィド、ハウステッドには、モティーフが、あるいは内迫に局限される、あるいはアーチ全体に適合させられるなど各種のヴァリアントが見られる。[*36] デッサンは高廊に、しかも一般には中軸線上部に載るかたちで普及している（バーミンガム、ブランドストン、スカーニング）。[*37] 背向曲線と多弁形とのかかる密接な連携はイスラーム幾何学を想い起こさせる。イスラーム的オリエントがその中継にひと役買っていたことは間違いない。イギリスの蓮華アーチのペルシア出自説と取り組んだハーヴィはこの点に関し、ジェフリー・オヴ・ラングリー卿に率いられ、ロバートなる彫刻家を随員のなかに含む外交使節を一二九二年に、国王がイル・ハーン国ケイハトウの許へ遣わしたことを指摘している。[*38] しかし、要素の配置が窮屈でないもののほうがずっと東アジア的粗型には適っていた。唐代のある平墓石【図182A】は、多数のイギリス風アーチの場合と同じように、蓮華アーチがどちら側にも二つの花形に延びてゆくという、まさに同じ断面を示している。[*39] エクセター司教ジョン・グランディソンの紋章のある十四世紀第二・四半世紀の象牙彫りは、これと同じタイプのものが建築の結合部と司教席とに使用されているが、とくにそれと近いし、他方、多弁形アーチにはとくに中国的なヴァリアントもありそうだ[*40]【図183】。

ウェールズ（一三〇三年）、ウェストミンスター（一三二五年、エメール・ド・ヴァランスの墓石）、イリー（一三二一年以後）、ベヴァリー（一三二八年に歿したエレノア・パーシーの墓石）、リンカンでは、同じアーチ上で、トレーサリー模様〔教会堂の窓上部などに見られる透かし彫り〕のように、その内迫を軽快に見せると同時に飾り立てて見せる背向曲線花綱飾りによって、分断するかたちで蓮華アーチが三度繰り返されている[*41]【図182】。モティーフは、これが半円形上に配されている、五―六世紀へ遡る南京郊外の棲霞寺石窟の、ある窟龕入口についた飾迫縁を走るものと近い。[*42]西欧では尖頭アーチに、また蓮華アーチにすらそれが登場するが、この細部はより効果的な輪郭線によって切り跡をはっきりとさせているだけで、配置にも、数にも、組立にもなんら変化が見られない。唐代の鏡の多くもまた宋代や元代の各種陶製品と同様、似たような背向曲線とのつながりを示している。[*43]

新しい建築のなかでそれを汚染するかのように広まっていったライトモティーフは、アリエノールの十字架（一二九一年）とギヨーム・ド・ラ・マルシェの祭壇天蓋（一三〇三年）を筆頭とするこれら二つのグループで、以上のようなかたちづくられ方をしたのだ。島嶼ゴシックは、自分の手の届く範囲にある、蓮華アーチの全ヴァリアントのなかで、何よりもまず構成された構造に関心を寄せた。イギリスの建築家は自らの天分の赴くまま、まず複合的システムに手を染めたのだ。

フランスでもこうした複雑な形状が踏襲されるが、フランボワヤン建築の出現はまた別な条件にも応えていた。

フランスがもっともよく同化した蓮華アーチはより簡素な構成のタイプだった。そこではより平板なタイプが増加するのが見られた。尖頭アーチ上ではなく、半円形上に固定されることがよくあって、そのために〔朝顔形に〕広がった形体をとるようになったのだ。この導入の最初の例の一つとして引用されるエクイ参事会聖堂（一三一三年）では、そうした〔半円形〕アーチの上に朝顔形アーチが配されている。アミアン（北側の塔の支壁）、サン＝トメール、モントルイユ＝シュル＝メール、オーセール（聖堂の基壇）、ディジョン（洗礼盤）、フォワシー（祭壇聖櫃）では半円形上にそれが見出される。中国でも、西欧ではすでに廃れて久しい同じ支えから背向曲線がふと浮かび上がることがよくあり、そのもともとの構成法がこうした「ロマネスク的」な線への回帰に幸いしていたということだろう【図180】。

朝顔形アーチの後に来る籠の把手形アーチはこの仮説をいちだんと強固なものにする。十二世紀には例外的、レヨナン式建築ではさらにいっそう例外的であった籠の把手形アーチも、東アジアではそれと普段から連携していた蓮華アーチの大量流布と軌を一にして伝播している。イギリスではかたちが押し潰され、チューダー式アーチとして使われていた。それに対し大陸では、中央扉口、門口、壁龕、小格間などに用いられた[※44]【図181】。蓮華アーチとその支えは両者一緒に再現されているのだ。

建築動向全体がこうした刷新の影響をこうむった。垂直的リズムは尖頭アーチによって象徴的に表され、支えられていたが、対するに、こちらは停止であり、また東洋的輪郭線の屈折が翻訳されている、よりおおらかで、より頑丈な構図への回帰だった。超半円化した断面から真平らなものまで、背向曲線の変化段階のすべてについて完璧に重ね合わせの可能な仏教的対応物が存在するのだ。中央に突起をとどめながらも真平らに近づきつつある、隆起のわずかなデッサンについては、壁や平墓石にまるで石にでも穿つようにして設けられた壁龕の場合同様、とくに同一性が目につく【図184】。ゴシックの聖人も中央アジアや東アジアの神も似たような奥まった場所に安置されていることが多い【図185と図186】。花冠台座に人物を載せた〈エッサイの樹〉を持つファサードでは蓮華アーチが、その周囲に花冠台座がつねに繁殖している主題を見出した。フランボワヤン建築の壁には浮彫りでかたちが彫り出されているが、ときにはそうした壁が元代の仏塔かなにかを想い起こさせる。すなわち、両端が花形棟飾りになった人物、怪物、装飾文様の寄せ集めのなかにくっきりと浮かび上がる渦形持送りに蓮華アーチを持つ神通寺の塔も同じ石の輝きに包まれている【図187と図188】。だが、問題は直接的連関より、装飾の過剰という相関性であり類縁性なのだ。

このような、背向曲線の中世へのみごとな同化は、要素の一致によってのみ条件づけられていたわけではない。それは内的必然性にも恵まれていたのだ。ゴシック建築はその厳格な骨格のなかに柔軟化の萌芽を秘めて久しく、それらの効用の一部を隠してさえいたからである。〔窓の〕狭間飾り（トロワのサン＝トゥルバン）、トリフォリウム（アミアン）、薔薇窓（パリのノートル＝ダム）は、アーチと先尖仕切り框を持ち、三葉形と曲線三角形を踏襲している。それらは十三世紀に蓮華アーチの思いがけぬ「ヴィジョンをもたらす」[※45]が、しかしこの蓮華アーチはまた別な場所に、しかも異なったかたちで姿を現す。仏教的墓所の背向曲線は、骨格が衰えるや否やごく自然に蓮華アーチへ移植され、本来の線を温存したままアーチを風化させていく。すなわち、三段形、花綱装飾形、半円形、籠の把手形、平形など、ゴシックの構造には一度も含まれたためしのない蓮華アーチがたえずその曲線のなかに入ってきているのだ。それらアーチの環境は度を超えた誇張、すなわち無駄な組み合わせの塊によって造り直された。フォションはそこに異国趣味を感じ取っている。[※46]構築的形体とその装いとのかかる混同について、「いかなる西欧建築も東洋の装飾的豪奢にこれほど隣接してはいない」と彼は言う。様式の生物学的な解体現象は遠方の寄与の波に応えていた。東洋の特徴や色彩を失うことがなかったのだ。東洋はイマジュリと建築において同一の夢幻的スペクタクル、同一の幻覚世界を中世にもたらしていたのだ。

フランボワヤン・ゴシックの蓮華アーチはけっして特殊な形体すなわち孤立形ではなかった。それは様々な姿をまとって、ほぼ同じ年代に、同一の要因の作用を受け、イスラームの細密画家の建築デッサンと東方キリスト教諸国のモニュメントに再登場しているからだ。これは、蓮華アーチがインドのモスクで自然と増加していく時期とも重なり合う。だが、その介入が結果として深甚な変容をもたらしたのは、特殊な経緯が幸いした西欧においてだけであった。そのことはまた、様々な文明を経由する広範な潮流の統一性と、その影響の多様性の両方をときとして確認させてくれる。諸々の要素がその旅程の終点でもっとも完璧な方法によって蘇ったというのは、まさに歴史の奇跡と言えるのだ。

原註

*1——J. Fergusson, *History of Indian and Eastern Architecture*, London, 1910, fig. 55, 60, 65, 69, 74 ; G. Jouveau-Dubreuil, *Archéologie du sud de l'Inde*, *Annales du musée Guimet*, Paris, 1914, pl. I ; O. Fischer, *Die Kunst Indiens, Chinas und Japans*, Berlin, 1928, pl. 158, 160.

*2——E. B. Havell, *The Ancient and Medieval Architecture of India*, London, 1915, p. 55.

*3——H. Marchal, *L'Architecture comparée dans l'Inde et l'Extrême-Orient*, Paris, 1944, fig. 2 と 3. また P. Brown, *Indian Architecture (Buddhist and Hindu Periods)*, Bombay, s. d., chap. II, *Wooden Origin*, pp. 6-8 も見よ。

*4——J. Hackin, *Nouvelles recherches archéologiques à Bâmiyân*, Paris, 1933, pl. IX, XXIX, XXX, XXXII, XXXIV, XXXVIII, XL.

*5——E. Chavannes, *Mission archéologique dans la Chine septentrionale*, Paris, 1909, pl. CXXIX, CXXXII, CXXXIII, CXLIX, CLIII, CLIV, CLV, CC, CCI, CCXXXIII, CCXXXVI ; Taketaro Shinkai and Tadayori Nakagawa, *Rock carvings in the Yun Kang Caves*, Peking (Beijing), 1921, pl. 136 ; O. Sirèn, *La Sculpture chinoise du Ve au XIVe siècle*, Paris-Brussel, 1925-26, pl. 27, 28, 46, 50, 81, 82, 83, 84, 101, 345, 346, 348, 349, 485, 497.

＊6——ベルジュロン『アジア旅行記集成』所収、「リュブリュキの旅行記」、五四頁。
＊7——O. Sirèn, *La Sculpture chinoise*, pl. 536 防山県の仏塔、八世紀初頭。
＊8——E. Chavannes, *op. cit.*, pl. CCLXXIX.
＊9——O. Sirèn, *La Sculpture chinoise*, pl. 118, 120, 147, 149, 391, 392, 398, 399, 400, 401.
＊10——*Ibid.*, pl. 15 B, 534.
＊11——*Ibid.*, pl. 618.
＊12——A. U. Pope, *A Sasanian Garden Palace*, *The Art Bulletin*, XV, 1933, fig. 1 と 2.
＊13——A. U. Pope, *Some Interrelation between Persian and Indian Architecture*, *Indian Art and Letters*, IX, 1935, nº 2, 抜刷の八頁、および O. Reuther, *Sasanian architecture*, *Survey of Persian Art*, Oxford, 1938, p. 556, fig. 161. 皿の制作年代は、四世紀と八世紀のあいだを揺れている。建物をブハラのサーマン朝スルタンの墓碑に関係づけているJ・ソヴァージュ（*Remarques sur les monuments Ommeyyades*, II, *Argenterie « sassanide »*, *Mélanges asiatiques*, 1940-41, p. 19 以下）によれば、それは古くても十世紀初頭以前に遡ることはないという。
＊14——*Survey of Persian Art*, pl. 267 と 269.
＊15——G. Marcais, *Manuel d'art musulman*, I, Paris, fig. 57.
＊16——トレムチャン（一一三五年）、ティンマル（一一五三年）、マラケシュのクートゥビーヤ（一一九六年）、ウジャ（一二九六年）。H. Terrasse, *L'Art hispano-mauresque des origines au XIIIe siècle*, Paris, 1932, fig. 38, pl. XLIV, LIV ; G. Marcais, *op. cit.*, II, fig. 256 参照。

＊17——*Survey of Persian Art*, pl. 519 e ヤジードの墓石、一一四一年、pl. 520 大理石の墓石、一一三八年、ボストン美術館。

＊18——M. A. Chaghtai, *Le Tadj Mahal d'Agra (Islamic Period)*, Bombay, s. d., pl. VI, fig. 1 と pl. VIII.

＊19——E. B. Havell, *Indian Architecture*, London, 1913, pl. XVIII と XXXIII ; P. Brown, *op. cit.*, pl. IV, fig. 8, pl. XXV, XXVIII, fig. 2, pl. XLIII, fig. 2.

＊20——インドにあるイスラーム建築への仏教的蓮華アーチの導入についてはP. Brown, *op. cit.*, p. 11 と pl. IV を見よ。この建築の展開についてはE. Diez, *Die Kunst der islamischen Völker*, Berlin, 1915, p. 164 においても詳しく指摘されている。

＊21——単純な蓮華アーチ——モンゴル派では、ルーヴルの『王書』、十四世紀初頭（A. Sakisian, *La Miniature persane du XIIe au XVIIe siècle*, Paris, 1929, pl. XXVI, fig. 37）、モントリオールの『王書』、一三四〇年頃（*Survey of Persian Art*, pl. 853）、メソポタミア派では、エディンバラのビールーニー、一三〇七年（L. Binyon, J. V. S. Wilkinson and B. Gray, *Persian Miniature Paintings*, London, 1933, pl. XV A）。ペディメント型頂部装飾をかたちづくる多辺形上の蓮華アーチ——モンゴル派では、ケンブリッジの『王書』、一三四〇年頃（L. Binyon, J. V. S. Wilkinson and B. Gray, *op. cit.*, pl. XVI B）、パリ国立図書館のラシード・アッディーン、十四世紀初頭（A. Sakisian, *op. cit.*, pl. XX, fig. 30）、メソポタミア派、エジプトでは『孔雀の時計』、ルーヴル美術館、一三五四年（*Ibid.*, pl. XVI, fig. 21）。

＊22――J. Baltrušaitis, *L'Art médiéval en Géorgie et en Arménie*, Paris, 1929, pl. LXXIX, fig. 30.

＊23――*Ibid.*, pl. XXIV, fig. 41.

＊24――C. Enlart, *Origine du style flamboyant*, *Bulletin monumental*, LXX, 1906, pp. 38-81 および *Manuel d'archéologie française*, II, Paris, 1920, p. 666 以下。

＊25――E. S. Prior and A. Gardner, *An Account of Medieval Figure-Sculpture in England*, Cambridge, 1912, fig. 90.

＊26――J. Evans, *English Art, 1307-1461*, Oxford, 1947, pl. 3 ; John Bony, *The English Decorated Style, Gothic Architecture Transformed (1250-1350)*, Oxford, 1979, p. 78.

＊27――*Ibid.*, pl. 15. ジョン・ボニーにはイギリスの蓮華アーチについての重要な指摘で負う点が多い。彼はノリジの蓮華アーチを一二九七年より数年後のものと考えている。

＊28――*Ibid.*, pl. 13.

＊29――入れ替え可能な馬のように明らかにペルシア起源のものを含め、われわれがオリエント的モティーフを数多く指摘してきたピーターバラの『詩篇集』（十三世紀末）における作も、その例の一つである。J. van den Gheyn, *Le Psaitier de Peterborough*, Haarlem, s. d., pl. XIV, XV, XVI, XXVI, XXXI, XXXII.

＊30――R. de Lasteyrie, *L'Architecture religieuse en France à l'époque gothique*, II, Paris, 1927, pp. 53-56.

＊31――サンス大聖堂の聖母の台座に彫られているダビデの玉座の浮彫り C. Enlart, *Manuel*, II, p.

668.

＊32——C. Enlart, *La Sculpture des portails d'Auxerre*, *Congrès archéologique d'Avallon*, 1907, p. 618と622. これらの蓮華アーチの年代は、R. de Lasteyrie, *op. cit.*, pp. 45-46で論じられている。

＊33——ニコラ・ド・ドゥエとジャクモン・ニヴェルの制作。契約は一二七二年に結ばれ、作品は一二九八年に完成している。Comte J. de Borchgrave d'Altena, *Œuvres de nos imagiers romans et gothiques*, Brussel, 1944, pl. XXXII と XXXIII.

＊34——C・アンラール（*Manuel*, I, p. 31）は、フランスおよびドイツ派の諸工房にまさしく蓮華アーチに組積みされたアーチが見られると指摘しているが、それらは例外的であり、しかも線《トラセ》に堅牢さが欠けている。

＊35——ケルト的曲線とフランボワヤン的曲線との類縁性、とりわけ曲線三角形、蛇腹、ムシェット〔楕円形モティーフ〕に関してはH. Focillon, *Préhistoire et Moyen Age*, *Moyen Age, survivances et réveils* 所収 New York, 1943, pp. 29-30を見よ。そこでは、一九三九年七月ロンドン学会での彼の報告の主張が踏襲されている。ケルト的装飾文様と十五世紀の窓の配置との「驚くべき類似性」は、J・デシュレット（*Manuel d'archéologie préhistorique, celtique et gallo-romaine*, Paris, 1908-1914, p. 1527）によってすでに指摘されており、そのなかで論者は、三重螺旋状の円盤を、円の内側に嵌め込まれている三つのムシェットというケルト的主題と関連づけて、「ラ・テーヌの装飾がイギリスに花開いて久しいとすれば、それは隠れた萌芽をそこにいくつか残しておいて、こうした古い伝統のいくつかの後代における蘇りを

説明しているのではないか」とまで言っている。この考え方は、W・デオンナ（*De l'art des steppes asiatiques au style Louis XV, Mélages F. Martroye*, Paris, 1941, pp. 13-32）によって発展されており、彼は、ケルト、蕃族、インド、中国の曲線とフランボワヤン様式の組み合わせを、ユーラシア的潮流に起源を持つ中央アジアと北アジアの同じ起源に関連づけている。

＊36——F. Bond, *An Introduction to English Church Architecture*, London, 1913, fig. 456, 658, 689.

＊37——F. Bond, *Screens and Galleries*, London, 1909, fig. p. 53, 54, 55, 152.

＊38——J. H. Harvey, *The Gothic World, 1100-1600*, London, 1950, p. 77 と143の註。この旅行の報告書は C. Desimoni, *I conti dell'ambasciata chan di Persia nel 1292, Atti della Società ligure di storia patria*, XIII, 1879 に収められている。

＊39——O. Sirèn, *La Sculpture chinoise*, pl. 415 A ビング・コレクション、パリ。

＊40——M. H. Longhurst, *English Ivories*, London, 1926, pp. 44-45, nos LXI, LXII. また Molinier, *Histoire générale des arts appliqués à l'industrie*, I, *Ivoires*, Paris, 1896, p. 199 も見よ。二連象牙板は大英博物館とルーヴル美術館に分蔵されている。

＊41——E. S. Prior, *A History of Gothic Art in England*, London, 1900, fig. 303, III c と f ; F. Bond, *An Introduction to English Church Architecture*, fig. p. 38 と 533.

＊42——O. Sirèn, *La Sculpture chinoise*, pl. 15 B.

＊43——『中国美術展』、ベルリンの展覧会図録、一九二九年 nos 458, 468, 626 ; S. Elisseev, *L'Art de la Chine, Histoire universelle de l'art*, L・レオ監修 Paris, 1939, fig. 250.

*44——アランソン、ボーヴェ、シャトードゥン、クレリ、コンピエーニュ、ゲランド、ジョスラン、フォルゴエ、エルリ、リモージュ、リジュー、ラ・マルティール、ムオー、モントルイユ＝シュル＝メール、プロエルム、ルーアン、リュー、サン＝フィルマン＝デ＝ボワ、サンリス、トゥール、ヴァンドーム、エスリンゲン、シュトゥットガルト、ヴィンプフェン・アム・ベルク等々。

*45——R. de Lasteyrie, *op. cit.*, p. 51 以下 fig. 590, 638, 639.

*46——H. Focillon, *L'Art d'Occident*, Paris, 1938, p. 281.

●図177——中国の蓮華アーチ｜龍門　第十窟　6世紀第１三分の一世紀

●図178——中国の蓮華アーチ｜奉納碑　535年　発封県少林寺

●図179, 180, 181——東洋とゴシックの蓮華アーチ｜上：エンリジャ教会の窓枠　アルメニア　13世紀／左下：仏教石碑　678年　東京／右下：エルリ（ソーヌ県）の教会入口　15世紀

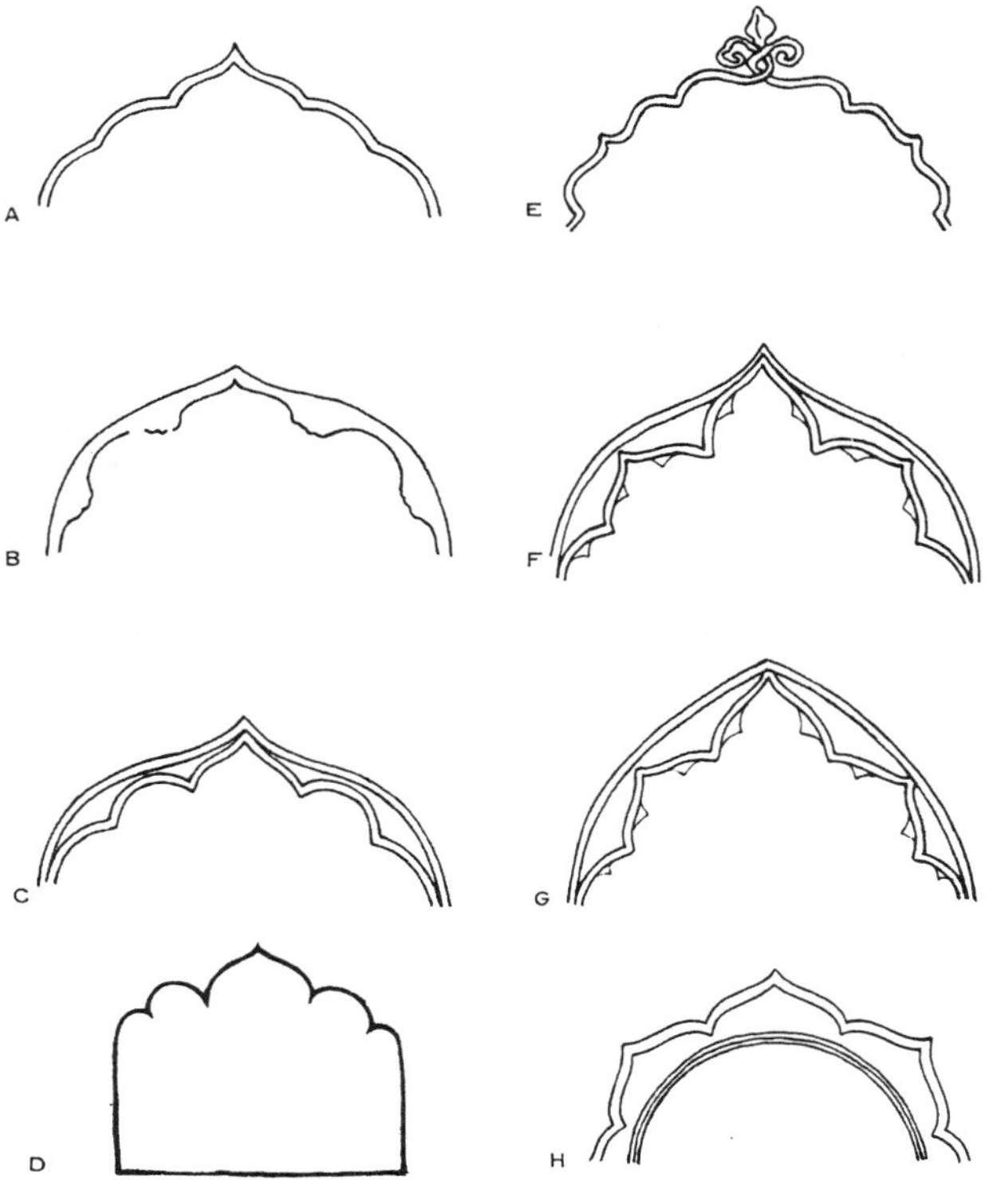

●図182――多弁形アーチ上の蓮華アーチと三重蓮華アーチ｜A：唐代の平墓石／B：ハーディングストンの記念碑　1291年／C：セント・デイヴィド司教館　14世紀第2四半世紀／D：イスラームの写本『孔雀の時計』メソポタミア派　エジプト　1354年／E：神通寺　石窟入口　5-6世紀／F：イリー聖母礼拝堂　1321年以後／G：ウェストミンスター　エメール・ド・ヴァランスの墓石　1325年／H：唐代の鏡の縁　618-906年

●図183——多弁形の線の上の蓮華アーチ｜左上：唐代の碑　個人蔵／右上：聖母戴冠　エクセター司教ジョン・グランディソンの紋章のある象牙彫り　14世紀第2四半世紀　パリ　ルーヴル美術館／下：スカーニング　教会内陣仕切り

●図184——平形蓮華アーチ｜左上：フラヴィーニュ（コート＝ドール県）の壁龕／右上：イヴェット＝ボカージュ（マンシュ県）の壁龕／下：唐代の奉納碑　618-906年　プロヴィデンス美術館　ロード・アイランド・スクール・オヴ・デザイン

●図185——仏教的壁龕とゴシック的壁龕｜ブランジュ（セーヌ＝マリティーム県）のゴシックの壁龕　ブランジュの一司教の墓碑

●図186——仏教的壁龕とゴシック的壁龕｜西魏の仏教奉納碑　551年　シカゴ美術研究所

●図187——フランボワヤン装飾｜ジョスラン（モルビアン県）の館　1490-1505年

●図188——フランボワヤン装飾｜神通寺の龍虎塔　1367年以前

結論

以上の通り、ゴシック的中世は生命秩序、リアリズム、西欧的なものに向かって進化するというにとどまらなかった。超現実的な側面、人為的な技巧、異国的な趣味といったものも併せ持っていたのだ。怪物と驚異が集い、激しく揺動する一つの中世が福音主義的・人文主義的中世の内部に蘇り、展開していた。その猛威、その不安は精神においても、また形体においても終焉の時まで募り続けた。

この超自然的な基調は複合的な土壌の上に形成された。そこに見出されたのは前世紀の、がしかし、さらに強固な現実へ移し替えられた奇形学であり、様々な文明であり、想像力のなせる強迫観念であり、幻想であった。そうした基調はいや増しに拡大し、次々と領域を広げながら、十四世紀末まではより奇矯なもの・驚異的なものへ、十五世紀から十六世紀にかけては劇的なものへ、多岐にわたって進化していった。本書では、この展開を総体において論じることをせず、そのいずれかの位相に刻印をしるし、方向を与えた異国の寄与だけを論じるにとどめた。

三つの偉大なレパートリー、すなわちまずはヘレニズム的古代、ついでイスラームが、そしてそのすぐ後に東アジアが介入してきた。これら三者は同じ向きで、同じ精神で影響力を発揮した。三者が一つに収斂したのは、主に幻想的なものの誘引力のなせる業であった。しかし他方で、地理的・歴史的なパースペクティヴの混同もないではなかった。パノフスキーとザクスルは、アラビア人が、その多くを異なるかたちに変えて送り返してきた古典神話について同様の観察を行っている。[*1] 古代の異教および同時代の東方の異教は新しい西欧から等距離のところに存在していたと言ってもよい。混同現象は装飾と寓話の領域に現れた。古代とすべての異国趣味が同じ謎、同じ権威をまとって出現し、両者が混同されたのも同じ見方に拠ったがゆえでもあった。古代と異国趣味の流入もある時期には同じ勢いで起こっていたが、中世の終わりになるとギリシア＝ローマと東アジアの諸主題が優勢であったようだ。

これらの寄与の歴史は一つの矛盾に端を発する。すなわち、本来なら「ゴシック的古典主義」の時代に優美なる人像の伝播に貢献すべきはずであった古典古代が、異形なる生き物の眷属全体を蘇らせる主動因の一つになるという矛盾である。

カロリング朝時代のそれを思わせる玉石彫刻の流行が再来したことで中世の真只中へ突如持ち込まれた一大レパートリーは、思いもかけぬ仕方で影響を及ぼした。彫石とともに広がったもの、それはグリロス、頭房、腹顔獣・腹顔人、頭脚人、貝からはい出る四足獣ないし二足獣といったものの群であり、古代の神々や英雄ではけっしてなかった。何ごとにつけ美であり調和である多様な形象を含む一連のもののなかでのそうした片寄った選択は、初めのうちは秘密だがやがて明白になってくる願望の証しのように見える。中世の人々はそれら陰刻宝石のなかに奇想や異形を探し求めてやまなかった。古代貨幣においてもそうだった。高貴なメダルではなく、粗野で、しかも奇妙な図柄の貨幣が画工を惹きつけていたように思われる。

これら二つのグループ〔玉石彫刻と古代貨幣〕の漸増的・決定的な影響力は、趣味嗜好の進化によってばかりでなく、典雅なもの、繊細なもの、可愛らしいものへ思い切って方向転換し、ほとんど異国趣味というべき奇矯なる要素をそこへ上乗せし、そうすることによってイスラーム的形体の詩情と一つに融け合った、様式一般の変化によっても説明される。

イスラーム的形体の方は初期ゴシック美術のある種のオーナメントにその存在を感得させていたが、それらの大量流入は十三世紀後半から十五世紀初頭にかけて起こった。ロマネスクの時代と同様に、幻獣、対文様、動物格闘文は織物を介して伝播された。生ける植物・動物の開花と時を同じくして、永遠なるアジアの抽象的オーナメントや紋章獣も再び姿を現した。画法もまた進化し、内容豊かになって再来したのだ。組紐文は多辺形と円華文の組み合わせによって構成し直されて蘇った。図式化された草葉は先が細くなった。それはまた、無肢獣、人頭唐草、言葉をしゃべる樹の開花でもあった。月の顔《かんばせ》は金銀細工における彫石のように彩飾写本の飾りに嵌め込まれた。魚、四足獣、人間は、自動機械のメカニズムにおけるように四肢や躰を入れ替える回転運動のなかで生動した。これら知的で気取った遊びは自然やゴシック的気紛れのなかへ取り込まれ、それらにえもいわれぬ魅力を付与した。

金銀細工様式の形成は、彫石と一緒に流布する古代的奇想に対してと同様、「サラセン風文物」の刻印にも幸いした。奇矯な生き物と驚異は結局のところ珍奇な事物や高価な材料と混同される。イスラーム的ファンタジーも「ゴシック的マニエリスム」とある程度は結びつき、終いには珍重されている。だが同様にイスラーム世界も、自ら貯め込んでいた中国的形体を伝えており、その貢献がこの領域で続けられた。

これらの観察から二つの事実が浮かび上がる。すなわち、中世にたえず関与してきた古代の要素と東洋の要素、これら両者の永続性と回帰がそれである。ゴシック的西洋の誕生は旧い源泉を等閑にしたわけではないが、しかし選択と体系が違うのだ。とはいえ、物事は同一の枠内で起こった。奥深い動揺は東アジアの介入によってはじめて惹き起こされた。東アジアからの影響は護符や宝物の魅力によってではなく、恐怖から、神話から始まった。地獄絵、世界の終末、〈モンゴルの反キリスト〉が原動力となった。東アジアの影響は苦悩を抱えた驚異のなかで続いた。まず、蝙蝠の翼手が悪魔と異形に伝わった。それに続いたのは垂乳根、長耳、一角、象鼻を持った諸霊、狗頭人、多臂神、器怪だった。最後に死のサイクル、誘惑図、仏教的宇宙開闢論が、思考にあってはすぐれて方法的であり、情熱にあってはきわめて激しい中世の最終的ヴィジョンのなかに映し出された。荒涼たる雰囲気、夢想的な空間、岩山の肌、水晶と花冠台座の魔術、背向曲線の揺らめき、そうしたものの流入によって生命の息吹が広められた。それらはもはや魅力でもなければ尚古でもない。一個のドラマトゥルギーであり、眩暈であったのだ。

同一圏内で連続的に受け継がれているうち、中央アジアと東アジアからの波は漸増的に各地に届いていった。西欧ではイスラーム的形体と合流した。イランの場合と同様、二つの東方世界が隣り合い、そこで中国の寄与が時を同じくしてイスラームの体系と一つになった。だが、最後に優位に立ったもの、それはもっとも遠くにある東方世界〔東アジア〕であった。十五世紀から生命を横溢させる古代的組み合わせですら、東方の潮流に染まって生まれ変わった。唐の甲冑はベス神の全身を動きまわる顔にとって代わった。成形壺の後裔に人のかたちをした器物が加わった。エピクロス主義的な骸骨はタントラ派の舞踏に巻き込まれた。マンダラはアラビア的思弁がすでに継ぎ足されていたギリシア＝ローマ的天球図に謎と複雑さを上積みした。こうしたものの流入の特徴と強度は、寄与の収斂によって、基調や幻想的素地の統一性によって説明される。東アジアは凋落しつつある中世の前に立ち、その非リアリズムに応えつつ、その不安をかき立てたのだ。

だが、東アジアからの影響は複合的であった。ゴシック的西欧に見出される異種混淆的体系のすべてがその影響の余波を受け、その力の横溢のなかで混ぜ合わされたからだ。こうした寄与は二つの過程を踏んだ。すなわち、統合の過程と置換の過程を。

中世は借りてきた形体を一新しそれらを自らの色に染めることに並々ならぬ意欲を持っていた。すべてが変わって一から出直された。ギリシア＝ローマの異形は欄外装飾へ紛れ込み、完璧にゴシックのドロレリーにとなりきった。アラベスクも蔓草の気紛れに引き込まれた。生ける植物は多辺形組紐文で開花した。野や庭の植物の枝では、頭部が、人像をともなう花冠台座が実を結ぶ。幻想的な風景は本物の風景に重ね合わされ、その秘められた生命をあらわにして、自然の探求に貢献した。背向曲線は尖頭アーチに重ね合わされ、そこに自然な流動感を与えることで、建築物を内的発展の法則に適うものへと変容させた。ヘレニズム的人間と黄色人種はお馴染みの人間や悪魔の外観をまとった。伝説と幻視は中世的な思考や想像力のなかで置換された。正確に復元された像やモティーフですら天分の過剰な表出のように見えることがしばしばあった。ゴシックのイマジュリと形体学的体系の絶対的な統一性、この幻想に永らく手を貸してきたのはこうした同化力であり、こうした進化の統一性だったのだ。中世はおそらく一枚岩であり、かつ揺るぎない基礎の上に泰然として成長してきたのだろう。がしかし、十三世紀の「古典主義」の後にかき集められたファンタジーの展開にあっては、異国の豪奢と趣向を授けてくれる古代的・東洋的な小話の登場することがしばしばあったのだ。

これら寄与の同定は最後の観察を導いてくれる。これらの驚異の開花に貢献した力は中世以後も存続する、ということ。その力は魔法、アラベスク嗜好、未知なるものの魅力、ギリシア＝ローマの奇想とともに存続した。

ボスとブリューゲルのグリロスは、すでに新世界の一翼を担うものとなって、古い地層から忽然と姿を現した。山水の風景、壁の蜥蜴のなかに浮かび上がる獣や格闘、天翔ける人間についた蝙蝠の翼手、レオナルドの錯綜した組紐、これらには前時代の折衷主義を想い起こさせるものがあった。多辺形、多弁形、ルーミーを持った「モリスコ模様」のように、いまやイタリアによって広められる文様体系ですら、ローマのグロッタ装飾の手本に倣っていながらもシナ趣味やドロレリーで豊かさを増していた植物、金銀細工、動物などと同様に、すでに同化されて久しい形体を見出したのだ。ルネサンスはその力強い源泉の更新のなかで、すでに探求されていた諸基調を一つにまとめてみせた。その異国趣味と異形嗜好は中世に深く根差していたのである。

原註

＊1——F. Saxl and E. Panofsky, *Classical Mythology in Medieval Art*, *Metropolitan Museum Studies*, IV, New York, 1933, p. 266.

平凡社ライブラリー版　訳者あとがき

本書は Jurgis Baltrušaitis, *Le Moyen Age Fantastique : antiquités et exotismes dans l'art gothique*, Flammarion, Paris, 1981 の全訳である。

原著の邦訳は一九八五年に『幻想の中世——ゴシック美術における古代と異国趣味』の表題でリブロポート社から出版された。同書は拙い翻訳であったにもかかわらず、孤高の碩学ユルギス・バルトルシャイティスの主著の初めての全訳書ということもあり、出版後時を経ずして品切れとなる僥倖に恵まれた。重版を望む声も多かったが、訳文の改訂を容易に果たしえず、長く放置されたままになっていた。

この間に国書刊行会からバルトルシャイティスの著作集が刊行され、『アナモルフォーズ』(一九五五年初版、一九六九年改訂版、一九八四年増補改訂新版)、『アベラシオン』(一九五七年初版、一九八三年改訂新版)、『イシス探求』(一九六七年初版、一九八五年改訂新版)、『鏡』(一九七八年初版)の四書を簡単に繙けるようになった。同様にフランスでも一九八九年にジャン＝フランソワ・シュヴリエの評伝『ユルギス・バルトルシャイティスの肖像』(Jean-François Chevrier, *Portrait de*

Jurgis Baltrušaitis, Paris, 1989）が出版され、これまで謎とされることの多かった著者の生涯について、一通りの整理がなされるに至った。この評伝の内容については、上掲著作集の訳者が各自の後記のなかへ取り込んでいるが、初めての読書子のために、それをここで簡単に振り返っておきたい。

著者の生年月日はいまだ審らかにされていない。『アベラシオン』の共訳者種村季弘氏は「十九世紀末もぎりぎり」に遡るとしているが、一九八八年一月二五日に八十五歳で歿したというから、生年は一九〇二年ないし三年ということになる（エマニュエル・ド・ルー、『ル・モンド』、一九九〇年二月一二日）。出身地は帝政ロシアの支配下にあったリトアニア。一八七三年貧しい農家に生まれた同名の父は大学で物理・数学を学んだのち、出版や編集の事業に携わり、ロシア象徴主義運動の有力な担い手の一人となった。自らが詩人でもあった父は、ロシア文学者沼野充義氏によると、外国語習得に天才的な能力を発揮し「バイロン、イプセン、ハウプトマン、ハムスン、メーテルリンク、ワイルド、ダヌンツィオなどの作家を次々とロシア語に訳し」たという（「二人のバルトルシャイティス」）。第一次世界大戦前夜、両親は幼い息子を連れてヨーロッパ各地を転々としている。ユルギス・バルトルシャイティスという「流民的な知」の誕生に、幼年時代のこうした家庭環境は無縁でありえなかった。

父のユルギスは文学者や芸術家との交際が広く、英国の演出家ゴードン・クレイグとも親交を結んでいた。ゴードン・クレイグの子息による評伝（Edward Craig, *Gordon Craig : The Story of His Life*, New York / London, 1968〔邦訳『ゴードン・クレイグ——二十世紀演劇の冒険者』佐藤正紀訳、平凡社、一九九六年〕）には、父と子、二人のユルギスについての言及が随所に見られる。たとえば、一九一〇年頃にクレイグはリヴィエラ海岸の寒村アラッシオに「スタニスラフスキイの友人で詩人」のユルギス・バルトルシャイティス（父）を訪ねており、そのときに撮られた幼いユルギスとクレイグ夫妻の写真も残されている。「バルトルシャイティスは完璧な英語を話し、シェイクスピアを愛し、クレイグの仕事を心底から賛美している詩人」であった。

またロシアの作家ボリス・パステルナークも、アレクシン市近郊のオカ河畔にあったバルトルシャイティス家の別荘で一九一四年の夏を過ごしたときのことを自伝のなかで回想している。「私は彼らの息子の面倒を見たり、当時旗揚げしたばかりの室内劇場、バルトルシャイティスはその文芸顧問をしていたのだが、その劇場のためにクライストの喜劇『こわれがめ』の翻訳をしたりなどしていた。別荘の領内には、芸術界のお歴々がたくさんいた。詩人のヴィヤチェスラフ・イワーノフ、画家のウリアーノフ、作家ムラートフの夫人などが」。

やがて、ロシアは革命の季節を迎え、祖国リトアニアも独立。一九二〇年にモスクワ駐在公使、翌年に特命全権大使となった父は、家族とともにモスクワへ移住していた。この時期には画家マルク・シャガールとも接触があった。革命後の混乱に嫌気がさし、西欧への亡命を望む画家夫妻に、リトアニアでの展覧会の準備のためという口実で旅券を発給し、ベルリン経由でフランスへ赴かせたのもユルギス（父）であった（Franz Meyer, *Marc Chagall : Life and Work*, New York, n. d.）。こうした環境のなかで多感な年頃を過ごしていたユルギス（子）は、フォルマリストや構成主義者など、革命の高揚感に包まれたロシア・アヴァンギャルドの芸術運動を目の当たりにし、彼らから強い感化を受けることになった。なかでも、ロシア共和国第一劇場を拠点にやがて自らの劇場を興すことになる演出家メイエルホリドや、カメルヌイ劇場のタイーロフとの出会いは大きく、彼らを通じて構成主義的な演劇への関心を深めることになった。

ユルギス（子）がモスクワを離れ、ドイツ経由でパリの北駅に降り立ったのは、一九二〇年代初めの頃だという。一九二二年にはシャガールが同じ経路でパリに入り、翌年にはタイーロフがパリのシャンゼリゼ劇場で『フェードル』ほかを上演している。もっとも、フィードラー、ヒルデブラント、リーグル、ヴェルフリンなどドイツの美学・芸術学の洗礼を受けていた彼は、ハイデルベルクか、さもなくばオックスフォードでの学究生活を望んでいたようだ。一九二二年大きな事故に遭い、奇跡的に一命をとりとめた彼は、「間違って」パリに来てしまったと述懐するだけで、以後自らのロシア時代について言及を避けるようになった。

一九二四年末には美術史家アンリ・フォションとの出会いを経験する。シュヴリエによると、これは「（以後三十年間の）彼の知的生活を決定づけた出来事」であった。評伝は次のような話を伝えている。バルトルシャイティスは当時ソルボンヌで中世美術の教授職にあったフォシヨンの講義に通うようになった。あるとき、教授から研究発表を課せられた彼は、ためらうことなく美術における身振りの分析をテーマに選んだ。当時のフランスで中世美術研究の権威と目されていたのはエミール・マールであった。この図像学の泰斗によると、フランボワヤン様式の劇的な動作は演劇の影響を受けているという。バルトルシャイティスが身振りの問題を取り上げたのは、メイエルホリドやタイーロフとの交流を通じて演劇史に深い関心を寄せていたからである。とくに、一九一四年にベルリンで刊行されたマックス・ヘルマンの『中世とルネサンスのドイツ演劇史研究』(Max Herrmann, *Forschungen zur deutschen Theatergeschichte des Mittelalters und der Renaissance*, Berlin, 1914) のなかに、一五六〇年ニュルンベルクで上演されたハンス・ザックスの見世物のことが詳しく論じられており、当時のフランスで読む者のいなかった同書を基に、フランボワヤン様式時代の演劇は、けっして表現主義的なものでなく、むしろ完璧に儀礼的なものであったという斬新な説を展開した。すると指導教官のフォシヨンは、いまだ学士号も手にしていないバルトルシャイティスに学位論文を書くよう奨め、それが一九三一年の『ロマネスク彫刻の装飾文体論』に結実することになったのだという。

バルトルシャイティスの眼はつねに「辺境」を志向する。グルジアやアルメニアの中世美術については、ロマネスク美術との形体的な呼応が研究の対象となる。その成果は『アルメニアとグルジアの中世美術に関する研究』(一九二九年)に纏められており、また『シュメール美術、ロマネスク美術』(一九三四年)、『オジーヴの問題とアルメニア』(一九三六年)、『中世美術におけるキリスト教的宇宙観』(一九三九年、『ガゼット・デ・ボザール』掲載論文)など、三〇年代に刊行された中世美術に関する諸研究は、フォシヨンの学風を発展的に継承するものとなった。

しかしそうは言っても、美術史家バルトルシャイティスの全仕事を学術的に評定するのは容易でない。一九三〇年代に故郷リトアニアのカウナスの大学校で教壇に立ち、またアメリカのイェール大学で講義を行った経験もあるというが、終生フランスの教育機関の埒外にあり、アカデミックな世界から見るとつねに「マージナル」な存在であり続けたからである。当然、弟子を育てて学派を形成するでもなく、広く一般の人に向けての講演を行うでもなかった。ばかりか、「辺境」の拡大に精力を傾けたため、研究の対象が膨大な時空間に広がり、単なる専門性を以て善しとするようなアカデミズムの風潮に馴染み難い。地域や時代を限定した特殊研究でもなければ、それらを横断する系列的な研究でもない。あえて言えば、最初期のロマネスク彫刻の研究から晩年の「逸脱の遠近法」の三部作(『アベラシオン』、『アナモルフォーズ』、『イシス探求』)に至るまで、バルトルシャイティスの研究はかならず精神と形体の両面における「かたち」の問題へ収斂する。この意味において、彼は恩師にして義父ともなったフォシヨンの正嫡なのである。

思えば、原著の翻訳に着手したのは一九八一年のことだった。初訳上梓から十三年を経たいま、本書を再び刊行できることは訳者の大きな喜びである。もちろん、訳文は全面的に改訂したが、いまだ意に副わぬところもないではない。この新版の刊行を機に、かつて拙訳を購われた読者に対する負債をいくらかでも軽減できれば幸いである。

本書の刊行にあたっては、出版元の平凡社編集部をはじめ、実に多くの方々のお力添えを戴いた。とくに、訳文を細かくチェックしてくれた畏友の二宮隆洋、実際的なことでお世話戴いた大澤明の両氏に、この場を借りて深く感謝の意を表したい。

一九九八年六月

訳者

解説——目で見る東西の驚異

バルトルシャイティスのおもしろさ

荒俣宏

途轍もなく時代錯誤めいたテーマを、古典の権威とアカデミーの専門用語《ジャーゴン》とによって語り尽くす論述は、よほどタフな神経の持ち主でないかぎり、読んでいてうんざりするはずだ。だが、神話や神統譜や象徴寓意学の深い闇を、なにかこう鮮やかに、洒落たタッチで、しかもスリリングに解き明かしてくれる研究家が現われたら、話はまったく違ってくる。テーマの重厚さに臆することなく、すすんで熟読するだろう。

バルトルシャイティスは、善意の一般読者には重すぎる中世芸術や古代神話学の世界を、映画かヴィデオの幻想的な映像にのせて、うっとりとした声で語り聞かせてくれるがごとき人物であった。とりわけ日本人には縁遠かったゴシック美術、観相学、あるいは〝歪んだ遠近法〟といった忘れられた主題を、興味尽きない精神史の重大ジャンルとして身近なものにしてくれた功績は大きい。大袈裟にいえば、西洋文明史の上を厚く覆っていた塵を一気に吹きとばし、その下にあった宝の山に案内してくれる人物であった。

その掘り出された宝の一例が、古代以来連綿と続けられた東洋と西洋の文明交流を跡づける、思いもかけない装飾図像の断片である。本書『幻想の中世』の第五章に収められた「蝙蝠の翼手と東アジアの鬼神」は、その典型だろう。いったい、いつ、西洋の悪魔に蝙蝠の翼が生えたのか？　これを読んだとき、ふと思い出す顔があった。長らく中国文明の研究に没頭しておられた、故ジョゼフ・ニーダム氏である。

もう十数年前になるだろうか。ニーダム氏が来日した折、インタヴューを申し入れ、これを許されたので滞在先の天理市まで出かけて行った。当日、インタヴューのテーマとしたのは、「西洋に影響を及ぼした中国科学」だった。火薬のこと、鉄砲のこと、松浦藩に伝わっている「気炮」すなわち空気銃の絵図など、おもしろい話をたっぷり聞かせてもらった。

別れぎわ、老齢のニーダム氏はご自身の研究生活を振り返りつつ、ひとつの感慨を述べられた。

「英国の学会では、ニーダムが何か話をすると、何でもかでもルーツは中国になってしまう、と陰口をたたかれているそうだ。しかし西洋の科学技術の多くは、中世の終わりに、中国との接触により誕生した。事実であるから、いたしかたない」

そういって、ニーダム氏は苦笑された。このときたまたま、本書の元版がリブロポートという出版社から邦訳刊行されたばかりで、ぼくも真っ先に読んでいた。そこでぼくは、バルトルシャイティスというリトアニア出身の美術史家が図像学の面でも「悪魔のもつ蝙蝠の翼は中国のそれに由来する」と主張している事実を、何気なしにお知らせした。

するとニーダム氏は莞爾《にこり》とされ、

「そうか、美術研究の分野にもニーダムはいたのだね！」

といわれた。そのうれしそうなお顔が今も記憶に残っている。

わたしたちはふつう、西洋文明は西洋の産物であって、東洋的要素を含まない、と考える。そうした常識が根強く存在したからこそ、中国文明の世界的な影響力を実証しようとしたニーダム氏は、西洋のそれにも東洋からの借り物が多いという異説を呈示したとき、西洋中心主義のアカデミーから陰口をたたかれたのである。だが今や、西洋文明研究の諸分野で中国の影響を認める、あるいは示唆する潮流が形成されつつある。バルトルシャイティスのような心強い同志を得て、ニーダム氏も満足であったろう。

ついでに、これはつい先日のことになるが、北京の中国科学院自然科学史研究所で、王渝生博士というおもしろい人物と知り合いになった。一九九七年に刊行された豪華カラー図録『中国科学技術史』（中国科学技術出版社）でも、数学史の視点から陰陽五行、占星術、医学などの部分を担当した人である。個人的な趣味は風水や手相を看《み》ることだそうな。会食のときも、わたしたちの手相を片っぱしから看ては、座を盛り上げるエンターテイナーだった。王先生からは珍しい古代の科学文物を見せてもらった。ニーダム氏の大著『中国の科学と文明』にも紹介されている「司南」という、世界最初の磁石を使った方位占い盤、グーテンベルクより三百年以上も古い活版印刷機器などに混じり、走馬灯や、人面をもつ怪物画などのアートも見物できた。走馬灯すなわちマジック・ランタンの原型といい、人面の怪物画といい、中世以来西洋の、とりわけ教会で利用された視覚効果術のルーツを見る思いであった。

王先生によれば、これら中国の文明が西洋に流入するきっかけをつくった元の時代は、中国国内でも一種のルネサンスが実現した時期にあたるという。なぜなら、五行思想をもって文明が大発展した漢代に次ぎ、こんどは陰陽思想の復活を通じ文明の再編・集大成が行なわれた宋代には、火薬、印刷、羅針盤などの科学技術が確立し、その勢いを元が引き継いだからである。元を通じて、科学技術および美術工芸が一気に西洋へ流れでたのである。

つまり、バルトルシャイティスは、西洋美術史の研究を開始し、中世・ゴシック期をその領域とした時点ですでに、中国を含む東アジア美術の西洋への寄与を認めざるを得ない運命にあったということなのである。なにしろ西洋が中世に突入した当時の中国は、王先生が教えてくれたように、文物の偉大なルネサンスにあたっていたのであるから。また、かれの出身地リトアニア自体、東洋の影響の名残りをとどめる地でもあった。

さて、『幻想の中世』の最終章、結論を述べるくだりで、バルトルシャイティスは次のような中世美術研究の新しい展望を示している。

「三つの偉大なレパートリー、すなわちまずはヘレニズム的古代、ついでイスラームが、そしてそのすぐ後に東アジアが介入してきた。これら三者は同じ向きで、同じ精神で影響力を発揮した。三者が一つに収斂したのは、主に幻想的なものの誘引力のなせる業であった」と。東洋的な要素は、ヘレニズム（これもまた、東洋的であったが）とイスラームという関連する〝異国趣味〟と混じりあい、幻想的な寓話や装飾をテーマにした分野で最も華々しくヨーロッパを彩った。したがってバルトルシャイティスの関心が、悪魔像や蓮華アーチ、獣文、マンダラ、死骸図といった奇怪な対象に向いたことも、また当然というほかない。同じように中国から甚大な文明的影響を蒙ったわたしたち日本人にも、バルトルシャイティスの著作はさまざまな示唆を与えてくれるはずである。

本書『幻想の中世』を読まれた読者は、著者の博識に度肝を抜かれると思う。しかし、これで驚いてはいけない。本書は、いわばバルトルシャイティス幻想美術史学の入口であり、その全貌をかすかに垣間見せたにすぎないものだからである。さいわいにして現在、国書刊行会から「バルトルシャイティス著作集」（全四巻）が刊行されている。中国十六世紀に発明されたという〝歪んだ遠近法〟の図像、すなわちアナモルフォーズをめぐる力作『アナモルフォーズ』。革命期のパリに突如として現われた古代エジプト憧憬と、そのシンボル的な存在である女神イシス崇拝の痕跡とを、モーツァルトの秘儀オペラから始まって、これまた中国にまで遡る大著『イシス探求』など、従来の美術史を完全に逸脱し、象徴学から神話学、さらにオカルティズムの深みにまで分け入った傑作である。バルトルシャイティスは古代─中世─近世と、あらゆる時代を通じて西洋美術の底に流れた「異国の寄与」に関心を向けていたことが、よく判る。

ちなみに書けば、かれが手がけた方法は、パノフスキーの『イコノロジー研究』をはじめとするヴァールブルク学派の寓意紋章学に関するアプローチとも共通している。事物についての研究、そして(目に見える)イメージについての考察、こうしたマテリアルやメディアに属する材料の側から、逆に思想や哲学そのものを照射する方法である。従来は、哲学や思想研究に、文献は必要とされても、絵や装飾は必要とされなかった。しかし、世界には、文字ではなく絵や装飾、あるいは舞踊や儀礼によって深遠きわまりないコスモロジーを開示する慣習も存在したのである。バルトルシャイティスやパノフスキーは、そうした視覚的アプローチから導き出される豊かな成果を呈示してみせてくれた。

日本では、事物やイメージ──感覚や視覚による思想表現──を解読する作業は、ほとんど始まったばかりといってよい。アビ・ヴァールブルクはこれを「細部に宿った神」の解読と呼んだが、バルトルシャイティスは「異国趣味と異形嗜好」の世界原理探究と表現した。この形容だけでも大いに現代知性を刺激する新しいキャッチフレーズといえよう。最後に、はじめてバルトルシャイティスの著作に啓発された読者のために、本書の内容を一層掘り下げてくれる他の名著を若干紹介しておきたい。

まず、最良のサブリーダーとして、本書の訳者でもある西野嘉章氏が共訳者に名を連ねた、R・ウィトカウアー『アレゴリーとシンボル――図像の東西交渉史』(平凡社)を挙げたい。ヴァールブルク学派による成果の一例だが、「長い歴史の流れと広大な空間の広がり」のなかに起源が埋没してしまった、元型的イメージとも呼ぶべき数々の象徴図像の意味を、バルトルシャイティスに劣らぬ豊富な視覚資料により詳述した、まことにおもしろい本である。

次に、東西交渉史については、中国と西洋の文明交流に関し先駆的な論述を行なったイエズス会の万能学者アタナシウス・キルヒャーを扱った、J・ゴドウィン『キルヒャーの世界図鑑』(工作舎)が重要。とりわけ漢字の成り立ちについての西洋人らしい分析法がおもしろい。平凡社の東洋文庫に収められた後藤末雄『中国思想のフランス西漸』も、中国文明をエジプト人の植民によって理解しようとしたド・ギーヌなどの奇説が紹介されており、興味深い。

最後に、空想上の獣をめぐる東洋と西洋のイメージ化に関しては、博物学専門の出版社博品社が精力的な出版を続けている。植物から生じる動物を扱うB・ラウファー『スキタイの子羊』(H・リーとの共著)、同じ著者による『キリン伝来考』と『サイと一角獣』も奇特な仕事といえる。美麗な彩飾画で有名な、パリ国立図書館所蔵写本『驚異の書』（マルコ・ポーロ『東方見聞録』にもとづく）のファクシミリ版邦訳（岩波書店）が出たことも付言しておきたい。これらを一読すると、ひとつのイメージを中心に世界がみごとに一枚の壮大な連続図へとつながっていく。バルトルシャイティスの啓示とでもいうべきだろうか。

（あらまた ひろし／博物学）

新版への訳者あとがき

「三度言わねばならない」、そう言われたのはファウストであった。ヴェネツィア派の巨匠ティツィアーノの最晩年作《賢明の寓意》をめぐる第三の補遺論考を公にするさい、美術史家エルヴィン・パノフスキーは、そのメフィストフェレスの忠言を巧みに引用してみせた。私がそのことを思い出したのは、拙訳書が装いも新たに再々刊されるという話を聞かされたときのことであった。あの、図像解釈の泰斗にして「三度目の正直」があった、というわけであるから。

拙訳書の初刊は一九八五年のことであった。一九八一年にパリのフラマリオン書店から原著の軽装新版が出版された。その話を聞き及び、すぐに版権を取り、翻訳を始めた。四年後にそれが上製本で刊行された。二度目は平凡社ライブラリー叢書で軽装版上下二巻の出版となった。一九九八年のことである。それもまた品切れとなり、今般、ふたたび一冊に纏められることとなった。日本語版からすると四十年近く、アルマン・コラン社で仏語原著の初刊された一九五五年から数えると、実に七十年近くの歳月を経て、僥倖が再来したのである。

著者のユルギス・バルトルシャイティスの横顔は、長いあいだ、厚いベールに包まれていた。

美術史学を取り巻くアカデミックな人脈の埒外にいたこともあり、初版刊行時には、誕生年についてさえ諸説が入り乱れるほど、謎の多い、孤高の学者であった。最近では、YouTubeやSNSやWikipediaを通じて、多くの情報が得られるようになった。そのことを考えると、隔世の感あり、拙訳者として、いまさらながらそう思わざるをえない。

著者に関する情報リソースとして、是非とも紹介しておきたいものがある。高等師範学校出身の映像作家サンドラ・ジョクスが、ルーヴル美術館監修「文化のイメージ」の一番組として制作した「ユルギス・バルトルシャイティスのメタモルフォーシス」である。ナレーションに拠ると、美術史家は一九八八年一月に亡くなるが、その数週間前に収録された記録映像だという。リトアニア生まれの老学者が、自宅の書斎で、古びた椅子に腰を下ろし、身を屈めるようにして自らの著作について、四十分近く、フランス語で訥々と語る姿には、まことに感慨深いものがある。

バルトルシャイティスに会う機会はないものだろうか。そうした思いに駆られ、パリ六区ボナパルト通り一〇番地の「ラ・ポルト・エトロワット（狭き門）」に足繁く通ったのは、一九八〇年代初めのことであった。間口一間ほどの手狭な店内に、新刊書と古書が分け隔てなく並べられている、そうした、いかにもサン＝ジェルマン好みの美術書店であり、店主クロード・シャヴァルベルクの口から、当時リシュリュー街にあった国立図書館（BN）からの帰途にバルトルシャイティスがよく立ち寄ると聞かされていたからである。世間話をするが、本は買わない。それが碩学の振る舞い方だったという。

まがりなりにもパリの街で同時代の空気を吸っていたわけであり、初版刊行時には「日本語版への序文」まで寄せてもらうことができた。そうした昔の体験があったせいかもしれないが、映像を介してとはいえ、初めて著者の謦咳に接したときには、心打たれるものがあった。なお、このビデオ番組には、仏語版と伊語版があり、いまではYouTubeかDVDで、容易に見ることができる。

母国のリトアニアだけでなく、仏、英、伊、西など、多くの国々で、バルトルシャイティス再評価の動きが目立つようになっている。「規則」の理解には「不規則」の理解が欠かせない。「秩序」が愛されはしても、「無秩序」を好む者はいない。しかし、「秩序」が大切であるのと同様に、「無秩序」もまた大切である。カウンターパートへの目配り、それが西欧の精神世界に揺らぎの生じ始めているいまこそ、求められていることなのではないか。視覚的な領野にあって、マージナルなもの、欄外にあるものを復権させ、それらの正統性に眼を向けること、そのことの大切さを教えてくれたのがユルギス・バルトルシャイティスであった。

二〇二三年四月

西野嘉章

【ヤ行】

【ラ行】

【マ行】

【ナ行】

【ハ行】

【タ行】

【サ行】

【カ行】

総索引

【ア行】

[著者]
J. バルトルシャイティス（Jurgis Baltrušaitis 1903-88）
リトアニア出身、フランスの美術史家。同名の父（1873-1944）は高名な外交官・詩人、義父はH. フォシヨン。『幻想の中世』（1955）、『覚醒と驚異』（1960）はゴシック美術に対する古代と東方の寄与を独自の視点と図像構成から明らかにしたもの。『アナモルフォーズ』『アベラシオン』『鏡』『イシス探求』などを含め、神秘学から光学に及ぶ博識と才筆に支えられた著作には、ヴァールブルク学派と共通する問題意識が見られる。邦訳著作集（国書刊行会）がある。

[訳者]
西野嘉章（にしの・よしあき）
1952年生。東京大学名誉教授、博士（文学）。著書に『十五世紀プロヴァンス絵画研究』（1994、岩波書店）、『装釘考』（2000、玄風舎、2011、平凡社ライブラリー）、『ミクロコスモグラフィア』（2004、平凡社）、『チェコ・アヴァンギャルド』（2006、同上）、『西洋美術書誌考』（2009、東京大学出版会）、『浮遊的前衛』（2012、同上）、『モバイルミュージアム　行動する博物館』（2012、平凡社新書）、『前衛誌』（2016 / 19、東京大学出版会）、『雲の伯爵』（2020、平凡社）、『書姿考』（2020、玄風舎）、『ことばとかたち』（2023、東京大学出版会）などがある。2015年仏国レジョン・ドヌール勲章シュヴァリエ受章。

平凡社ライブラリー　946

新版《しんぱん》　幻想《げんそう》の中世《ちゅうせい》

ゴシック美術《びじゅつ》における古代《こだい》と異国趣味《いこくしゅみ》

発行日…………2023年6月9日　初版第1刷

著者……………J. バルトルシャイティス
訳者……………西野嘉章
発行者…………下中美都
発行所…………株式会社平凡社
〒101-0051　東京都千代田区神田神保町3-29
電話　(03)3230-6579［編集］
(03)3230-6573［営業］

印刷・製本……中央精版印刷株式会社
DTP…………平凡社制作
装幀……………中垣信夫

ISBN978-4-582-76946-3

平凡社ホームページ https://www.heibonsha.co.jp/